CHINESE DIALOGUES

Fred Fang-yü Wang

Edited by

Henry C. Fenn & Pao-ch'en Lee

FAR EASTERN PUBLICATIONS

YALE UNIVERSITY

NEW HAVEN, CONNECTICUT

TABLE OF CONTENTS

Introduction

This book is planned for students of spoken Mandarin who have completed the study of Mr. M. Gardner Tewksbury's Speak Chinese or its equivalent (approximately 12 weeks of 25 contact hours per week). The twenty-four lessons are based on everyday conversational situations, and each lesson comprises the following study materials for the student:

1. Dialogues
2. Vocabulary Usage
3. Sentence Structure
4. Pronunciation Drill
5. Questions
6. What Would You Say?
7. Memorization (or Story)
8. Translation

Each lesson calls for eight to ten contact hours plus an equal amount of individual study and listening to records. This heavy proportion of classroom contact to homework is necessitated by the objective, which is to speak the language, not to read it. Chinese differs from occidental languages in that the normal medium of reading in Chinese is the ideographic character, which is not essential to the mastery of the spoken language. The spoken language is taught more quickly and effectively through the medium of romanization, but this romanization should be regarded chiefly as a tool. Learning to speak requires plentiful oral drill and the use of recorded materials.

Each teacher will have his own ideas as to how much time should be spent on each section of the lesson. The following outline, recording the experience of the Institute of Far Eastern Languages at Yale University over a period of seven years, is suggestive rather than mandatory.

Dialogue. The dialogue is a live situation, and each expression in it is used in a setting. Obviously a student cannot learn the use of an expression without knowing its meaning, but it is equally axiomatic that he doesn't fully understand its meaning without knowing the context in which it is used. Each sentence of the dialogue is important insofar as it shows the student how to use words in a natural situation to express a non-artificial idea. Hence the aim has been to avoid the artificial sentences that once cluttered the pages of language texts - grammatically correct but not necessarily met in current conversation.

Where records are available, the student should prepare for recitation by listening to the sound recording of the dialogue, both with and without reference to the printed text. The normal life situation for learning a language is to listen without preparation to natural conversations and guess new terms from their context. This setting is best simulated if the student is willing to listen several times to the recording without reference to his text, trying to pick new expressions out of the blue. In this way he avoids approaching them as isolated words in a vocabulary list, meeting them instead as dynamic parts of living speech.

The first class period the instructor reads the dialogue to the class in a normal conversational manner and at normal speed, watching for signs of comprehension or of failure to understand. This may be followed by drawing the story out of the class in English and piecing it together. The teacher may read it through a second time with occasional stops to ask a student to translate a sentence as a check on comprehension. The first objective is complete comprehension of the dialogue, without which the subsequent exercises will be relatively ineffective.

Vocabulary Usage. To stress the belief that a word cannot be fully understood apart from a setting the use of each term except the noun is illustrated by one or more sentences. This procedure saves the student the trouble of turning back to the dialogue for an example of use and

offers additional contexts in which the term may be used.
Nouns seldom raise major problems of usage in Chinese. Drill
teachers should avoid merely asking the meaning of a given
vocabulary item; the student should be asked to make a sen-
tence using the specified term. Instructors who prefer to
give their own examples of use for the new words should
take care not to step outside the limits of the lessons al-
ready covered. Words frequently have other uses for which
the student is not yet ready, the introduction of which at
the moment may only complicate his learning without
strengthening his understanding.

Sentence Structure. In Speak Chinese the basic sen-
tence patterns of the Chinese language were introduced in a
logical order. The second level of instruction, for which
Chinese Dialogues has been prepared, calls for review of all
patterns introduced on the first level plus extensions and
elaborations. This should be done not in order of ease but
in topical grouping for comparison. Thus the patterns for
the expression of Time are reviewed comparatively, with
stress on the positional difference between expressions of
time when, which stand before the verb, and time used as a
measure, which stands after the verb. Each lesson reviews
one or more problems of structure and idiom, and adds fur-
ther materials and exercises to aid in mastery.

Pronunciation Drill. At the outset of his study of
Chinese, the student's pronunciation problems were primarily
a matter of mastering unfamiliar sounds. At the second
level this adjustment to new sounds should have been com-
pleted, but for a long time there may remain the problem of
appropriating the rhythms or normal speech and carrying them
over from one situation to another. Consequently there is
need for drill in imitating rhythmic enunciation of complete
phrases or sentences. Here the teacher should be constantly
on his guard against 'reading' the drill material rather
than 'saying' it conversationally. The Chinese national,
raised on the monosyllabic character, used to reading it in
a somewhat staccato rhythm, is particularly liable to this
fault in teaching. It is easily obviated by quickly memo-
rizing each sentence and saying it without reference to the
book.

Questions. A set of questions is offered to which the
student is expected to work out appropriate answers. He
should constantly bear in mind the principle laid down in

Speak Chinese, that the pattern of the question and the
pattern of the answer normally parallel each other very
closely, in marked contrast to the English custom of in-
verting the order of subject and verb. This principle
actually simplifies the problem for the student; neverthe-
less it seems to be difficult to persuade him to rely on it.
Once he has this rule firmly implanted in his mind, other
answer patterns which deviate from this principle may be
introduced to enrich the student's speech.

What Would You Say? This is merely a variation on the
question-and-answer drill. Given a certain situation, what
question would you ask or what remark would you make? The
instructor may vary the drill still further by giving a
statement and asking what question would be calculated to
produce it as an answer. He may have one student make up a
question and another student answer it. The old game of
"Twenty Questions" is a realistic and palatable way of
making the student ask and answer questions.

Memorization or Story. Memorization is sometimes over-
done, sometimes underdone, but it certainly has a place in
teaching spoken language. The writer studied German under
the author of a well-known German grammar. Part of the
regular assignment was to commit to memory the illustrative
sentences given in the day's quota of grammar text. They
were all fundamental structural patterns and some of them
have never been forgotten. A contemporary course in Russian
is reputed to consist mainly of memorizing a list of several
hundred pattern sentences. In the present work a memoriza-
tion passage is given in every other lesson. The goal in
recitation should be correct sentence structure, but devia-
tions in wording which do not affect the essential meaning
can well be ignored. The purpose of these exercises is not
the reproduction of gems of literature which permit no edit-
ing but the acquisition of structural patterns useful in
everyday speech.

The stories which alternate with the memorization pas-
sages should be treated even more freely. The student
studies the story to get the sequence of events and idio-
matic expressions. He then tells the story back in his own
words. This procedure may be varied by introducing the
round-robin approach, which keeps each student alert against
the moment when he is called upon to 'go on from there'.

<u>Translation</u>. There are many ways of handling transla-
tion exercises. Most laborious of all, most commonly used,
but not necessarily most effective is for the instructor to
collect and correct all translation exercises and return
them to the student - who has on occasion been known to con-
sign the product of the instructor's labors to the waste
basket. The main objective of a translation exercise should
be to locate the student's problems and forestall repetition
of error. Unless grading be considered of prime importance,
it seems more economical of teacher time, as well as more
effective, to exchange papers in class while the instructor
conducts with the aid of a blackboard a clinical analysis of
how each English sentence may best be expressed in Chinese
<u>and</u> <u>why</u>. Attention to individual problems is assured by
questions from the class. The need for grades can easily be
met by a brief test after every four or five lessons.

The reader may be surprised that no place has been
given to written translation from Chinese into English.
This, it is felt, can better be covered orally. The objec-
tive of the course is ability to comprehend and to speak,
not to compose written translations. The written transla-
tions from English into Chinese are tolerated only because
they reflect the student's problems of expressing himself in
an alien tongue.

<u>Comprehension</u>. Too much time cannot be given to compre-
hension work of one kind and another. The student of Chinese
in America cannot go out onto the street and hear Chinese
spoken as he might if he were living in China. The <u>Teacher's
Manual</u> offers limited materials aimed at making good this
lack. Constant listening to recorded materials offers a
second remedy for the situation. To many students this be-
comes boring after a few repetitions, but such boredom must
be overcome, for the student has no better way of getting
the rhythms of the language into his subconscious.

We have used at the Institute at least two types of
classroom exercise in comprehension. The one is commonly
referred to as 'rapid fire'; it consists of reeling off sen-
tences of moderate length at high speed to stimulate the
student's attention and accustom him to grasping meaning in
complete phrases and sentences rather than word by word.
Difficult at the outset, this soon brings the student to the
point where he feels a pardonable pride in his ability to
understand normal speech at normal speed. The second type

of exercise gives the student, at the normal rate of speech,
a paragraph at a time, or even an entire anecdote at a time,
asking him to catch the train of thought and report the gen-
eral idea or plot. These two processes complement each
other.

     What Next? It is assumed that most students of Chinese
will have taken up the study of the Chinese character and
mastered several hundred by the time he has completed
Chinese Dialogues. From this point on he will naturally
devote more time to the character, while his spoken Chinese
will arise from the character text he may be studying. To
facilitate this transition a romanized sketch of Chinese
History, Jūnggwo Lìshř Gāngyàu, has been prepared. It offers
abundant material for classroom discussion in Chinese, not
only on the history of China in the past, but on current
news. Thus it becomes an appropriate preparation for the
reading of the Chinese newspaper. This text is accompanied
by a Chinese character version for the convenience of
Chinese nationals who may be instructing and for the use of
students whose knowledge of characters has reached this
level.

                                              Henry C. Fenn

June 15, 1953

ACKNOWLEDGEMENT

                    The author wishes to thank
               Mrs. Gwendolyn T. Lee for her
               services in preparing the Vocab-
               ulary-Index of this book.

                              Fred Wang

DIYĪKE - DÀULE SHÀNGHǍI

I. Dwèihwà - (Dialogue)

Sż Ss. tsúng Měigwo dàu Jūnggwo chyu.
Dàule Shànghǎi, syà chwán yǐhòu, kàn-
jyan tade yiwèi Jūnggwo péngyou, shr̀
Jàu Džān, Jàu Ss. Sż Ss. shàng chwán
5   yǐchyán gěi Jàu Ss. dǎle yige dyànbàu,
swóyi Jàu Ss. dau mǎtoushang chyu jyē
ta. Jàu Ss. kànjyan Sż Ss. jyou gwòchyu
gen ta shwō:

Jàu: Sż Ss., nín láile. Hǎu a?

10 Sż: Hǎu, nín hǎu a? Syèsye nín lái jyē wo.

Jàu: Búkèchi. Wǒ jyējau nínde dyànbàu, syīnli fēicháng
tùngkwai. Chwán shr lyòuywè sānhàu kāide ma?

Sż: Dwèile, jyòushr wǒ dǎ dyànbàu de neityān kāide.
Dzǒude hěn kwài. Lùshang yě méitíng. Yígùng tsái
15   dzǒule shŕlyòutyān.

Jàu: Yídìng hěn lèile ba?

Sż: Méi shemma. Chwánshangde péngyou hěn dwō.
Měityān dàjyā dzai yíkwàr tántan, hěn yǒuyìsz.

Jàu: Dzwò chwán hěn youyìsz. Wǒmen hwéijyā chyu tán ba.
20   Chǐng nín dàu wǒmen jyāli chyu jù. Wǒmen gěi nín
bǎ wūdz yùbeihǎule.

Sż: Nà butài máfan ma? Wǒ syǎng wǒ jù lyǔgwǎn ba.

Jàu: Bùmáfan. Wǒmen yǐjing gěi nín yùbeihǎule.

Sż: Nèmma chǐng nín děng yiděng. Wǒ chyu chyǔ wǒde
25   syíngli chyu.

Jàu: Syíngli, děng yihwěr jyàu yùngren lai chyù, hǎu buhǎu? Wǒmen syān hwéichyu ba.

Sz̄: Yě hǎu. Wǒmen dzwò shémma chē chyù ne?

Jàu: Děi syān dzwò gūnggùng-chìchē, dzài dzwò dyànchē.
5   Syàle dyànchē dzài gwò lyǎngtyáu jyē jyou dàule.

Sz̄: Gūnggùng-chìchējàn dzài nǎr?

Jàu: Jyòu dzai nèibyar yige yàupù chyántou. Dàu nèige shŕdz̀lùkǒur, wàngyòu yidzǒu jyou shŕ.

Sz̄: Pyàu dwōshau chyán?

10 Jàu: Nín búyung gwǎnle. Wǒ gěi nin mǎi.

Sz̄: Wǒ dz̀jǐ mǎi ba.

Jàu: Bù, wǒ mǎi, wǒ mǎi.

Sz̄: Nèmma syèsye nín.

II. Shēngdz̀ Yùngfǎ - (Vocabulary Usage)

(English translations of sentences used in the vocabulary
of each lesson as examples of usage can be found in section
two of Part VIII of each lesson.)

1. dyàn   N: electricity
  1.1 dyànbàu   N: telegram, cable
  1.2 dyànchē   N: trolley car
  1.3 dyànhwà   N: telephone
  1.4 dyànmén   N: electric switch
  1.5 dǎ dyànbàu   VO: send a telegram
  1.6 dǎ dyànhwà   VO: make a phone call

   a. Chǐng ni bǎ dyànmén kāikai.
   b. Nǐ wèi shémma méigěi wo dǎ dyànhwà?

2. mǎtou   N: dock, wharf

3. jyē   V: receive, meet (at a train, boat, etc.)

3.1 jyē rén   VO: meet someone
3.2 jyèjau   RV: received, met
3.3 jyē dyànhwà   VO: answer a phone call

     a. Wǒ dàu chējàn jyē péngyou chyule.
     b. Shéi dàu ta jyā chyu jyē ta chyu?
     c. Jīntyan wǒ jyējau ta yifēng dyànbàu.
     d. Wǒ gěi ta dǎ dyànhwà, tā bùjyē.

4. syīn   N: heart, mind
4.1 yùngsyīn   SV/VO: put heart into, apply one's mind to

     a. Nǐ děi dwō yùng dyǎr syīn
     b. "Rén lǎu syīn bùlǎu."

5. tùngkwai   SV: be content, be happy

     a. Wǒ yíkànjyan ta, syīnli jyou tùngkwai.
     b. Dzwótyan wo jyànjau yiwèi lǎu péngyou, tánde
        tùngkwaijíle.

6. tíng   V: stop, park
6.1 tíng chē.   VO: park a car, stop a train

     a. Wǒde byǎu tíngle.
     b. Wǒ jǎubujáu dìfang tíng chē.

7. dàjyā   N: everybody
7.1 wǒmen dàjyā   N: all of us

     a. "Lěng shr yíge ren lěng; rè shr dàjyā rè."

8. máfan   N: trouble, nuisance
                   V: bother, annoy
                   SV: be bothersome, annoying
8.1 jǎu máfan   VO: look for trouble, make trouble

     a. Wǒ búywànyi gěi nín jǎu máfan.
     b. Jèijyan shr̀ching jēn máfanjíle.

9. chyǔ   V: fetch, take out, call for (jyē and
                    chyǔ both mean 'fetch', but jyē
                    usually refers to people, chyǔ to
                    things)
9.1 chyǔ syíngli   VO: get baggage
9.2 chyǔ dūngsyi   VO: fetch things

9.3 chyǔ chyán   VO: fetch money, withdraw money
9.4 chyǔchulai   RV: take out, withdraw

    a. Wǒ děi hwéi jyā chyǔ wǒde màudz chyu.
    b. Chyán dàgài jīntyan chyǔbuchulái.

10. syíngli   N: baggage (M: -jyàn)

11. yùngren   N: servant
  11.1 nányùngren   N: male servant
  11.2 nyǚyùngren   N: maid

12. gūnggùng-chìchē   N: bus, public vehicle (M: -lyàng for
                     cart, -tàng for trip)

13. gwò   V: pass, cross over
  13.1 gwòlai   RV: come over
  13.2 gwòchyu   RV: go over, pass away (die)
  13.3 gwò jyē   VO: cross a street
  13.4 gwò NU-tyáu jyē   go NU blocks

    a. Chǐng ni ràng wo gwòchyu.
    b. Tā fùchin dzwótyan wǎnshang gwòchyule.
    c. Wàng chyán dzǒu, gwò sāntyáu jyē jyou dàule.

14. yàu   N: medicine
  14.1 yàupù   N: medicine (herb) shop

15. shŕdż-lùkǒur   PW: street or road intersection
  15.1 shŕdż   N: a cross in the shape of the Chinese
                 character ten (十)
  15.2 lùkǒu(r)   N: end of a street

16. pyàu   N: ticket (M: -jāng)
  16.1 hwǒchēpyàu   N: railroad ticket
  16.2 ménpyàu   N: entrance ticket (of any kind)
  16.3 syínglipyàu   N: baggage ticket

17. gwǎn   V: manage, take care of, attend to
  17.1 gwǎndelyǎu   RV: can manage (actual form uncommon)
  17.2 gwǎnbujáu   RV: none of one's business (actual form
                uncommon)
  17.3 bùgwǎn   V: don't care whether, no matter
                whether

    a. Jèijyan shŕching shéi gwǎn?

b. Tā gwǎn háidz gwǎnde hěn hǎu.
c. Tāmen lyǎngge rende shŕching, wǒ gwǎnbulyǎu.
d. Nǐ gwǎnbujáu.
e Wǒ bugwǎn ni yǒu chyán méi chyán, wǒ děi yàu
   yige màudz.

III. Jyùdz Gòudzàu - (Sentence Structure)

1. The topic of a sentence: While the topic of a Chinese
sentence is most commonly a noun, the following situa-
tions are also common:

1.1 Number measure:

Yíge   búgòu.   (One is not enough.)

1.2 Specifier (with or without measure):

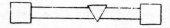

Jèi(ge)   shŕ   wǒde.   (This one is mine.)

1.3 Functive verb:

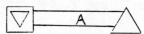

Dzǒuje   tài   màn.   (Walking is too slow.)

1.4 Stative verb:

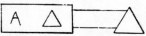

Tài syǎu   méiyùng.   (Too small is no use.)

1.5 Verb object:

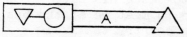

Chànggēr   jēn   yǒuyìsz. (Singing is very interest-
                                            ing.)

1.6 Complete sentence:

Wǒ gěi chyán, yě syíng. (It's all right for me to pay.)

But it is quite common for a Chinese sentence not to have a topic or a subject. When a thing has already been mentioned in the previous sentence, the subject or object referring to it is often omitted. Usually it is the same topic but sometimes the former object may be used as a new topic which is understood. The first two sentences of this lesson illustrate this type:

Sz̄ Ss. tsúng Měigwo dàu Jūnggwo chyù.
(Sz̄ Ss.) Làule Shànghǎi,
(Sz̄ Ss.) syà chwán yǐhòu,
(Sz̄ Ss.) kànjyan tāde yíwèi Jūnggwo péngyou,
(Péngyou) shr Jàu Džàn, Jàu Ss.

In order to comprehend the full meaning of the sentences, one must figure out what the topic of each sentence is.

2. <u>Purpose</u> <u>of</u> <u>coming</u> <u>or</u> <u>going</u> <u>and</u> <u>directional</u> <u>ending</u>:

2.1 A purpose may be expressed in three forms with lái or chyù:

2.11 Tā dàu chējàn chyu jyē péngyou.

2.12 Tā dàu chējàn jyē péngyou chyu.

2.13 Tā dàu chējàn chyu jyē péngyou chyu.

2.2 <u>Exercise</u>: Translate the following sentences into Chinese, using all three forms:

2.21 He went back home to fetch his hat.
2.22 My friend will come to meet me at the bus depot.
2.23 I plan to go to the country to live.
2.24 He said that he wanted to go to town to have a bus ride.
2.25 He said that he wanted to go to town by bus to buy something.

3. Use of wàng and tsúng:

3.1 Wàng may be followed by certain directional bound-
forms in the pattern:

wàng
$$\begin{Bmatrix} \text{-shàng} \\ \text{-syà} \\ \text{-chyán} \\ \text{-hòu} \\ \text{-dzwǒ} \\ \text{-yòu} \\ \text{-dūng} \\ \text{-nán} \\ \text{-syī} \\ \text{-běi} \end{Bmatrix} \begin{Bmatrix} \text{fēi} \\ \text{dzǒu} \\ \text{pǎu} \\ \text{lái} \\ \text{chyù} \end{Bmatrix}$$

When these directional boundforms are made into full
placewords by the addition of a positional suffix
such as -byār or -tóu, the resultant placewords may
follow both wàng and tsúng. E.g.

$$\begin{matrix} \text{shàng-} \\ \text{syà-} \\ \text{chyán-} \\ \text{hòu-} \end{matrix} \begin{Bmatrix} \text{-tou} \\ \text{-byār} \end{Bmatrix} \qquad \begin{matrix} \text{dūng-} \\ \text{nán-} \\ \text{syī-} \\ \text{běi-} \\ \text{dzwǒ-} \\ \text{yòu-} \end{matrix} \Bigg\} \text{-byār (but } \underline{not} \text{ -tou)}$$

3.2 Tsúng differs from wàng in three respects:

3.21 In the patterns tsúng---lái (come from) and
tsúng---chyù (go from), only dūng, nán, syī
and běi may stand.

$$\text{tsúng} \begin{Bmatrix} \text{dūng} \\ \text{nán} \\ \text{syī} \\ \text{běi} \end{Bmatrix} \text{lái (or chyù)}$$

3.22 Tsúng may refer to time as well as place, so
may be followed by TW as well as PW, while
wàng may not.

3.23 Tsúng in the sense of 'by way of', 'via', may
be followed by either a PW or a N.

a. Tā shr tsúng jèr (PW) gwòchyude.
b. Tā shr tsúng chwānghu (N) jìnlaide.

3.24 With opposite pairs of directional boundforms,
tsúng may stand before the first of the pair and
wàng or dàu before the second. Furthermore, a
wàng-phrase (CV-O) may always be used by itself,
while a tsúng-phrase cannot.

$$\text{tsúng} \begin{cases} \text{-shàng} \\ \text{-dzwǒ} \\ \text{-chyán} \\ \text{-dūng} \\ \text{-nán} \end{cases} \begin{cases} \text{wàng} \\ \text{dàu} \end{cases} \begin{cases} \text{-syà} \\ \text{-yòu} \\ \text{-hòu} \\ \text{-syī} \\ \text{-běi} \end{cases}$$

3.3 **Exercise:**

3.31 Make sentences using the boundforms listed in
3.1. Use each both independently and as a
positional suffix.

3.32 Make sentences with the word tsúng meaning 'by
way of' or 'through'.

IV. **Fāyīn Lyànsyí** - (**Pronunciation Drill**)

1. Nǐ gěi shéi dǎ dyànbàu le? Wǒ gěi wo péngyou.
2. Láujyà, mǎtou dzái nǎr? Mǎtou jyou dzai běibyar.
3. Nǐ jyē Jāng Ss. chyu ma? Wǒ bùjyē ta chyu.
4. Wǒde dyànbàu, tā jyējau méiyou? Hái méijyējau ne.
5. Nǐ syīnli jywéde dzěmmayàng? Wǒ jywéde hěn tùngkwai.
6. Nǐde byǎu jǐdyǎn le? Wǒde byǎu tíngle.
7. Jèijyan shr máfan bumáfan? Máfanjíle.
8. Nǐ dau nǎr chyu? Chyù syíngli chyu.
9. Nǐ gwòdelái gwòbulái? Wǒ syǎng gwòdechyù.
10. Láujyà, hwǒchejàn dzai shémma dìfang? Yìjŕ wàng dūng
dzǒu, jyou dàule.
11. Jèijyan shr shéi gwǎn? Tāmen lyangge ren gwǎn.
12. Wǒ syǎng wo búchyùle. Bùgwǎn ni chyù buchyu, wǒ yě
yau chyù.

V. Wèntí - (Questions)

1. Sz Ss. tsúng shémma dìfang dàu shémma dìfang chyu?
2. Tā dàule Shànghǎide mǎtou kànjyan shéi le?
3. Jàu Ss. dzěmma jřdau Sz Ss. shémma shŕhou dàu Shànghǎi?
4. Jàu Ss. kànjyan Sz.Ss. yǐhòu, gen ta shwō shémma? Sz Ss. shwō shémma?
5. Sz Ss. dzwòde nèityáu chwán shr jǐywè jǐhàu kāide? Dzài lùshang tíngle méitíng?
6. Nèityáu chwán dzǒude kwài bukwài? Yígùng dzǒule dwōshau tyān?
7. Sz Ss. shř bushr hěn lèile?
8. Sz Ss. dzai chwánshang yǒu péngyou ma?
9. Sz Ss. dzai chwánshang de shŕhou, dzwò shémma shřching?
10. Jàu Ss. yě jywéde dzwò chwán yǒuyìsz ma?
11. Jàu Ss. gěi Sz Ss. jǎu lyǔgwǎn le ma? Wèi shémma?
12. Sz Ss. wèi shémma yau jù lyǔgwǎn?
13. Sz Ss. wèi shémma yau chǐng Jàu Ss. děng ta yihwěr?
14. Jàu Ss. wèi shémma búràng Sz Ss. chyu chyú syíngli?
15. Tsúng mǎtou dàu Jàu Ss. jyā děi dzwò shémma chē?
16. Gūnggùng-chìchējàn dzài shémma dìfang? Dàule shŕdzlùkǒur wàng něibyar dzǒu?
17. Pyàu shr shéi mǎide? Dwōshau chyán?
18. Sz Ss. yau mǎi pyàu, Jàu Ss. shwō shémma?
19. Tsúng sywésyàu dàu nǐ jyā dzěmma dzǒu?
20. Tsúng sywésyàu dàu fàngwǎr děi gwò jǐtyáu jyē?

VI. Nǐ Shwò Shémma - (What Would You Say?)

1. Yàushr nǐ dàule Jūnggwo, yísyà chwán jyou kànjyan yiwèi péngyou lái jyē ni láile, nǐ dou wèn ta shémma?

2. Nǐ yǒu yiwèi Jūnggwo péngyou, dau Měigwo láile. Nǐ dàu mǎtoushang chyu jyē ta. Nǐ kànjyan ta yǐhòu, wèn ta shémma?

3. Nǐ yau dàu hwǒchējàn chyu, kěshr búrènshr lù. Nǐ dzěmma wèn?

4. Nǐ yau chǐng nǐ péngyou dàu ni jyā jù lyangtyān, nǐ dzěmma gen ta shwō?

5. Yàushr nǐ jǎubujáu gūnggùng-chìchējàn, nǐ dzěmma wèn?

VII. <u>Bèishū</u> - (<u>Memorization</u>)

A: Láujyà, dàu hwǒchējàn chyu dzěmma dzǒu?

B: Nín shr dzǒuje chyù, shr dzwò chē chyù?

A: Ywǎn buywǎn?

B: Bútài ywǎn, yě bútài jìn. Dzǒuje yǒu shŕfen jūng jyou
   dàule. Nín tsúng jèr yìjŕ wàng chyán dzǒu, gwò sāntyáu
   jyē. Dàule shŕdz-lùkǒur, wàng dzwǒ dzǒu jyou kànjyanle.
   Dzài yòubyar.

A: Yàushr dzwò chē ne?

B: Chyántou nèige yàupù ner, jyoushr gūnggùng-chìchējàn.
   Dzwò sānhàu chē, yìjŕ jyou dàule.

A: Hǎu, syèsye, syèsye.

VIII. <u>Fānyì</u> - (<u>Translation</u>)

1. Translate the following sentences into Chinese:

   1.1 Did you send that telegram?
   1.2 He went to the railway station to meet some friends.
   1.3 Can you go after her?
   1.4 Will they receive the letter I wrote by tomorrow
       night?   you
   1.5 They did go to the dock to meet, but they missed you.
   1.6 As soon as I heard this I felt very unhappy.
   1.7 You cannot park your car in front of this building.
   1.8 None of them went after our baggage.
   1.9 I can ask him to do it for me, but I don't like to
       bother him.
   1.10 This is really a lot of trouble, don't you think?
   1.11 I have to go to the school to get my pen.
   1.12 Go to the left three blocks and you will be there.
   1.13 Who takes care of meeting Mrs. Lee?
   1.14 No matter whether I can afford it or not, I still
        must buy one for her.
   1.15 That's my business, you don't need to interfere.

2. Below are English translations of sentences used in the vocabulary of this lesson as examples of usage. Translate these back into Chinese (numbers corresponding to those in Part II):

(1) a. Please turn on the switch.
      b. Why didn't you phone me?

(3) a. I went to the station to meet some friends.
      b. Who is going to her home to go after her?
      c. I received a telegram from him today.
      d. I called him on the phone, but he wouldn't answer the phone.

(4) a. You must put a little more heart into it.
      b. "Only old in body but not in spirit."

(5) a. As soon as I see him, I feel very happy.
      b. Yesterday I met an old friend and we had a most delightful chat.

(6) a. My watch stopped.
      b. I can't find a place to park.

(7) a. "In cold weather some people are cold; in hot weather everybody is hot."

(8) a. I don't want to cause you any trouble.
      b. This matter is really very troublesome.

(9) a. I have to go home to get (fetch) my hat.
      b. Probably I cannot take this money out today.

(13) a. Please let me pass.
      b. His father passed away last night.
      c. Go straight ahead for three blocks and you will be there.

(17) a. Who takes care of this matter?
      b. She disciplines her child very well.
      c. I cannot manage those two person's affairs.
      d. It's none of your business.
      e. Whether you have money or not, I must have a hat.

DÌÈRKE - DZÀI JÀUJYA

I. Dwèihwà

Szmǐdz Ss. gēn Jàu Ss. dàule Jàujya,
Jàu Tt. gēn lyǎngge syǎu háidz dou
dàu kètīngli lai jyàn Sz Ss.

Jàu Ss: Lái lái lái, wǒ gěi nimen jyèshau jyèshau.
5   Jèiwei shr Szmǐdz Ss., gāng tsúng Měigwo lái.
          Jèi jyou shr̀ wǒ tàitai gen lyǎngge syǎu háidz.

Sz: Ou! Jàu Tt! Jyǒuyǎng jyǒuyǎng.

Jàu Tt: Wǒ cháng tīng Džān shwō, nín yau dau Jūnggwo
          lái. Lyǎngge lǐbài yǐchyán wǒ jyou bǎ wūdz gei
10   nin shōushrhǎule. Nín dzai lùshang yíchyè dōu
          hǎu ba?

Sz: Hěn hǎu. Chwánshang yíchyè dōu hěn fāngbyàn.
          Nín jei lyǎngge syǎu háidz jǐswèi le?

Jàu Tt: Dàde báswei le. Syǎude wǔswèi.

15 Sz: Dōu shàngsywé le ba? Jǐnyánjí le?

Jàu Tt: Gēge dzai sānnyánjí. Dìdi hái méishàngsywé ne.

Sz: Gēgede bídz, dzwěi dou syàng fùchin, lyán ěrdwo
          dou syàng. Kěshr dìdi syàng mǔchin. Yǎnjing
          syàngde lìhai. Nín kàn, yòu dà yòu hēi, gēn tā
20   mǔchinde jyǎnjŕde yíyàng.

Jàu Tt: Nín chǐng dau jèijyān wūdz lai kànkan ba.
          Jèijyān shr gei nín yùbeide. Chwáng kǔngpà
          méiyou Měigwode shūfu. Kěshr nín dzai jèr jù,
          bǐ nin jù lyǔgwǎn fāngbyan yidyǎr. Jèibyar
25   shr dzǎufáng. Shǒujin, yídz, yáshwā, yágāu dou
          dzai jèr. Nín yau yùng shémma byéde dūngsyi,
          jyou jyàu yùngren gěi nin ná. Chyānwàn byé
          kèchi.

SZ̄:   Wǒ búhwèi kèchi. Nín yě byé kèchile. Jè bǐ jù
          lyǔgwǎn hǎudwōle.

Jàu Tt: Nín syān syísyí lyǎn, syōusyisyōusyi ba. Děng
          yihwěr chǐng nín gen wǒmen yíkwàr chr̄fàn.

5 SZ̄:   Wǒ yídàu jèr, jyou máfan nin. Jēn bùhǎuyìsz.

Jàu Tt: Bùmáfan. Děng yìhwěr jyàn ba.

SZ̄:   Hǎu, děng yìhwěr jyàn.

II. Shēngdz̀ Yùngfǎ

18. jyǒuyǎng   IE: I've longed to meet you

    A: Wǒ syìng Jāng, wǒ jyàu Jāng Yǔshŕ.
    B: Ou, Jāng Ss! Jyǒuyǎng, jyǒuyǎng!

19. shōushr   V: fix, repair, clean up, put in
                        order, straighten out.
    19.1 shōushr dūngsyi   straighten things up
    19.2 shōushr wūdz   fix up a room
    19.3 shōushr syíngli   pack up
    19.4 shōushr chìchē   repair an automobile
    19.5 shōushrhǎule   straightened out
    19.6 shōushrwánle   finished fixing

    a. Wǒ jīntyan dzǎushang děi shōushr shōushr wūdz.
    b. Jèige jwōdz hwàile. Tā shōushrle bàntyān
       méishōushrhǎu.

20. yíchyè   N: all of anything

    a. Yíchyède shr̀ching nǐ dōu búyung gwǎnle.

21. -nyánjí   M: grade in school
    21.1 jǐnyánjí   PW: what grade or year (in school)?
    21.2 sz̀nyánjí   PW: fourth grade or year (in school)

    a. Tā dzài èrnyánjíde shŕhou, nyànshū nyànde bùsyíng.

22. bídz   N: nose

23. dzwěi   N: mouth

24. ěrdwo   N: ear (M -jř. one of a pair)

25. syàng   AV: resemble, seem like
                          SV: look alike
   25.1 kànje syàng   look like
   25.2 tīnaje syàng   sounds like
   25.3 syàng..jèyàngr   like this
   25.4 syàng..nàyàngr   like that

      a. Tāmen lyǎngge rén hěn syàng.
      b. Tā shwō hwà tīngje syàng chàng gēr.
      c. Wǒ méikànjyangwo syàng tā nàyàngrde rén

26. yǎnjing   N: eye (M. -jř)

27. jyǎnjř(de)   A: simply, just

      a. Jyǎnjřde shwō ba. Wǒ buywanyi chyù.
      b. Tā jyǎnjřde bùsyǐhwan nyàn shū.

28. -jyān   M: (for rooms)

      a. Jèige fángdz yígùng yǒu wǔjyān wūdz.

29. chwáng   N: bed (M. -jāng)

30. shǒujīn   N: towel (M. -tyáu; -kwài)

31. yìdz   N: soap (M. -kwài)

32. yá   N: tooth

33. shwā   V: brush
   33.1 shwā yá   VO: brush teeth
   33.2 shwā yīshang   VO: brush clothes
   33.3 shwādz   N: brush (M. -bǎ -- generally for
                              things which have handles or parts
                              grasped by the hand in using)
   33.4 yashwā   N: toothbrush (M. -bǎ)

      a. Jèige maudz tài dzāngle, wǒ kàn shwābugānjingle.

34. yágāu   N: toothpaste (M. -túng -- meaning
                              tube, keg, barrel, tank)

35. (syǐ)dzǎufáng   N: bathroom (M. -jyān)
 35.1 syǐdzǎu   VO: to take a bath

36. chyānwàn   A: by all means, without fail,
                         be sure

   a. Chǐng nǐ chyānwàn byé wàngle.

37. syōusyi   V: rest, take a vacation

   a. Wǒ jèi jityān tài lèile, děi syōusyi jityān le.

38. bùhǎuyìsz   A/SV: be embarrassed, be shy

   a. Nǐ gēn tāmen shwō nèige hwà, ràng wǒ hěn bùhǎuyìsz.
   b. Wǒ bùhǎuyìsz yàu tāde chyán.

III. Jyùdz Gòudzàu

1. Shr---de Construction:

   1.1 The shr---de construction is used to stress some
       attendant circumstance such as time, place, means,
       purpose, rather than the action of the main verb.
       In every case, the action of the main verb is al-
       ready known or has been mentioned, and it is the
       when, where, who, what or how of the action that is
       to be stressed. While the de follows the main verb,
       the shr is generally right before the circumstance
       to be stressed:

       1.11 Tā (shr) dzwótyan tsúng Nyǒuywē dzwò hwǒchē
            láide.
       1.12 Tā dzwótyan (shr) tsúng Nyǒuywē dzwò hwǒchē
            láide.
       1.13 Tā dzwótyan tsúng Nyǒuywē (shr) dzwò hwǒchē
            láide.

       Note that the shr is sometimes omitted in this con-
       struction, in which case the stress depends entirely
       on the voice.

   1.2 It has just been stated that the de is generally
       placed right after the main verb. However, when
       there is an object after the main verb, the de can

be placed either after the verb (V-de-O) or after the
object (VO-de):

1.21 Nèige ren shr shàngywe hwéide gwó. (or)
1.22 Nèige ren shr shàngywè hwéi gwó de.

The former pattern is more common and is recommended
for general use.

1.3 Exercise: Translate the following sentences into
Chinese:

   1.31 I bought a book. Do you know how much I bought
        it for?

   1.32 He has already come. He came by boat.

   1.33 Did you fix your room? Yes, I did. When did
        you fix it?

   1.34 Have you brushed my clothes? Which brush did
        you brush them with?

   1.35 It was this morning I bought this watch at that
        store.

   1.36 It was at that store I bought this watch this
        morning.

   1.37 This morning I bought this watch at that store
        for three dollars.

   1.38 When did you have lunch today?

   1.39 I didn't buy this book myself. He bought it
        for me.

2. The Use of BĬ:

   2.1 BĬ has been introduced in Speak Chinese as a co-
        verb. However, it can also be used as a full verb.

        Wǒmen lyǎngge ren bǐle bàntyān, háishr bùjŕdau shéi
        gāu.

   2.2 A co-verbial phrase with bǐ (bǐ-O) generally modifies

a stative verb as in the example in 2.3. But it may
also modify:

2.21 Certain auxiliary verbs such as <u>syǐhwan</u> and <u>ài</u>.
     When the meaning is well established, the
     functive verb can sometimes be left out:

>   Tā bǐ wǒ ài wár.
>   Wǒ bǐ tā syǐhwan (chr̄).

2.22 Or a functive verb preceded by certain such
     adverbs as <u>dwō</u>, <u>shǎu</u>, <u>dzǎu</u>, <u>wǎn</u>, <u>syān</u> and <u>hòu</u>
     (and possibly some others) and followed by a
     number-measure:

>   Tā bǐ wǒ dwō chr̄le yìwǎn fàn.
>   Tā bǐ wǒ dzǎu láile yíge jūngtóu.

2.3 Degree of comparison is expressed by a predicate
    complement which is put after the stative verb. It
    may take any of the following forms:

Jèige bǐ nèige gwèi
- dwōle
- -de dwō
- yidyǎr
- sānmáu (chyán)
- hǎusyē
- bùshǎu
- bùdwō
- dwōshau ?

It is important to remember that the two superlative
adverbs <u>hěn</u> and <u>tài</u> never precede the stative verb
in a sentence expressing degree of comparison.

2.4 <u>Exercise</u>: Translate into Chinese:

2.41 Her eyes are much more beautiful than her
     sister's.
2.42 This towel is a little cheaper than that one.
2.43 I can fix it much better than he can.
2.44 He is one inch taller than I.
2.45 He works one more hour than I do.
2.46 This pen is one dollar cheaper than the other
     one.
2.47 I am three years older than he is.
2.48 I came here only five minutes earlier than he

        did.
    2.49 He knows much more than I do.
    2.410 As soon as you compare these two books, you
          will know which one is better.

3. <u>Lyán---Dōu (or Yě)</u>:

   3.1 <u>Lyán</u> is a co-verb whose object may be either nominal
     or verbal. The main verb of the sentence, which is
     modified by the <u>lyán-O</u> phrase, must be preceded by
     <u>dōu</u> or <u>yě</u>. Examples of the different types of object
     which may follow <u>lyán</u> are:

     3.11 a noun: Lyán yíge ren dōu méiyǒu,
     3.12 a verb: Lyán kàn yě búkàn,
     3.13 a S-V: Lyán wǒ chyù dōu bùsyíng,
     3.14 a V-O: Tā lyán chrfàn dōu chrbuchǐ,
     3.15 a S-V-O: Lyán wǒ gěi chyán tā dōu búywànyi, or
     3.16 a SV: Tāde lyán húng dōu méihúng, and possibly
        some others.   lyán

   3.2 <u>Exercise</u>: Translate into Chinese:

     3.21 Even the children know a few words of English.
     3.22 I don't even know where he is.
     3.23 He won't even give a dollar for it.
     3.24 Don't ask him to buy it. He cannot afford even
        an old car.
     3.25 He won't even listen to his wife.
     3.26 He doesn't want to sell even if I buy it.
     3.27 He feels dull even when drinking.
     3.28 Mrs. Jōu won't come even if I invite her.
     3.29 When I got up this morning, it wasn't even
        daybreak.
     3.30 He won't wash his face even when I offered him
        one dollar.

IV. <u>Fāyīn Lyànsyí</u>

1. Wǒ gěi nín jyèshau jyèshau. Jèiwèi shr <u>Jāng</u> Ss.
   Jyǒuyǎng jyǒuyǎng.
2. Yíchyède <u>dūngsyi</u>, dou shōushrhǎule ma?
   Dōu <u>shōushrhǎule</u>.
3. Nǐ dìdi dzai <u>jīnyánjí</u>?

Tā dzài sānnyánjí.

4. Jèige shr̄ching dzěmma bàn?
   Wǒ jyǎnjŕde bùjŕdàu.

5. Shǒujin, yídz, yáshwā, yágāu, dōu mǎile ma?
   Shǒujin, yídz, dōu mǎile, yáshwā, yágāu, hái méimǎi ne.

6. Jèijyān shr̄ shémma wūdz?
   Jèijyan shr̄ syídzǎufángr.

7. Tāde bídz, dzwěi, yǎnjing, ěrdwo dou syàng shéi?
   Shéi dou búsyàng.

8. Nǐ gěi ta mǎi shǒujin le ma?
   Mǎile. Lyán yídz dōu mǎile.

9. Nǐ yìtyān shwā jǐtsz̀ yá?
   Lyǎngtsz̀. Dzǎushang yítsz̀, wǎnshang yítsz̀.

10. Jèijyan shr̀, nǐ chyānwàn byé wàngle.
    Nín fàngsyīn. Wàngbulyǎu.

11. Nín jīntyan hái chūchyu ma?
    Bùchūchyule. Wǒ děi syōusyi syōuyīle.

12. Nǐ bùhǎuyìsz gēn ta shwō ba?
    Méiyou shémma bùhǎuyìsz.

V. Wèntí

1. Sz̄mǐdz̄ Ss. dàule Jàu Ss. jya, shéi lái jyàn ta? Dàu shémma dìfang lai jyàn ta?

2. Jàu Ss. jyèshaude shŕhou, shr̀ dzěmma shwōde?

3. Jàu Ss. gei tāmen jyèshauwánle yǐhòu, Sz̄ Ss. shwō shémma?

4. Jàu Tt. dzěmma jŕdau Sz̄ Ss. yàu dàu Jūnggwo lái?

5. Jàu Tt. shwō, ta shémma shŕhou jyou bǎ Sz̄ Ss.de wūdz shōushrhǎule?

6. Jàujya yǒu jǐge háidz? Shr̀ nánde shr̀ nyǔde? Jǐswèi le?

7. Jàujyade háidz shàngsywé le méiyou? Dzài jǐnyánjí?

8. Sz̄ Ss. shwō dà háidz syàng shéi? Shémma dìfang dzwèi syàng?

9. Syǎude syàng shéi? Shémma dìfang syàngde lìhai?

10. Jàu Tt. ràng Sz Ss. kàn tāde wūdz meiyou?

11. Jàu Tt. shwō nèige chwáng dzěmmayàng?

12. Nǐ syǎng Sz Ss. dzai Jàujya jù bǐ jù lyǔgwǎn dzěmma-yàng?

13. Jàu Tt. gěi Sz Ss. yùbeile shémma dūngsyi le?

14. Yàushr Sz Ss. yau yùng byéde dūngsyi, tā děi dzěmma bàn?

15. Jàu Tt. chǐng Sz Ss. kànwánle wūdz, gen Sz Ss. shwō shémma?

16. Jàu Tt. chǐng Sz Ss. gen tāmen yíkwàr chr wǎnfàn, Sz Ss. shwō shémma?

17. Nǐ dzài péngyou jyāli jùgwo meiyou? Nǐ jywéde jùdzai péngyou jyāli bǐ jù lyǔgwǎn fāngbyan ma?

18. Nǐ shémma shŕhou kéyi shwō "jyǒuyǎng"?

19. Nǐ syàng ni fùchin, syàng nǐ mǔchin?

20. Nǐ hwèi shōushr chìchē ma? Nǐ hwèi shōushr shémma?

VI. Nǐ Shwō Shémma?

1. Yàushr yǒu rén gěi ni jyèshau syīn péngyou, nǐ tīngjyan tāde mǐngdz yǐhòu, shwō shémma? Nǐ wèn ta shémma?

2. Nǐ gěi nǐde péngyoumen jyèshàude shŕhou, dzěmma shwō?

3. Nǐ kànjyan nǐ péngyoude syǎu háidz de shŕhou, wèn ta shémma? Nǐ wèn ta fùmǔ shémma?

4. Nǐ jùdzai péngyou jyāli, nǐde péngyou gěi ni dzwòle hěn dwōde shŕ. Nǐ syǎng yàu shwō lyangjyù hwà, syèsye tā. Nǐ dzěmma shwō?

5. Yaushr nǐ chǐng péngyou dzai jyāli jù, nǐ yàu ràng tā kànkan tāde wūdz, gàusung yā shémma dūngsyi dzai shémma dìfang, nǐ dzěmma shwō?

VII. Gùshr

(On Record)

VIII. Fānyì

1. Translate the following sentences into Chinese:

   1.1 I must straighten up the dining room.

   1.2 He said that he didn't know how to repair this automobile, but he fixed it.

   1.3 He is in the fourth grade. What grade are you in?

   1.4 His nose certainly looks   like his mother's.

   1.5 These two girls look very much alike.

   1.6 It sounds like Chinese.

   1.7 He simply does not think.

   1.8 He just doesn't understand.

   1.9 When you go down town, be sure you don't forget to buy some tooth brushes for me.

   1.10 I take a bath in the morning and wash dishes at night.

   1.11 Do you want to have a rest?

   1.12 I want to rest a couple of weeks.

   1.13 I want to take a week's vacation.

   1.14 I am embarrassed to tell him.

   1.15 It was a very embarrassing situation.

2. Translate back into Chinese the following sentences which are translations of the examples of usage in the vocabulary of this lesson:

(18) A. My surname is Jāng and my given name is Yǔshŕ.
     B. Oh, Mr. Jāng, I've longed to meet you.

(19) a. This morning I must straighten up my room.
     b. This table is broken. He has tried to repair it,
        but didn't succeed.

(20) a. You don't have to worry about any of the business.

(21) a. When he was in the second grade, his studying was
        futile.

(25) a. The two of them are very much alike.
     b. When he talks, it sounds like singing.
     c. I have never seen anyone like him.

(27) a. To speak frankly, I don't want to go.
     b. He simply does not like to study.

(28) a. Altogether this house has five rooms.

(33) a. This hat is too dirty, I don't think it can be
        brushed clean.

(36) a. Please don't under any circumstances forget it.

(37) a. These few days I have been too tired. I must rest
        for a few days.

(38) a. (When) you said that to them, it made me very
        embarrassed.
     b. I feel very embarrassed to take his money.

DISĀNKE - DZÀI JÀUJYA CHŔFÀN

I. Dwèihwà

Lyòudyan jūng Jàu Ss. dàu Sz̄ Ss.
wūdzli láile.

Jàu Ss: Fàn hǎule. Chǐng dau fàntīng chŕfàn ba.

Sz̄:   Hǎu. Wǒ lìkè jyou chyù.

5   (Sz̄ Ss. dàule fàntīng yǐhòu.)

Jàu Tt: Nín chǐng dzwò ba. Wǒ gěi nín yùbeile dāudz
        chādz le.

Sz̄:   Wǒ yùng kwàidz ba. Wǒ dzai Měigwode shŕhou,
       sywé shwō Jūnggwo hwà swéirán méisywéhǎu,
10   kěshr sywé chŕ Jūnggwo fàn, sywéde bútswò.
       Jūnggwo fàn buyùng kwàidz, buhǎuchŕ.

Jàu Tt: Nínde Jūnggwo hwà, shwōde tài hǎule.

Sz̄:   Gwòjyǎng, gwòjyǎng.

Jàu Tt: Nín sywéle jǐnyán le?

15 Sz̄: Búdàu yìnyán. Kěshr shwōde jīhwei hěn shǎu.

Jàu Tt: Búdàu yìnyán, jyou néng shwō dzèmma hǎu ma?
        Kě jēn bùrúngyi. Nín chángchang jèige tsài ba.
        Yěsyǔ búgòu syán. Jèr you yán, hújyāumyàr,
        jyàngyóu. Nín yàu buyàu?

20 Sz̄: Syíngle! Wǒ búyàule. Jèige tsàide wèr hǎujíle.
       Jèmma dwōde tsài, dou shr nín yíge rén dzwòde
       ma?

Jàu Tt: Méi shémma tsài. Nín dzai chŕ yìdyar jèige yú
        ba.

25 Sz̄: Hǎu! Syèsye nin! Jèige tsài jyàu shémma? Wèr,

wénje jēn syǎng.

Jàu Tt: Jèi shr chǎubáitsài.

Sż: Dwèibuchǐ! Wǒ méitīngchīngchu. Chǐng nín dzai
         shwō yitzż.

5 Jàu Tt: Wǒ shwō jèi shr CHǍU-BÁI-TSÀI.

Sż: Où! CHǍU-BÁI-TSÀI. Jēn hǎuchr. Yǒuyidyǎr tyán.
         Měigwode Jūnggwo fàngwǎr, dwōbàr dōu shr Gwǎng-
         dūng ren kāide. Tsài ye búhwài. Kěshr wèr
         hǎusyàng méiyou dzèmma hǎu shrde. Jèige shr jī
10   ma? Shr dzěmma dzwòde?

Jàu Tt: Shr jáde.

Sż: Dzwò jèige tsài, yùng yóu yùngde hěn dwō ba?

Jàu Tt: Dwèile. Nín dzai chr yìdyar fàn ba.

Sż: Bùchrle. Wǒ chrbǎule. Nín mànmār chr ba.

15 Jàu Tt: Jēn chrbǎule ma? Dzai hē yìdyar jīdàntāng.

Sż: Bùle. Wǒ shr chrbǎule. Wǒ búhwèi kèchi.

Jàu Tt: Nèmma nín chǐng dau kètīng hē dyǎr chá ba.

Sż: Hǎu! Syèsye nín.

II. Shēngdż Yùngfǎ

39. swéirán...kěshr... A: although...(yet)...

   a. Tā swéirán nyàngwo yidyǎr Jūnggwo shū, kěshr kàn
      bàu háishr kànbudǔng.

40. gwòjyǎng   IE: you flatter me

   A: Nínde gēr chàngde jēn hǎu.
   B: Gwòjyǎng, gwòjyǎng.

41. búdàu   V: less than, not quite (usually
                       followed by a numeral)

a. Tā nèige bǐ, búdàu lyǎngkwài chyán.

42. jīhwèi   N: opportunity, chance

43. cháng   V: taste

   a. Nèige tsài hǎuchr̄jíle. Nǐ chángle méiyou?

44. syán   SV: be salty
   44.1 syányú   N: salted fish
   44.2 syánròu   N: salted meat
   44.3 syánjīdàn   N: salted egg
   44.4 syántsài   N: salted vegetables

   a. Wǒ bútài syǐhwan chr̄ syán dūngsyi.

45. yán   N: salt

46. hújyāumyàr   N: (ground) pepper

47. yóu   N: oil, sauce
   47.1 tsàiyóu   N: vegetable oil
   47.2 jyàngyóu   N: soya sauce

48. wèr   N: taste, flavor, odor.

49. wén   V: smell
   49.1 hǎuwén   SV: be good to smell
   49.2 wénjyan   RV: smelled

   a. Nǐ wénjyanle ma?
   b. Nǐ wénwen, jèi wūdzli shémma wèr?

50. syāng   SV: be fragrant, smell good
   50.1 syāngwèr   N: good smell, aroma
   50.2 syāngshwěi,
        syāngshwèr   N: perfume

   a. Jèige wūdzli dzěmma dzèmma syāng a?

51. chǎu   V: sautè, fry
   51.1 chǎu tsài   VO: to prepare a fried dish
   51.2 chǎutsài   N: a fried dish
   51.3 chǎu fàn   VO: to fry rice
   51.4 chǎufàn   N: fried rice

    a. Děng wo chǎuwán jèige tsài, wǒmen jyòu chrfàn.

52. báitsài   N: cabbage (M: -kē, for trees and some
                               vegetables)

53. yǒuyidyǎr   A: a little bit

  a. Jèige fàngwǎrde tsài, yǒuyidyǎr tài gwèi.

54. tyán   SV: be sweet

    a. Tā bùsyǐhwan chr tyán dūngsyi.

55. dwōbàr, dwōbàn   A: most likely, most of, the majority

    a. Wǒde chyán dwōbàr dōu shr tā gěi wǒde.

56. Gwǎngdūng   PW: Kwangtung (province)
  56.1 Gwǎngdūng rèn   N: Cantonese (people)
  56.2 Gwǎngdūng hwà   N: Cantonese (dialect)

57. hǎusyàng   V/A: resemble/a good deal like, just
                                 as though, it seems that
  57.1 hǎusyàng...
     de yàngdz   resemble, appearance of...
  57.2 hǎusyàng...shrde resemble

    a. Tā hǎusyàng bìngle shrde.
    b. Tā hǎusyàng búdà ài shwōhwà.
    c. Nèige rén hǎusyàng yǒubìngde yàngdz.

58. jī   N: chicken (M. -jr)
  58.1 jīdàn   N: (chicken) egg (M. -dá, dozen)
  58.2 jīdàntāng   N: egg drop soup
  58.3 chǎujīdàn   N: scrambled egg
  58.4 chǎu jīdàn   VO: scramble an egg

59. já   V: fry in deep fat
  59.1 jáyú   N: fried fish
  59.2 já jú   VO: fry fish
  59.3 jájī   N: fried chicken
  59.4 já jī   VO: fry chicken

    a. Jáde dūngsyi dōu bùrúngyi dzwò.

60. mànmār(de)   A: slowly

a. Bùmáng, nín mànmār syě ba.

III. Jyùdz Goudzàu

1 <u>Adverbs</u> <u>in</u> <u>Associated</u> <u>Pairs</u>: Certain adverbs are used
to introduce a clause and to show its relation to a
second clause. If the clause so introduced is in-
complete in sense without the second clause, it may be
termed a 'dependent clause'. The second clause usually
requires an adverb to introduce it also. Some connec-
tive adverbs are used exclusively in the first clause
or in the second; others are moveable. Some of them
are used in associated pairs, a certain adverb in the
first clause calling for a certain adverb in the second
clause.

Connective adverbs may be divided into the following
groups in terms of their location:

1.1 <u>First</u> <u>clause</u> <u>only</u>: (the adverbs introducing the
second clauses are not necessarily the <u>only</u> ones
which can stand there.)

      Búdàn......, yě......... (not only.. but also.....)
      Yàushr....., jyou........ (If...., then ....)
      Yīnwei......, swóyi...... (Because.., therefore.....)
      Swéirán...., kěshr...... (Although.., nevertheless.)
      Yàubúshr...., jyòushr.... (If not...., then.........)
                  jyou yídìng shr..(If not...then
                                      certainly...........)
      (Gāng) yi....., jyou....... (As soon as...(then)......)

1.2 <u>Second</u> <u>clause</u> <u>only</u>: (The adverbs introducing the
first clauses are merely suggestive, since they are
frequently omitted entirely.)

      (Hǎusyàng)., <u>kěshr</u>...... (It seems as if.., but....)
      (Syān)....., <u>dzài</u>....... (First......, then........)
      ...., <u>jyou</u>....... (When......., then........)
      ...., <u>swóyi</u>...... (............, so.........)
      (Yǐjing)..., <u>tsái</u>....... (Translates most readily
                                    into the negative in the
                                    form
                                    Not until.....did........)

1.3 Either clause:

    ...., yīnwei......(..... because........)
    Yīnwei........, swóyi ......(Since, therefore......)

1.4 Reduplicated Pairs: Note in the following pairs that some are compounds of shr̀ and some are not. Those which are not may not be followed by a noun; those which contain shr̀ may be followed by either a noun or a verb. The first, of a pair, is often omitted.

    (shr̀)......shr̀........?   Is it.....or is it.....?
    (háishr)...háishr.....?   Is it.....or is it.....?
    (hwòshr)...hwòshr.....   Either....or.......
    (yě).......yě.........   Both......and......
    (yěshr)....yěshr......   Both......and......
    (yòu)......yòu........   Both......and......
    (yòushr)...yòushr.....   Both......and......

Note that the distinction of fixed and moveable adverbs governs the position of these connective adverbs also.

1.5 Exercise: Translate into Chinese:

    1.51 If you didn't go to New York, then you must have gone to Washington.

    1.52 Because I didn't pay him anything, he wouldn't do it for me.

    1.53 This seems rather expensive, but it is imported (has come) from abroad.

    1.54 If he is going, then I don't need to.

    1.55 I'll be there, although I may be late.

    1.56 It seems that he studied hard, but just couldn't make it. (Couldn't learn well.)

    1.57 If I had had the money, I would have bought it.

    1.58 If it isn't that his car is out of order, then it is that he has to go to New York.

1.59 I am not going to buy it even if it is in-
     expensive.

1.60 It is just because he isn't rich that I want
     to be friends with him.

象

2. <u>Syang</u> and <u>hǎusyàng</u> are similar in meaning but differ
   somewhat in use.

   2.1 We find three possible situations in the use of
       <u>syàng</u>:

       2.11 It may be used as a stative verb:

            Tāmen lyǎngge ren hěn syàng.

       2.12 It may function as a verb:

            Tā hěn syàng ta mǔchin.

       2.13 It may serve as an auxiliary verb:

            Tā syàng syǐ yīshang shrde.

   2.2 There are two possible situations for <u>hǎusyàng</u>:

       2.21 It can be treated as a functive verb:

            Tā hǎusyàng Fàgwo ren.

       2.22 It can also be treated as a movable adverb:

            Tā hǎusyàng shwèijyàu ne.
            Hǎusyàng tā shwèijyàu ne.

       Unlike <u>syàng</u>, <u>hǎusyàng</u> cannot be preceded by hěn,
       nor can it function as a stative verb.

   2.3 Note that both <u>syàng</u> and <u>hǎusyàng</u> may take "shrde"
       or "de yàngdz" at the end of the sentence without
       changing the meaning:

       2.31 Tā hěn syàng ta mǔchin (shrde).
       2.32 Tā hǎusyàng shwèijyàu (de yàngdz).

   2.4 <u>Exercise</u>: Translate the following sentences:

2.41 It seems as though I knew him.
2.42 It looks as though it might be hot today.
2.43 The door seems to be closed.
2.44 Those two students certainly look alike.
2.45 Those two boys both look very much like their
     father.
2.46 He looks like a school teacher.
2.47 I told him I was an American, but he said I
     didn't look like one.
2.48 He seems to be unwilling to go, but I think he
     will go if you ask him to.
2.49 This dish tastes like Chinese food. Don't you
     think?
2.50 He seems to be quite rich, but I don't believe
     he can afford this.

3. Reduplicated Stative Verbs: A stative verb may have three
   functions: to modify a noun, to stand as the predicate of
   a sentence, and (in some cases) to modify a verb (adverb-
   ial function). Reduplicated SV have the same three pos-
   sible functions, but they more commonly appear as adverbs.
   In Peking Mandarin, the last syllable of a reduplicated
   SV acquires the high level tone, and a final er or r is
   frequently added. So far as meaning is concerned, the
   reduplication has little effect other than to add a de-
   gree of stress.

        kwàikwārde dzǒu   (walk quickly)
        hǎuhāurde dzwò   (do it nicely)
        dzǎudzāurde lái   (come early)
        mànmārde chŕ   (eat slowly)

3.1 When a two-syllable SV is reduplicated, the pattern
    AB becomes AABB, but the final syllable does not
    necessarily change to a high level tone and a final
    er or r is seldom added:

        swéisweibyanbyànde shwō   (talk freely)
        gāugausyingsyìngde hē dyar jyǒu (drink merrily)
        kèkechichīde gēn wo shwō   (speak to me politely)
        shūshufūfūde dzwò yihwěr (sit down for a little
                                    while comfortably)
        chīngchingchuchūde
          gàusung ta le   (told him clearly)

3.2 Exercise: Translate into Chinese, using reduplicated

SV as adverbs where appropriate:

3.21 When we get there let's have a meal in comfort.

3.22 If you talk with him politely, I think he'll be very glad to listen.

3.23 You'd better write him a good clear letter telling him all about it.

3.24 I only hope he will finish his work and come back early.

3.25 He just took a walk very casually.

4. Reduplicated Functive Verbs: Most functive verbs may be reduplicated like kànkan and wárwar, but care should be taken with two-syllable functive verbs. The pattern AB becomes ABAB (in contrast to the AABB of SV). The stress is generally on the first syllable. E.G.:

shōushrshōushr   syōusyisyōusyi   jyèshaujyèshau

If however the two-syllable word is a verb-object compound rather than a verb, only the verb part is reduplicated (not the object). E.g.:

syésye dż   kànkan bàu   tántan hwà

4.1 Exercise: Translate into Chinese:

4.11 You have walked so long. You must sit down and rest for a while.

4.12 Come, let me introduce you two to each other.

4.13 After I get home, all I can do is to have a little rest and read the papers.

4.14 I want to take a little walk. Do you want to go with me?

4.15 This room is filthy. I have to clean it up a bit.

IV. Fāyīn Lyànsyí

1. A. Jèige jīde wèr hěn syāng.
   B. Swéiran hǎuwén, kěshr bùyidìng hǎuchī.
2. A. Shémma shŕhou you jīhwei, wǒmen tán yitán, hǎu buhǎu?
   B. Hǎujíle. Míngtyan syàwǔ dzěmmayàng?
3. A. Nǐ chángchang jèige yú dzěmmayàng?
   B. Hǎusyàng yǒuyidyǎr tài tyán le.
4. A. Nín yàu húiyāumyàr buyàu?
   B. Hǎu. Wǒ yàu yidyǎr. Yě yàu yìdyar yán. Syèsye nín.
5. A. Nín dwōbar bùsyǐhwan chī chǎujīdàn ba?
   B. Syǐhwan. Wǒ shémma dou syǐhwan chī.
6. A. Nǐ dzěmma le?
   B. Wǒ yǒuyidyǎr bushūfu.
7. A. Wǒ syìng Lǐ, jyàu Dényán.
   B. Òu Lǐ Syansheng, jyǒuyǎng jyǒuyǎng.
8. A. Nínde hwàr hwàde jēn hǎu.
   B. Gwòjyàng gwòjyǎng.
9. A. Wǒ syǎng chǐng nín lǐbailyòu chī wǎnfàn.
   B. Nín byé kèchi, lǐbailyòu wǒ dwōbàr méi gūngfu.
10. A. Nín dzài chī yidyar fàn.
    B. Wǒ chībǎule. Nín mànmār chī ba.

V. Wèntí

1. Jàu Ss. wèi shémma dau Sž Ss. wūdzli chyu? Tā gen Sž
   Ss. shwō shémma?

2. Sž Ss. dàule kètīng yǐhòu, Jàu Tt. gēn ta shwō shémma?

3. Jàu Tt. wèi shémma gěi Sž Ss. yùbei dāudz chādz?

4. Sž Ss. wèi shémma búyùng dāudz chādz?

5. Sž Ss. dzài shémma dìfang sywéde yùng kwàidz?

6. Sž Ss.de Jūnggwo hwà shr dzài shémma dìfang sywéde?
   Sywéle dwōshau shŕhou?

7. Jàu Tt. jywéde Sž Ss.de Jūnggwo hwà dzěmmayàng?

8. Sž Ss. tīng Jàu Tt. shwō tāde Jūnggwo hwà shwōde hǎu,
   tā shwō shémma?

9. Jàu Tt. dzwò fàn dzwòde dzěmmayàng? Gòu syán búgòu?

10. Yàushr tsài búgòu syán, nǐ dzěmma bàn?

11. Sž Ss. shwō Jàu Tt.de tsài dzwòde dzěmmayàng?

12. Sž Ss. dzài Měigwo de shŕhou, dau Jūnggwo fàngwǎr chyùgwo
    méiyou?

13. Sž Ss. shwō Měigwóde Jūnggwo fàngwǎr dwōbàr shr shémma
    dìfangde rén kāide? Tsàide wèr dzěmmayàng?

14. Měigwóde Jūnggwo fàngwǎr nǐ chyùgwo méiyou? Chŕgwo
    shémma tsài?

15. Jàu Tt. shwōle yijyu hwà, Sž Ss. méitīngchīngchu, tā
    shwō shémma?

16. Sž Ss. wèi shémma yàu wèn nèige jǐ shř dzěmma dzwòde?

17. Sž Ss. chŕbǎule yǐhòu, tā gen Jàu Ss. Jàu Tt. shwō
    shémma?

18. Sž Ss. chŕwánle fàn, Jàu Tt. chǐng ta dàu shémma dìfang
    dzwò?

19. Nǐ dzài Gwǎngdūng fàngwǎr chŕgwo Jūnggwo fàn méiyou?
    Fànde wèr dzěmmayàng?

20. Nǐ hwèi dzwò shémma tsài?

VI. Nǐ Shwō Shémma?

1. Fàn dzwòhǎule, nǐ yàu chǐng nǐde péngyou dau fàntīng
   chŕfàn, nǐ gēn ta shwō shémma?

2. Yàushr yǒurén shwō nǐde Jūnggwo hwà shwōde hǎu, nǐ shwō
   shémma?

3. Yàushr nǐ tīngjyan yige Měigwo rén shwō Jūnggwo hwà
   shwōde hěn hǎu; nǐ wèn ta shémma?

4. Yǒurén chǐng ni chŕfàn, nǐ syǎng shwō nèige tsài hěn hǎu,
   nǐ dzěmma shwō?

5. Yàushr yŏurén gēn nĭ shwō hwà, nĭ méitīngjyàn, nĭ shwō
   shémma?

6. Nĭ gēn nĭde péngyou dzai yikwàr chr̄fàn, nĭ chr̄wánle,
   kěshr nĭde péngyou hái méichr̄wán ne, nĭ gēn ta shwō
   shémma?

VII. Bèishū

A: Lái, Lái, wŏ géi nimen jyèshau jyèshau. Jèiwei shr Lĭ
        Ss., jèiwei shr Lù Ss.

Lĭ and Lù: Jyŏuyăng jyŏuyăng.

Lĭ: Wŏ jyàu Dényán. Dé shr Dégwode Dé, Nyán shr syīnnyánde
        Nyán. Nín dzai Jūnggwo jùle dwōshau shŕhou le?

Lù: Bànnyándwō le.

Lĭ: Nínde Jūnggwo hwà shwōde jēn hău.

Lù: Gwòjyăng gwòjyăng. Nín dzai shémma difang dzwòshr̀?

Lĭ: Wŏ dzai Syīn-gwó sywésyàu jyāu shū.

Lù: Òu! Syīn-gwó sywésyàu. Nèr yŏu yiwèi Jāng Ss., nín
        rènshr búrènshr?

Lĭ: Rènshr. Jāng Ss., rén hěn hău.

VIII. Fānyì

1. Translate into Chinese:

   1.1 I must go there, although the weather is not good.
   1.2 That trolley ticket is less than a dollar and a half.
   1.3 This is a big opportunity.
   1.4 You taste it and tell me whether I put enough pepper
       in it.
   1.5 Have you ever tasted this fried chicken?
   1.6 Smell it, it is very fragrant.
   1.7 Have you smelled it? It certainly smells good.

1.8 It sounds good.
1.9 This cabbage is a little too salty.
1.10 Most of the Chinese in the United States are
     Cantonese.
1.11 Most likely he doesn't know.
1.12 It seems that the flavor is very good.
1.13 This sounds a good deal like Japanese.
1.14 That dish tastes a good deal like fried eggs.
1.15 Let's walk slowly.

2. Translate back into Chinese.

(39) a. Although he studied some Chinese, still he cannot
        read the newspapers.

(40) A: Your singing is wonderful.
     B: You flatter me.

(41) a. He bought his pen for less than two dollars.

(43) a. That dish is delicious. Did you taste it?

(44) a. I don't care much for salty things.

(49) a. Did you smell it?
     b. Take a smell, what's the odor in this room?

(50) a. Why is it that this room is so fragrant?

(51) a. Wait until I finish preparing this dish, then
        we'll eat.

(53) a. The food in this restaurant is rather expensive.

(54) a. He doesn't like to eat sweet things.

(55) a. He gave me most of my money.

(57) a. It seems as though he were sick.
     b. It seems that he doesn't like to talk.
     c. That man looks like he is sick.

(59) a. All fried food is difficult to cook.

(60) a. No hurry. Write it slowly.

DISŻKE - TÁN TYĀNCHI

I. Dwèihwà

Sż Ss. dzǎushang chǐlai, dzai
ywàndzli sànbù. Jàu Ss. ye chūlaile.

Sż: Nín dzǎu a!

Jàu: Dzǎu. Nín kàn, jīntyande tyānchi dwóma hǎu a!

5 Sż: Kě bushr̀ ma! Yòu lyángkwai yòu shūfu. Jèrde tyān-
       chi dzǔngshr̀ dzèmma hǎu ma?

Jàu: Bùyídìng. Děi kàn shr shémma shŕhou. Chwūntyan
       gen dūngtyan bútswò; syàtyan tài rè, chyōutyan
       búshr syà yǔ, jyòushr yīn tyān, yàuburán jyòu gwā
10   fēng.

Sż: Dūngtyan jèr ye syà sywě ma?

Jàu: Jèr dūngtyan yǒu shŕhou syà sywě, kěshr syàde búdà.
       Běifāng tyānchi lěng, sywě syàdàle de shŕhou, nǎr
       dōu shr báide, jēn hǎukàn.

15 Sż: Wǒ tīngshwō Běipíng cháng gwā fēng, shr̀ jēnde ma?

Jàu: Shr̀ jēnde. Běipíngde fēng hěn dà, tǔ ye hěn dwō.
       Běipíng shémma dōu hǎu, jyòushr jèiyàngr, wǒ
       bùsyǐhwan.

Sż: Rén dōu shwō Běipíngde fēngjǐng hěn hǎu, wǒ jēn
20   syǎng chyu kànkan.

Jàu: Běipíng jèige chéng, gēn byéde chéng bùyíyàng. Yǒu
       hěn dwō yǒuyìszde dìfang. Yě yǒu hěn dwō hǎuchr̄de
       dūngsyi. Kěshr yàushr shwō fēngjǐng, háishr nán-
       fāngde hǎu. Nánfāng yòu yǒu shān, yòu yǒu shwěi,
25   yòu yǒu shù. Tèbyé shr chwūntyan, tyānchi nwǎnhwo,
       hwār kāile de shŕhou, yǒu húngde, yǒu hwángde.
       Jèisye yánsher gēn lyùde yèdz, lyùde tsǎu dzai

yíkwàr, jēnshr hǎukànjíle. Yóuchíshr chíngtyānde
shŕhou, tyān shr lánde, yúntsai shr báide, shwěi
shr lyùde. Rén hǎusyàng dzai hwàrli shŕde. Dzai
wénwen hwārde syáng wèr, tīngting nyǎur jyàu,
5   syīnli jēnshr tùngkwaijíle.

Sž: Nà dwóma hǎu a! Jèr ye cháng syà wù ma?

Jàu: Shànghǎi syà wù de shŕhou bútài dwō. Chúngchìng
cháng syà wù. Yǒuyidyǎr syàng Lwúndwūn. Dzǎufàn
dàgài kwài hǎule. Wǒmen chyu chŕ dzǎufàn ba.

10 Sž: Hǎu! Nín chǐng.

II. Shēngdž Yùngfǎ

61. ywàndz   N: yard
 61.1 chyánywàn(r) N: frontyard
 61.2 hòuywàn(r)   N: backyard
 61.3 dūngywàn(r)   N: east yeard

62. sànbù   VO: take a stroll, take a walk

    a. Wǒ měityan chŕwán wǎnfàn, dōu dzài wàitou sànsanbù.

63. kě búshŕ ma!   IE: isn't that the truth! sure enough!

    A: Měigwode dūngsyi, syàndzài dōu gwèile.
    B: Kě búshŕ ma!

64. lyángkwai   SV: be cool (comfortably cold)

    a. Wūdzli bǐ ywàndzli lyángkwaidwōle.

65. dzǔng(shr)   A: always

    a. Jēn chígwài, jèige dž, tā dzǔng búhwèi syě.

66. chwūnsyàchyōudūng N: spring, summer, fall and winter
 66.1 chwūntyan   TW: spring
 66.2 syàtyan   TW: summer
 66.3 chyōutyan   TW: fall
 66.4 dūngtyan   TW: winter

67. yǔ   N: rain
 67.1 syà yǔ   VO: rain (falls)

a. Yǔ syàde dà budà?

68. yīn tyān   N/VO: cloudy day

a. Yīn tyān de shŕhou wǒ dzǔng búdà shūfu.

69. sywě   N: snow
   69.1 syà sywě   VO: snow (falls)

a. Jìnnyande sywě syàde tài dwōle.

70. -fāng   BF: direction, a region
   70.1 nánfāng   N: the South
   70.2 běifāng   N: the North
   70.3 nánfāng rén N: Southerner
   70.4 běifāng rén N: Northerner

71. fēng   N: wind
   71.1 gwā fēng   VO: wind blows

a. Syàwánle sywě yòu gwā fēng, lěngjile.

72. tǔ   N: dust, earth

73. fēngjǐng   N: scenery, view

74. shù   N: tree, (M. kē)

75. nwǎnhwo   SV: be warm (comfortably warm)

a. Jèige fángdz hǎujíle, dūngtyān nwǎnhwo, syàtyān lyángkwai.

76. hwār   N: flower (M. -dwǒ)

a. Tyānchi yinwǎnhwo, hwār jyou dōu kāile.

77. yánsher, yánsè   N: color

78. yèdz   N: leaf
   78.1 shùyèdz   N: tree leaf
   78.2 cháyè   N: tea leaf

79. tsǎu   N: grass, straw
   79.1 tsǎudì   N: lawn
   79.2 tsǎumaur   N: straw hat

80. yóuchí(shŕ)   A: especially, above all

   a. Nèige rén jēn yŏuyìsz, yóuchíshŕ shwōhwàde shŕhou,
      jyǎnjŕde yŏuyìszjíle.

81. chíng tyān   N/VO: clear sky, day or weather

   a. Syàndzài tyān chíngle.

82. yúntsai   N: cloud (M. -kwài)

83. nyǎur   N: bird (M. -jŕ)
   83.1 nyǎur jyàu   singing of birds

84. wù   N: fog
   84.1 syà wù   VO: become foggy

   a. Syà wù de shŕhou kāi chìchē, jēn děi syǎusyin.

85. Nín chǐng   IE: please go ahead, after you

III. Jyùdz Gòudzàu

1. Time Expressions may be classified into two general
   groups: time-when group, denoting when the action hap-
   pened or will happen, and time-spent group, indicating
   the length of time of the action.

   1.1 Time-when group of time expressions all serve as
      movable adverbs which precede the main verb. It
      consists of three kinds:

      1.11 A time word or a combination of them such as
         jīntyan, jīntyan wǎnshang and jīntyan wǎnshang
         bādyan jūng:

         Wǒ syǎng wǒ míngtyan syàwǔ tsái néng hwéilai
         ne.

         Note when such time words are used as nouns,
         they may either precede or follow the verb which
         is limited to a very few verbs used in the equa-
         tional sense, such as shŕ and jyàu:

Míngtyan shř lǐbaiwǔ.
Jèige ywè jyàu lyòuywè.

1.12 Time clauses ending with yǐchyán, yǐhòu, de shŕhou, etc.:

Chŕfàn yǐchyán byé nyànshū.
Wǒ syǎude shŕhou syǐhwan wár.

1.13 A Nu-M-(N) preceded by a specifier:

Tā měi sānge ywè chyù yítsz̀.

1.2 Time-spent group of time expressions generally follows the Nu-M-(N) pattern such as:

sānge jūngtóu,
lyòunyán, etc.

However, in this group, there are certain expressions which denote an indefinite amount of time, such as:

bùjyǒu,
hěn jyǒu,
hěn dwōde shŕhou,
hěn dàde gūngfu, etc.

1.21 The time-spent expression generally follows the main verb and precedes the object if there is one:

Tā dzài jèr jànle bàntyān le.
Tā yàu nyàn sānnyán shū.

1.22 In certain cases, it may precede the main verb. It will be explained more in detail in Lesson VI.

1.3 Exercise: Translate into Chinese:

1.31 Three days ago, I didn't know whether he would come or not.

1.32 When it rains, it is a little cold here.

1.33 It has been foggy here for a week already.

1.34 This tree has been in blossom for quite a while.

1.35 I usually take a walk before breakfast.

2. THE POSITION OF SV-YIDYĂR - This phrase may function
   either as an adverbial modifier of the verb, or as a
   predicate complement. In the first case it precedes the
   verb; in the second it follows it. Some SV followed by
   yidyăr may take either position.

   2.1 PREDICATE COMPLEMENT

   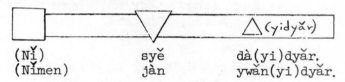

   (Nǐ)   syě   dà(yi)dyăr.
   (Nǐmen)   jàn   ywăn(yi)dyăr.

   2.2 ADVERBIAL POSITION

   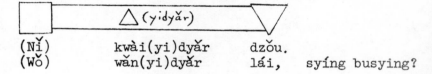

   (Nǐ)   kwài(yi)dyăr   dzǒu.
   (Wǒ)   wǎn(yi)dyăr   lái,   syíng busying?

   2.3 BOTH POSITIONS PERMISSIBLE: kwài, màn, dzǎu, wǎn
       (plus yidyăr)

   2.4 Exercise: Translate the following:

       2.41 Will you please come a little earlier tomorrow?
       2.42 May we eat a little later today?
       2.43 It's getting late; let's go faster.
       2.44 When you write, write a little slower and make
            it clearer.
       2.45 Please speak a little more slowly.

3. If not....then....otherwise....
   The pattern in Chinese is:
   Búshr....jyòushr....yàuburán....

   3.1 Exercise: Translate into Chinese:

       3.11 The weather was very bad these several days.
            If it didn't rain, (then) it snowed, otherwise,
            the wind was very bad.

       3.12 None of these tables will do. If they aren't
            too high, (then) they are too long, otherwise

they are too expensive.

3.13 He didn't buy a thing. It was either that he
     didn't like the color, or else that he didn't
     care for the style, otherwise, he said that
     the article was too expensive.

3.14 How did people know that spring is here? If
     they didn't notice that the weather was getting
     warmer, (then) they must have heard the singing
     of the birds, otherwise, they must have seen
     those blossomed trees.

3.15 When I get a letter from my son, if he doesn't
     ask for money, (then) he wants to use the car,
     otherwise, he would say that he cannot come back
     this weekend.

IV. Fāyīn Lyànsyí

1. A. Jīntyan tyānchi dzěmmayàng?
   B. Yīntyān, kěshr hěn lyángkwai.

2. A. Jèige dìfang chyōutyan cháng syà yǔ ma?
   B. Bùcháng syà yǔ, kěshr cháng gwā fēng.

3. A. Nǐ měityan dzai ywàndzli sànbù ma?
   B. Wǒ dzai jyēshang sànbù.

4. A. Jèige dìfang hěn nwǎnhwo.
   B. Kě búshr ma!

5. A. Nèige hwār shr shémma yánsher?
   B. Wǒ syǎng shr húngde.

6. A. Syàndzài yòu shr chyōutyan le.
   B. Shéi shwō búshr ne. Shùyèdz dou hwángle.

7. A. Yòu syà sywě le.
   B. Syà sywě de shŕhou, fēngjǐng hěn hǎu.

8. A. Jèige nyǎur jyàude hěn hǎutīng.
   B. Kěshr yánsher bútài hǎukàn.

9. A. Jīntyan shr chíngtyan ma?
   B. Yídyǎr yúntsai dou méiyou.

10. A. Jèige dìfang wèi shémma dzǔng syà wù?
    B. Yīnwei lí hǎi tài jìn.

V. Wèntí

    Ss.

1. Sz̄/ dzǎushang chǐlai, dzwò shémma?
2. Nèityande tyānchi dzěmmayàng?
3. Nèige dìfangde tyānchi dzǔngshr nèmma hǎu ma?
   Chwūntyan dzěmmayàng? Syàtyan ne? Chyōutyan gen
   dūngtyan ne?
4. Jūnggwode běifang, dūngtyan syà sywě ma? Syà sywě de
   shŕhou hǎukàn ma?
5. Běipíng cháng gwā fēng ma? Gwā fēng de shŕhou dzěmma
   bùhǎu?
6. Běipíngde fēngjǐng dzěmmayàng?
7. Běipíng gēn byéde chéng dzěmma bùyíyàng?
8. Nánfangde fēngjǐng dzěmma hǎu? Hwār dou shr shémma
   yánsher? Yèdz shr shémma yánsher?
9. Chíngtyande shŕhou, tyān shr shémma yánsher? Yúntsai
   gen shwěi ne?
10. Shànghǎi syà wù búsyà? Shémma dìfang cháng syà wù?
11. Jèige dìfàng chwūntyande tyānchi dzěmmayàng? Syàtyan
    dzěmmayàng? Chyōutyan gen dūngtyan ne?
12. Jèige dìfang shémma shŕhou cháng syà yǔ?
13. Jèige dìfang yǒu shŕhou syà sywě ma?
14. Dzài jèr cháng gwā fēng ma?
15. Jèige dìfang chyōutyan, shr chíngtyande shŕhou dwō
    háishr yīntyande shŕhou dwō?
16. Nǐ jywéde shémma dìfangde fēngjǐng dzwèi hǎu? Dzěmma hǎu?
17. Nǐ syǐhwan chwūntyan ma? Wèi shémma?
18. Nǐ jywéde shémma yánsher dzwèi hǎukàn? Shémma yánsher
    gen shémma yánsher dzài yíkwàr dzwèi kǎukàn?
19. Jèige dìfang chwūntyande hwār dōu shr shémma yánsher?
20. Nǐ shr̀ nǎrde rén? Nǐmen nèige dìfangde tyānchi
    dzěmmayàng?

VI. <u>Nǐ</u> <u>Shwō</u> <u>Shémma</u>?

1. Yàushr yǒu rén wèn nǐ Měigwode tyānchi dzěmmayàng, nǐ shwō shémma? Nǐ wèn ta shémma?

2. Yàushr nǐ syǎng wèn, yige dìfangde tyānchi dzěmmayàng, nǐ dzěmma wèn?

3. Yàushr yǒu rén shwō Nyǒuywēde tyānchi búdà hǎu, nǐ jywéde dzěmmayàng? Nǐ gēn tā shwō shémma?

4. Yàushr yǒu rén wèn nǐ chwūnsyàchyōudūng, shémma shŕhou dzwèi hǎu, nǐ shwō shémma? Yàushr nǐ wèn, nǐ dzěmma wèn?

5. Yàushr nǐ syǎng wèn yige dìfangde fēngjǐng, nǐ dzěmma wèn?

VII. Gùshr

(On Record)

VIII. <u>Fānyì</u>

1. Translate into Chinese:

   1.1 There are some beautiful birds in his backyard.

   1.2 I take a walk along the bank of the river everyday.

   1.3 It is always very cloudy in the fall here.

   1.4 We have a lot of rain in the spring.

   1.5 Don't you think it is a pretty flower? It certainly is.

   1.6 What is the color of the grass? It is green.

   1.7 We had a snow storm last night here.

   1.8 I never feel good when it is foggy.

1 9 She is very talkative, especially when she has been drinking

1.10 The leaves on this tree are very pretty, especially in the fall

2. Translate back into Chinese:

(62) a. I take a walk after supper every day

(63) A. Everything in America is high now.
     B. Isn't that the truth'

(64) a. It is much cooler inside than out in the yard.

(65) a. It's really strange. He can never write this word

(67) a. Is it raining hard?

(68) a. I never feel good when it is cloudy.

(69) a. We have had much snow this year.

(71) a. The wind blew after the snow and it was terribly cold.

(76) a. As soon as the weather gets warm, the flowers bloom.

(80) a. That person is very interesting, especially when he is talking.

(81) a. Now the sky is clear.

(84) a. One has to be very careful when he drives on a foggy day.

DIWǓKE - SWÉIBYÀN TÁNTAN

I. Dwèihwà

Sz̄ Ss. gēn Jàu Ss. Jàu Tt. chr̄wánle
dzǎufàn, dzai kètīngli dzwòje, chōu
yān de chōu yān, hē chá de hē chá.
Tāmen yìbyār hē chá yìbyār tán hwà.

5 Sz̄: Jàu Tt., nín fǔshang shr shémma dìfang?

Jàu Tt: Wǒ shēngdzai Tyānjing, kěshr wǒ shr̀ dzai
Běipíng jǎngdàle de.

Sz̄: Nín jyāli dōu yǒu shémma rén?

Jàu Tt: Wǒ yǒu fùchin, mǔchin, yíge gēge, yíge dìdi, hái
10 yǒu yíge syǎu mèimei.

Sz̄: Nínde gēge dìdi dōu jyéhwūn le ma?

Jàu Tt: Gēge jyéhwūn le. Dìdi swèishu hái syǎu, hái méi
ne. Syàndzài gēge tāmen gēn fùmǔ dzai Tyānjing
jù, dìdi mèimei dzai Běipíng shàngsywé.

15 Sz̄: Džān, nín shr shémma dìfang rén?

Jàu Ss: Wǒ lǎujyā dzai Shāndung. Wǒde fùmǔ syàndzài hái
dzai nèr jù.

Sz̄: Nín shr Shāndūngshěng něi yísyàn?

Jàu Ss: Yāntai. Nín tīngshwōgwo ba?

20 Sz̄: Dāngrán dāngrán! Nà shr yǒumíngde dìfang.
Tīngshwō nèr you yijǔng pínggwǒ, yǒu syāngjyāu
wèr. Shr jēnde ma?

Jàu Ss: Kě búshr̀ ma! Jyàu syāngjyāu-pínggwǒ, jēn hǎu.

Sz: Nínde dàsywé shr dzài shémma dìfang shàngde?

Jàu Ss: Wǒ shr Běijīng Dàsywé bìyè de.

Sz: Nín shr něinyán bìde yè?

Jàu Ss: Yījyǒusānlíng. Bìle yè, dzwòle lyǎngnyán shr̀,
5   jyou dau Měigwo chyule. Wǒmen yíkwàr dzai
          Yēlǔ Dàsywé de shŕhou, nà shr yījyǒusanjǐ?
          Nín děng wǒ syǎngsyang.

Sz: Shr̀ yījyǒusānsānnyánde chyōutyan, dwèi budwèi?
          Wǒ jìde wǒmen pèngjyande dièrtyan, wǒmen yíkwàr
10   kāi chìchē chūchyu kàn húngyè. Nín syǎngsyang,
          dwèi búdwèi?

Jàu Ss: Yìdyǎr ye bútswò. Wǒ jìde wǒ gāng dàu Yēlǔ
          Dàsywé méi jityān, jyou pèngjyan nín le.
          Hǎusyàng shr̀ dzài yíge Jūnggwo fàngwǎrli pèng-
15   jyande, shr̀ bushr̀? Dàu syàndzài yǐjing chàbudwō
          èrshrdwōryán le. R̀dz gwòde jēn kwài.

Sz: Nín dzai Yēlǔ de shŕhou shr yánjyou shèhwèisywé,
          shr̀ bushr̀?

Jàu Ss: Dwèile.

20 Sz: (Dwèi Jàu Tt.) Džān dzai Yēlǔ Dàsywé de shŕhou,
          hěn yùnggūng, gūngke hǎujíle. Péngyoumen dōu
          shwō tade sywéwen hǎu.

Jàu Ss: Nín byé kèchile. Shwō jēnde, nín dǎswan dzai
          Shànghǎi jù dwōshau r̀dz?

25 Sz: Hái bùyidìng. Wǒ syǎng búhwèi tài cháng.

Jàu Ss: Yǐhòu cháng jùdzai nǎr ne?

Sz: Yě hái méiyidìng. Děi děng Měigwo lái syìn dzài
          shwō.

Jàu Ss: Wǒ syīwang nín neng dzai jèr dwō jù syē r̀dz.

30 Sz: Wǒ ye ywànyi dwō jù jityān. Kěshr shéi jŕdàu
          ne!

Jàu Ss: Dzai chōu yijř yān ba.

Sž: Hǎu.

Jàu Tt: Yánghwǒ dzai jèr ne. Wǒ gěi nín dyǎn ba.

Sž: Wǒ lái, wǒ dzjǐ lái.

II. Shēngdz̀ Yùngfǎ

86. yān   N: tobacco, cigarette (M: -jř, stick;
                          -gēn, stick; -hé(r), box; -bāu,
                          pack; -tyáur, carton); smoke

86.1 chōu yān   VO: smoke

   a. Nín chōu yān buchōu?

87. yìbyār...yìbyār--- A: on one side...on the other,
                          on one hand...on the other

   a. Tā yìbyār chř fàn, yìbyār kàn bàu.

   b. Nèige fángdz yìbyār shř fàngwǎr, yìbyār shř sywésyàu.

88. fǔshang   IE: home, residence, family (courteous
                          reference to other people's)

   a. Wǒ míngtyan dau nín fǔshang chyu kàn nín, hǎu buhǎu?

   b. Bùgǎndāng. Yǒu gūngfu chǐng dau wǒmen jyä lai wár.

   c. A. Nín fǔshang dzài shémma dìfang?
      B. Wǒde jyā dzài Shāndung. (or) Wǒ jyou jùdzai
         sywésyàu chyántou.

   d. A. Fǔshang dou hǎu?
      B. Dōu hǎu, syèsye nín.

89. shēng   V: give birth to; be born

   a. Tā mǔchin dzwótyan shēngle yige syǎuhár.
   b. Tā shr něinyán shēngde?

90. jǎng   V: grow, rise in price

    a. Nèiwei syáujye jǎngde jēn hǎukàn.
    b. Nèige háidz jèi lyangnyán jǎnggāule.
    c. Syàndzài chīde dūngsyi yòu dōu jǎngle.

91. jyéhwūn   VO: marry
 91.1 gēn...jyéhwūn   get married to

    a. Jāng Ss. gēn Lǐ Sj. shémma shŕhou jyéde hwūn?
    b. Tāmen yǐjing jyéhwūn sānnyán le.

92. shěng   N: province
                  M: province
 92.1 Shāngdūngshěng   Shantung province

    a. Nǐ shr něishěng ren?

93. syàn   M/N: hsien, county

94. -jǔng   M: kind of, sort of, race
 94.1 jèijǔng rén   this kind of person
 94.2 hwángjǔngrén   yellow race

95. pínggwǒ   N: apple

96. syāngjyāu   N: banana

97. dàsywé   N: College, University
 97.1 Yēlǔ Dàsywé   Yale University
 97.2 Běijīng Dàsywé   National Peking University
 97.3 shàng dàsywé   go to college
 97.4 nyàn dàsywé   study in college
 97.5 dàsywé yīnyánjí   freshman

98. bìyè   VO: graduate

    a. Tā yǐjing bìyè háujinyán le.

99. húngyè   N: red leaf

100. pèng   V: bump into, run into
 100.1 pèngjyan   RV: meet by accident
 100.2 pèngshang   RV: run into
 100.3 pènghwài   RV: bump into and break

    a. Nǐ míngtyan pèngdejyàn ta ma?
    b. Lyǎngge chìchē pèngshangle.

101. yánjyou   V: study, make special investigation
                          or study of
  101.1 yǒuyánjyou SV/VO: have specialized knowledge
  101.2 dwèi...yǒuyánjyou   have specialized knowledge in...

    a. Jèijyan shr̀ching wǒ dei hǎuhāurde yánjyou yánjyou.
    b. Tā dwei Yīngwén hěn yǒuyánjyou.

102. shèhwèisywé   N: sociology
  102.1 shèhwèi   N: society

103. yùnggūng   VO: put time and effort into
                      SV: work or study hard

    a. Yǒude tsūngming rén búài yùnggūng.

104. gūngkè   N: field of learning, course, lessons,
                          school work (M: -mén: course)

    a. Nǐ nyàn jǐmén gūngkè?
    b. Nǐde gūngkè máng bumáng?

105. sywéwen   N: learning, knowledge
  105.1 yǒusywéwen   SV: learned

    a. Nèige rén hěn yǒusywéwen.

106. hwèi   AV: may, would

    a. Tā búhwèi bulái ba.

107. lái syìn   VO: send a letter (here)
  107.1 chyù syìn   VO: send a letter (there)

    a. Jyāli lái syìn le méiyou?
    b. Dàule gei wo lái syìn!

108. dzài shwō   A-V: see about it, talk further, consider
                           it further.
                      A: furthermore, moreover

    a. Děng ta láile dzài shwō.
    b. Jèige màudz tài gwèi, dzàishwō ye bùhǎukàn, búyùng
       mǎile.

109. hwǒ   N: fire, stove
 109.1 yánghwǒ   N: matches (M: -gēn for stick; -hé(r)
                               for box; bāu for package) -- lit.
                               foreign fire

110. dyǎn   V: light, ignite, apply a match to
 110.1 dyǎn yánghwǒ   VO: light a match
 110.2 dyǎn yān   VO: light a cigarette
 110.3 dyǎn hwǒ   VO: light a fire
 110.4 dyǎnjáule   RC: lighted

         a. Láujyà bǎ hwǒ dyǎnjau.
         b. Wǒ dzjǐ dyǎn ba.

111. Wǒ lái   IE: let me do it
 111.1 Wǒ dzjǐ lai   IE: let me do it myself

              III. Jyùdz Gòudzàu

1. VOde VO, VOde VO:

   This is one of those expressions which cannot be trans-
   lated literally. It gives the idea that some are doing
   this and some are doing that--everybody is engaged in
   some activity. For instance:

                                             的了
   Wǒ jìnchyu yíkàn, wūdzlide rén chōu yān de chōu yān,
      hē jyǒu de hē jyǒu.
   (As soon as I went in, I saw some people in the room
      were smoking and some were drinking.)

   1.1 Exercise: Translate into Chinese:

       1.11 They all have a lot of money. Some of them
            bought houses and some bought new cars.

       1.12 As soon as the teacher leaves the room, some
            of the students will start chatting, some will
            go to sleep--none of them will study.

       1.13 The children are all grown up now. Some of
            them got married and some graduated from colleg

2. Dwō as an Indefinite Number:

The position of <u>dwō</u> as an indefinite number is determined
by whether it refers to a fractional amount above the
definite number or to a whole number within the bracket
set by the round number -- <u>shŕ</u>, <u>bǎi</u>, <u>chyān</u>, <u>wàn</u>, etc.

2.1 <u>Dwō</u> always follows the measure when it refers to an
    indefinite fractional amount above the definite
    number:

  sāngedwō ywè (more than three but less than four
        months)
  shŕgedwō lǐbài (more than ten but less than eleven
        weeks)
  èrshrwǔkwaidwō chyán (more than $25 but less than
        $26)
  shŕyīdyǎndwō jūng (past 11:00 but not yet 12:00)
  shŕwǔnyándwō (more than 15 but less than 16 years)

2.2 When <u>dwō</u> refers to an indefinite amount within the
    bracket set by the round number, it follows the round
    number and precedes the measure if there is any:

  sānshrdwō (ge) ywè (more than thirty but less than
       forty months)
  èrshrdwō (ge) lǐbài (more than twenty but less than
       thirty weeks)
  lyòuchyāndwō kwai chyán (more than $6000 but less
       than $7000)
  sżbǎidwō nyán (more than 400 but less than 500
       years)
  wǔshrdwō (ge) jūngtóu (more than 50 but less than
       60 hours)

2.3 Now we can see that <u>èrshrkwaidwō chyán</u> means more
    than $20 but less than $21 while <u>èrshrdwō kwai chyán</u>
    means more than $20 but less than $30. The former is
    seldom used simply because, in actual life, an infefi-
    nite amount is seldom referred to in such an exact
    manner, and generally is loosely referred to in the
    latter way.

See
P.C.G.
p.267
(helpful)

2.4 When <u>bàn</u> is used in a mixed number such as 1 1/2,
    2 1/2, etc., it is preceded by the measure as well as
    by the whole number:

lyǎngkwaibàn (chyán)
yígebàn jūngtóu
sāndyǎnbàn (jūng)
sżwǎnbàn (fàn)
yìjāngbàn (jř)

2.5 <u>Exercise</u>: Translate into Chinese:

a little more than $32.00   more than $100.00
more than twenty cents   a little more than an
                                                  hour
over three sheets of paper   more than 20,000 people
seventy-odd dollars $1.50
two and a half days   11:30 P.M.

3. <u>Adverbial Use of Stative Verbs</u> - Many stative verbs may
   be used as adverbs; others are not so used at all.

                Kwàidz   <u>rúngyi</u>   yùng   ma?
                Jūnggwo hwà jēn <u>nán</u>   sywé.
                Jūnggwo dż   <u>hǎu</u>   syě   <u>buhǎu</u> syě?

3.1 The most commonly used stative verbs in the
    adverbial function are:

        hǎu   kwài   dwō
        gòu   màn   shǎu
        rúngyi   dzǎu
        nán   wǎn

3.2 <u>Exercise I</u> - Make sentences using the above stative
    verbs as adverbs.

3.3 <u>Exercise II</u> - Translate into Chinese:

        easy to walk   big enough
        difficult to say   eat a little more
        walk slowly   take one piece less
        come early   not fast enough
        go to bed late   give him one dollar less
        sleep late   bought one hat too many
        eat fast

4. <u>Unusual Relationship of S-V-O</u>: Spoken Chinese and
   English have certain common patterns, among them the
   basic structural order: Actor - Action - Receiver,

better known to language students as Subject - Verb -
Object (S-V-O). "I hit him" in English becomes "Wǒ dǎ
ta" in Chinese. But the normal relationship of Actor -
Action - Receiver does not hold in every case. Some of
the seemingly V-O combinations do not express the rela-
tion of Action - Receiver. Lái and chyù are among this
group:

    Lái yige rén!   (Will somebody please come!)
    Lái rén le.   (Some one has come.)
    Chyùle sānge sywéshang. (Three students went.)
    Chyùle lyǎngjyà fēijī.   (Two planes went.)

The "objects" in position are really subjects in meaning
in all the above illustrations.

4.1 Exercise - Translate into Chinese:

    4.11 He have a party last Saturday and invited more
         than twenty people. Only eight showed up.

    4.12 As soon as he arrived there, he sent me a wire.

    4.13 He has been gone three months already, but
         there has been no word from him.

    4.14 Ten planes came to New York this morning.

    4.15 I would like to go with you, but some guests
         just came.

                    IV. Fāyīn Lyànsyí

1. A: Nín fùshang shr shémma dìfang?
   B: Wǒde jyā dzai Měigwo.

2. A: Nín tsúngchyán dzǎi něige dàsywé nyànshū?
   B: Wǒ shr Yēlǔ Dàsywé bìyède.

3. A: Nín yánjyou shémma?
   B: Wǒ sywé Jūngwén.

4. A: Nín shr dzài Jūnggwo shēngde ma?
   B: Búshr. Wǒ shr dzai Nyǒuywē shēngde.

5. A: Nín jyéhwūnle méiyou?
   B: Wǒ yǐjing yǒu lyǎngge háidz le.

6. A: Nín dzěmma dzèmma yùnggūng?
   B: Sywésyàude gūngkè tài dwō.

7. A: Nínde sywéwen tài hǎule.
   B: Gwòjyǎng gwòjyǎng.

8. A: Chōuyān buchōu?
   B: Wǒ gāng chōuwán. Děng yihwěr dzài shwō ba.

9. A: Láujyà, nín you yánghwǒ méiyou?
   B: Dwèibuchǐ, wǒ buchōuyān.

10. A: Dàule gěi wǒmen lái syìn.
    B: Yídìng, yídìng.

V. Wèntí

1. Sz̄ Ss., Jàu Ss., Jàu Tt. chr̄wánle fàn dzwò shémma?

2. Jàu Tt. shr shémma dìfangde rén? Tā shēngdzai shémma
   dìfang? Shr̀ dzai shémma dìfang jǎngdàlede?

3. Jàu Džān Ss.de lǎujyā dzai shémma dìfang? Tā fùmǔ
   jùdzai shémma dìfang?

4. Jàu Tt. jyāli you shémma rén?

5. Jàu Tt.de gēge dìdi dōu jyéhwūn le méiyou? Tāmen
   dzai shémma dìfang jù?

6. Jàu Ss. shr dzài shémma dìfang shàngde dàsywé? Shr
   něige sywésyàu bìde yè? Shr̀ něinyán bìde yè?

7. Tā bìle yè yǐhòu dzwò shémma le?

8. Jàu Ss. gen Sz̄ Ss. shr dzài shémma dìfang pèngjyande?
   Shr něinyán pèngjyande?

9. Dzài tāmen pèngjyande dièrtyan tāmen yíkwàr chyu dzwò
   shémma?

10. Jàu Ss. dzài dàsywé de shŕhou yánjyou shémma? Tāde
    gūngkè dzěmmayàng?

11. Sž Ss. dǎswan dzai Shànghǎi jù dwōshau ŕdz?

12. Sž Ss. ywànyi dzai Shànghǎi dwō jù syē ŕdz ma? Wèi
    shémma hái bùyidìng?

13. Nǐ fùshang shr shémma dìfang? Shŕ něi yishěng? Něi
    yisyàn?

14. Nǐ jyāli yǒu shémma rén? Nǐ jyéhwūn le méiyou?

15. Nǐ dzai shémma dìfang shàngde dàsywé? Shŕ dzai něige
    sywésyàu bìde yè?

16. Nǐ dzài dàsywé de shŕhou yánjyou shémma? Gūngkè yidìng
    hěn hǎu ba?

17. Nǐ shr dzai shémma dìfang shēngde? Shŕ něinyán shēngde?

18. Nǐ chōu yān bùchōu? Yìtyan chōu dwōshau? Nǐ syǐhwan
    chōu něi yijǔng yān?

19. Nǐ dzwótyan pèngjyan shéi le?

20. Nèiwei syānsheng dwèi shèhwèisywé yǒu yánjyou ma?

VI. Nǐ Shwō Shémma?

1. Yàushr nǐ syǎng wèn yige ren tā shr nǎrde rén, nǐ
   dzěmma wèn?

2. Yàushr nǐ syǎng wèn yige rén, tā dzài nǎr shàngde
   dàsywé, shŕ dzài něige dàsywé bìde yè, nǐ dzěmma wèn?

3. Yàushr nǐ syǎng wèn yige rén tā dzai sywésyàu de shŕhou
   sywé shémma, nǐ dzěmma wèn?

4. Yàushr nǐ syǎng chǐng nǐde péngyou dzai nǐ jyā dwō jù
   jityan, nǐ dzěmma gen ta shwō?

5. Yàushr yǒu rén shwō nǐde sywéwen hěn hǎu, nǐ gen ta shwō
   shémma?

VII. Bèishū

A: Chǐngdzwò, chǐng swéibyàn dzwò.
B: Swéibyàn dzwò, swéibyàn dzwò.

A: Nín chǐng hē yìdyǎr jyǒu ba.
B: Dwèibuchǐ, wǒ búhwèi hē jyǒu.

A: Hē yìdyǎr.
B: Wǒ jēn bùnéng hē. Syèsye nín.

A: Byé kèchi. Méi shemma tsài. Nín chr̄ yidyǎr jèige jájī.
B: Jèige tsàide wèr jēn hǎu. Shr dzěmma dzwòde?

A: Jyòushr yùng yóu jáde. Wǒ dzai já yǐchyán fàngle
   yìdyǎr jyàngyóu.
B: Àu. Jēnshr tài hǎuchr̄le.

A: Dzài chr̄ yìdyǎr fàn.
B: Wǒ chr̄bǎule, nín mànmār chr̄ ba.

VIII. Fānyì

1. Translate into Chinese:

   1.1 How long have you been smoking?
   1.2 He is sending a letter and sending a telegram at
        the same time.
   1.3 I was born in the United States but was brought up
        in China.
   1.4 That girl has been getting prettier these last two
        years.
   1.5 The price of everything has gone up again.
   1.6 He has been married for three years.
   1.7 When did he graduate from college?
   1.8 I didn't bump into him.
   1.9 That bus bumped into this car and damaged it.
   1.10 What's your major?
   1.11 He has specialized in sociology.
   1.12 That student worked very hard.
   1.13 What courses are you taking (in college)?
   1.14 He's a learned man.
   1.15 Write us when you arrive.
   1.16 We'll see about it tomorrow.

1.17 I don't have too much to do there; besides, it's
     raining. I'd better not go.
1.18 He doesn't want to come, further more, I don't
     want to see him. You'd better not ask him to come.
1.19 Will you light a match for me?
1.20 The wind is too strong, if you cannot light the
     match, let me do it.

2. Translate back into Chinese:

(86) a. Do you smoke?

(87) a. He reads while he eats.
     b. On one side of that house is a restaurant, and
        on the other, a school.
(88) a. May I come (to your house) to see you tomorrow?
     b. Delighted! Please come when you have time.
     c. A. Where do you live?
        B. My home is in Shantung. (or) I live just in
           front of the school.
     d. A. Is your family well?
        B. All very well, thank you.

(89) a. His mother had a baby yesterday.
     b. What year was he born?

(90) a. That girl is very pretty.
     b. That child has grown tall these last two years.
     c. Food prices have gone up again now.

(91) a. When were Mr. Jāng and Miss Lǐ married?
     b. They have been married for three years.

(92) a. Which province are you from?

(98) a. He already graduated several years ago.

(100) a. Will you be able to meet him tomorrow?
      b. Two cars collided.

(101) a. I have to study this matter very carefully.
      b. He is a specialist in English.

(103) a. There are some brilliant people who don't like
         to work hard.

(104) a. How many courses are you taking?
      b. Is your (school) work busy or not?

(105) a. That man is very learned.

(106) a. He won't fail to show up, will he?

(107) a. Have you had any word from home?
      b. Write me when you arrive.

(108) a. We'll see about it when he arrives.
      b. This hat is too expensive, moreover, it
         isn't good looking. Don't buy it.

(110) a. Please light the fire.
      b. Let me light it myself.

DILYÒUKE - JÌ SYÌN

I. Dwèihwà

    Sz̄ Ss. syěle lyǎngfeng syìn,
syǎng jìchuchyu, kěshr burènshr
yóujèngjyú dzai nǎr. Yìhwěr Jàu
Ss. dau ta wūdzli láile. Tā jyou
5   gēn Jàu Ss. dǎting:

Sz̄:   Wǒ gāng syěle lyǎngfeng syìn, yau yìchuchyu. Jèr
      fùjìn yǒu yóujèngjyú ma?

Jàu: Yǒu. Lí jér bùywǎn. Tsúng women jyā chūchyu wàng
      dūng dzǒu gwò lyǎngtyau jyē, dzwǒbyar jyou shr̀.
10   Nín yau wàng nǎr jì? Shr̀ Měigwo ma?

Sz̄:   Yifēng shr Měigwo, yifēng shr Běipíng.

Jàu: Nín dǎswan jì píngsyìn háishr jì hángkūngsyìn ne?

Sz̄:   Wǒ yau jì hángkūngsyìn. Yīnwei kéyi kwài yidyǎr.
      Hángkūngsyìn dàu Měigwo děi dwōshau yóufèi?

15 Jàu: Wǒ jr̄daude búda chīngchu. Jèisye r̀dz yóufèi cháng
      jǎng. Gwò jityan, jyou jǎng yitsz̀. Wǒde jìsying
      běnlái jyou buhǎu. Gāng yíjìju, jyou yòu jǎngle.
      Syàndzài wǒ ye bújìle. Wǒ gen nín dau yóujèngjyú
      chyu wènwen chyu ba. Fǎnjèng ye dei dàu nèr chyu
20   mǎi yóupyàu.

Sz̄:   Hángkūngsyìn dau Běipíng dzǒu jǐtyān?

Jàu: Dàgài lyǎngtyan jyou dàule. Kwàisyìn dei sāntyan
      Hángkūng-kwàisyìn yìtyan jyou dàule.

Sz̄:   Yàushr gwàhàu ne?

25 Jàu: Gwàhàu dau mànle. Hángkūng-kwàisyìn dzwèi hǎu.
      Yòu kwài, yòu dyōubulyǎu.

Sz̄:   Dàu Měigwode hángkūng-bāugwǒ néng jì bunéng?

Jàu: Wǒ méijìgwo, bùjrdàu. Wó syǎng chéng.

Sz̄:   Lí wǒmen jer dzwei jìnde syìntǔng dzai nǎr?

Jàu: Yóujèngjyú chyántoude lí women jyā dzwèi jìn?

5 Sz̄: Jèr yóuchāi yìtyān sùng jǐtsz syìn?

Jàu: Lyǎngtsz̀. Shàngwǔ yítsz̀, syàwǔ yítsz̀.

Sz̄:   Dyànbàujyú, jèr fùjìn yǒu meiyou?

Jàu: Yóujèngjyú gwòchyu yidyǎr jyou shr dyànbàujyú. Yóu-
       jèngjyú, dyànbàujyú, dyànhwàjyú dōu dzai yikwàr.
10   Dyànhwàjyú dzai dāngjūng, yìbyār shr yóujèngjyú,
       yìbyār shr dyànbàujyú.

Sz̄:   Dzai Shànghǎi dǎ dyànbàu, búdau dyànbàujyú chyu,
       yùng dyànhwà dǎ chéng buchéng?

Jàu: Kǔngpà bùchéng. Wǒ méishr̀gwo.

Sz̄:   Yīngwén dyànbàu néng dǎ bunéng?

Jàu: Néng. Dàgài bǐ yung Jūngwén gwèi yidyǎr. Nín jeige
       syìnjř syìngfēngr dōu shr tsúng Měigwó dàilaide ba?
       Jēn hǎukàn.

Sz̄:   Hái butswò. Jyòushr jř tài hòu. Jèijung jř syě
       sānjāng, yàushr jì hángkūngsyìn, jyou gwòjùngle.
       Nèijung báude hángkūng-syìnjř hǎu, bǐ jèijung chīng-
       dwōle. Kéyi syě bājyǒujāng. Kěshr wǒ wàngle
       dàilaile.

Jàu: Wǒ kàn wōmen syàndzài jyou dau yóujèngjyú chyù ba.

Sz̄:   Hǎu! Wǒmen dzǒu ba.

II. <u>Shēngdż</u> <u>Yùngfǎ</u>

112. jì	V:	mail, send by mail
112.1 jì syìn	VO:	mail letters
112.2 jì dūngsyi	VO:	mail things
112.3 jìchuchyu	RV:	mail out
112.4 jìdzǒu	RV:	mail out
112.5 jìlai	RV:	send by mail (here)
112.6 jìchyu	RV:	send by mail (there)
112.7 jìgei	V:	mail to

    a. Wǒ yídìng děi bǎ jèifēng syìn jìchuchyu.
    b. Wǒ jìgei wo mèimei jikwai yídz.
    c. Tā ràng wǒ bǎ jèibĕn shū gěi ta jìchyu.

113. -jyú	BF:	office
113.1 yóujèngjyú	N:	Post Office
113.2 dyànbàujyú	N:	Telegraph Office
113.3 dyànhwàjyú	N:	Telephone Office

114. dǎting	V:	to inquire or ask about

    a. Wǒ gēn nín dǎting yìdyǎr shr̀.

115. fùjìn	N:	vicinity, near by

116. píngsyìn	N:	ordinary mail (M. -fēng)

117. hángkūngsyìn	N:	air mail (M. -fēng)

118. kwàisyìn	N:	special delivery (M. -fēng)

119. hángkūng- kwàisyìn	N:	air mail special delivery (M. -fēng)

120. yóufèi	N:	postage

121. jìsying	N:	memory
121.1 jì	V:	remember, keep in mind
121.2 jìjù	RV:	fix or hold in mind
121.3 jìje	V:	keep in mind
121.4 jìde	V:	remember

    a. Tā shwōde hwà, wǒ dōu méijìjù.
    b. Nǐ jìje, byé wàngle, wǒmen míngtyan sāndyǎn jūng
       chyu jyē ta.

    c. Nèige rén wǒmen yǐchyán cháng gen ta yíkwàr wár,
       nǐ hái jìde ta ma?

122. -jù   BF: (denoting firmness or security)
  122.1 jànjù   RV: stop, stand still
  122.2 nájù   RV: take hold of

    a. Wǒde byǎu jànjule.
    b. Nǐ jèiyàngr ná, nádejù ma?

123. fǎnjèng   MA: anyway, anyhow

    a. Jīntyan syà yǔye hǎu, chíng tyānye hǎu, fǎnjèng wǒ
       bùchūchyu.

124. yóupyàu   N: postage stamp (M. -jāng)
  124.1 sānfēnde yóupyàu   a three-cent stamp
      hángkūngyóupyàu   air mail stamp

125. gwàhàu   VO: register
  125.1 gwàhàu-syìn N: registered letter (M. -fēng)

    a. Jèifeng syìn wǒ děi gwàhàu.

126. dàu(shr)   A: and yet, on the contrary

    a. Wǒmen dōu méichyán, swóyi chyùbulyǎu. Tā dàu(shr)
      yǒuchyán, kěshr tā yòu yǒu shr, yě bùnéng chyù.

127. bāugwǒ   N: parcel, parcel post (M. -jyàn, -ge)
  127.1 jì bāugwǒ VO: mail parcel post
  127.2 chyǔ bāugwǒ VO: get parcel post

128. chéng   SV: be O.K., be satisfactory

    a. Jèige chéng buchéng?

129. syìntǔng   N: mail box (M. -ge)
   (yóutǔng)
  129.1 syìnsyāng N: mail box (M. -ge)
   (yóusyāng)

130. yóuchāi   N: mail man

131. dāngjūng   PW: the center of, middle of

a. Nǐ jàndzai jèibyar, tā jàndzai nèibyar, wǒ jàndzai
   dāngjūng.

132. shr̀   V: try

   a. Nǐ shr̀le jèijyàn yīshang lǐ ma?

133. Jūngwén   N: Chinese (language)
  133.1 nyàn Jūngwen   VO: study Chinese
  133.2 syǔé Jūngwén   VO: study Chinese
  133.3 Jūngwén shū   N: Chinese book
  133.4 yùng Jūngwén
        syǔé   Ph: write in Chinese

134. syìnfēngr   N: envelope
  134.1 hángkūng-
        syìnfēngr   N: air mail envelope

135. syìnjř   N: letter paper (M. -jāng)
  135.1 hángkūng-
        syìnjř   N: Air mail letter paper

136. hòu   SV: thick (in dimension)

   a. Wǒ jèijyàn yīshang búgòu hòu.

137. báu   SV: thin (in dimension)

   a. Jèijāng jř tài báu.

138. jùng   SV: heavy (in weight)
  138.1 gwòjùng   SV: overweight, too heavy

      a. Nǐ dwó jùng?
      b. Jèifēng syìn, méigwòjùng.

139. chīng   SV: light (in weight)

   a. Jèige jwōdz bùchīng, yíge rén dàgài bānbushangchyù.

III. Jyùdz Gòudzàu

1. <u>Time</u>-<u>Spent</u> <u>Expressions</u> (<u>Continued</u>):

It has been said in Part III of Lesson IV that the time-spent expression generally follows the main verb. However, it may precede the verb in a negative sentence. When the action associated with the time expression is negative, indicating that for a certain length of time something didn't happen, the time-spent expression may precede the verb:

Tā sāntyan méichrfàn, swóyi bìngle.
(He didn't eat for three days, so he got sick.)

Rén yàushr sāntyan bùchrfàn, yídìng děi bìng.
(If people don't eat for three days, they certainly will get sick.)

Tāde bìng sāntyan méihǎu.
(He hasn't recovered after three days of illness.)

1.1 When a time-spent expression follows the verb in a negative sentence, the meaning is changed from stressing the time expression to a denial of the whole statement. However, this form is less often used. Compare:

Wǒ <u>sāntyan</u> méishwèijyàu.
(For <u>three</u> <u>days</u> I didn't sleep at all.)--as in 1.

Wǒ <u>méishwèi</u> sāntyan jyàu.
(I <u>didn't</u> sleep for three days.)

1.2 Certain NU-M time expressions preceding the verb in a sentence may look like a time-spent expression. But actually, they are time-when expressions with specifiers like <u>jèi</u>, <u>nèi</u> and <u>měi</u> or verbs which they modify preceding them understood. Here are some of the common forms:

"Wǒ sżtyan dōu dzai jèr." means "Wǒ jèi sżtyan dōu dzai jèr."
(I'll be here for these four days.)

"Tā yíge ywè èrbǎikwai chyán" means "Tā měi yíge

ywè (yùng) èrbǎikwai chyán."
(He spends two hundred dollars every month.)

"Wǒ wǔtyan chyù yitsz̀" means "Wǒ měi wǔtyan chyù
    yitsz̀."
(I go there once every five days.)

"Yíge ywè jyou syíngle" means "Yùng yíge ywè jyou
    syíngle."
(Only one month will do.)

"Yíge ywè tsai syíng ne" means "Yùng yíge ywè tsai
    syíng ne."
(It will take a whole month to do it.)

"Yìtyan chyù, yìtyan búchyù" means "Jèi yìtyan
    chyù, nèi yìtyan búchyù," or "Yǒu yìtyan chyù,
    yǒu yìtyan búchyù."
(Goes there one day and doesn't the next.)

1.3 <u>Exercise</u> - Translate into Chinese:

1.31 I haven't bumped into him for almost a month.

1.32 I don't think you can finish that work in one
     year.

1.33 He can read one book a day.

1.34 I want to try not to smoke for a week.

1.35 It's very strange about his illness. He feels
     fine one day and not so well the next day.

1.36 If you don't go to her for one day, you'll see
     what happens.

1.37 I give him three hundred dollars every month.

1.38 He lives in the United States for one year and
     in France the other.

1.39 I don't think three months will be enough.

1.40 He hasn't graduated from college for six years.

2. ...(Dàu)shr..., Kěshr (Jyòushr or Búgwò)...:

The verb before the dàushr in the first clause has the
sense: "so far as such-and-such is concerned." The same
verb is repeated after dàushr to state the actual situa-
tion. A second clause, introduced by an adverb such as
kěshr, jyòushr, búgwò, introduces an exception to the
general pronouncement just made.

   Chyù (dàu)shr ywànyi chyù, kěshr wǒ méi chyán.
   (I'm willing to go all right, but I don't have any
   money.)

2.1 The verb that follows dàushr may be negative, in which
    case it is best translated "It isn't that..." In this
    usage, the verb is usually a stative verb.

      Tā hǎukàn dàushr bùhǎukàn, búgwò wǒ syǐhwan ta.
      (It isn't that she is good-looking, but I like her.)

    Of course literally, it means: "So far as her looks
    are concerned, she is not good-looking, nevertheless
    I like her."

2.2 Exercise - Answer the following questions, using the
    above patterns:

    2.21 Nǐ búhwèi kāi fēijī ma?
    2.22 Nǐ yau gēn wǒmen chūchyu yíkwàr wár ma?
    2.23 Nǐ kàn wǒ mǎide jèijāng hwàr pyányi bupyányi?
    2.24 Tāde nyǔpéngyou yídìng hěn yǒu chyán ba?
    2.25 Nǐ jywéde Jūngwén tài nán ma?

2.3 Exercise - Translate into Chinese:

    2.31 He will go all right, but it seems that he is not
         happy about it.

    2.32 It is a little too expensive (all right), but I
         still think we ought to buy it.

    2.33 It isn't that I am afraid of her, but because I
         love her so much, I just had to buy that hat for
         her.

    2.34 I bought the stamps all right, but I couldn't

find the mail box.

2.35 It isn't that my memory is bad, but there are
too many new words.

3. Must and Mustn't:

In expressing the idea "must", dĕi and bìdĕi are the same
in meaning and usage. They are often preceded by yídìng
for stress.

Wŏ (yídìng) dĕi chyù.
Tā (bì)dĕi míngtyan dàu tsái jyàndejáu wŏ.

However, dĕi and bìdĕi generally are not preceded by bù
or méi. To express the idea "mustn't", expressions like
byé (don't) and chyānwàn byé (by no means) are used in-
stead. The stress word kĕ may precede either.

Nĭ (kĕ) chyānwàn byé chyù.

3.1 Exercise - Translate into Chinese:

3.11 I think you have to go there by yourself.
3.12 It's getting late. I must go now.
3.13 You must'nt give him that money.
3.14 You should by no means go to see them.
3.15 It mustn't rain tomorrow.

IV. Fāyīn Lyànsyí

1. A: Jèige bāugwŏ nĭ yau gei shéi jì?
   B: Wŏ yau jìgei wo péngyou.

2. A: Wŏ gen nín dăting, yóujèngjyú dzai năr?
   B: Dzai dyànbàujyú fùjìn.

3. A: Hángkūngsyìnde yóufèi dĕi dwōshau?
   B: Wŏ bújìde le.

4. A: Jèmma dwōde dz̀, nĭ jìdejù ma?
   B: Jìdejù. Wŏde jìsying bùhwài.

5. A: Yàushr syà yŭ, nĭ hái chyù ma?

B: Bùgwǎn syà yǔ búsyà, fǎnjèng wǒ děi chyù.

6. A: Jèijǔng syìnjř syìnfēngr gwèi búgwèi?
   B: Gwèi dàushr búgwèi, kěshr mǎibujáu.

7. A: Jūngwén bùnánsywé ba?
   B: Nǐ sywésywe shřshr, jyou jřdaule.

8. A: Nǐ kàn jèifēng syìn gwòjùng búgwò?
   B: Wǒ syǎng méigwò. Nǐ shwō ne?

9. A: Jèige jwōd jēn bùchīng a!
   B: Nèige bǐ jèige hái jùng.

10. A: Jèijāng jř tài hòule ba?
    B: Búyaujǐn, wǒ hái yǒu báude.

V. Wèntí

1. Sz Ss. yàu jì syìn, tā jřdau bujrdàu yóujèngjyú dzai
   shémma dìfang? Tā gen shéi dǎting?

2. Jàujyade fùjìn yǒu yóujèngjyú ma? Dzài shémma dìfang?

3. Sz Ss.d syìn shř yau wàng shémma dìfang jì? Tā yu jì
   píngsyìn háishr hángkūngsyìn?

4. Hángkūngsyìn dàu Měigwó de yóufèi dwōshau? Jàu Ss. jřdau
   bujrdàu?

5. Jàu Ss. wèi shémma jìbujù yóufèi dwōshau chyán?

6. Tāmen bùjrdàu yóufèi dwōshau, dzěmma bàn?

7. Hángkūngsyìn tsúng Shànghǎi dau Pěipíng dzǒu jǐtyan?
   Kwàisyìn ne? Hángkūng-kwàisyìn ne? Gwàhàu ne?

8. Wèi shémma hángkūngkwàisyìn dzwèi hǎu?

9. Dzài Měigwo néng wàng wàigwo jì hángkūng-bāugwǒ bùnéng?

10. Jàujya fùjìn yǒu dyànbàujyú meiyou? Dzài shémma dìfang?
    Yǒu dyànhwàjyú meiyou?

11. Dzài Shànghǎi dǎ dyànbàu, búdau dyànbàujyú chyu, yùng
    dyànhwà dǎ, syíng busyíng? Jàu Ss. shr̀gwo meiyou?

12. Dzài Shànghǎi dǎ Yīngwén dyànbàu bǐ Jūngwén dyànbàu
    gwèi ma?

13. Jì hángkūngsyìn, yídìng děi yùng hángkūng-syìnjř
    hángkūng-syìnfēngr ma? Wèi shémma?

14. Yùng hángkūng-syìnjř syě syìn, yìfēng syìn syě jǐjāng,
    kéyi búgwòjùng?

15. Jìsyìn yídìng děi dàu yóujèngjyú chyù ma? Búdau
    yóujèngjyú chyù dzěmma bàn?

16. Dzài Měigwo dà chéng lǐtou, yóuchāi yìtyan sùng jǐtsz̀
    syìn?

17. Dzài Měigwo, píngsyìn, hángkūngsyìn, kwàisyìn, gwàhàusyìn,
    yóufèi dou shr dwōshau? Nǐ jìde ma?

18. Dzài Měigwo dǎ dyànbàu, kéyi búdàu dyànbàujyú chyù ma?

19. Dzài Měigwo dǎ dyànbàu yùng Jūngwén chéng buchéng?

20. Lí jèr dzwèi jìnde syìntǔng dzài shémma dìfang?

VI. Nǐ Shwō Shemma?

1. Yàushr nǐ bùjrdàu yóujèngjyú dzai nǎr, syǎng gēn byéren
   dǎting, nǐ dzěmma shwō?

2. Yàushr nǐ dàule yóujèngjyú chyu jì syìn, syǎng wènwen
   yóufèi dwōshau, nǐ shwō shémma?

3. Dzài yóujèngjyú mǎi yóupyàu, nǐ dzěmma shwō?

4. Yàushr dzài dyànbàujyú lǐtou, nǐ syǎng dǎting dwōshau
   chyán yíge dz̀, nǐ dzěmma shwō?

5. Yàushr nǐ chyu mǎi syìnjř syìnfēngr, nǐ syǎng yàu báu
   yìdyǎrde, nǐ dzěmma shwō?

VII. Gùshr

(on record)

VIII. Fānyì

1. Translate into Chinese:

1.1 I mailed him a parcel post package, but he said he didn't receive it. Next time I will register it.

1.2 This air mail letter has to be mailed today.

1.3 May I inquire if there is a post office in the vicinity of the school?

1.4 He has a very good memory.

1.5 Do you still remember how much air mail special delivery postage to China is? No, I don't. I tried to recall it but didn't succeed.

1.6 Be sure to remember what I told you. Don't forget.

1.7 Can you remember all the things he asked you to do?

1.8 I don't care whether it is expensive or not, I am going to buy one anyway.

1.9 Will you buy me ten six-cent air-mail stamps?

1.10 You can mail it by parcel post all right, but you can't be sure he will get it.

1.11 I have tried this kind of soap several times, but it isn't very satisfactory.

1.12 Can you telegraph him in Chinese?

1.13 How do you like my stationery?

1.14 This letter paper is too thick.

1.15 I want some lighter clothing.

2. Translate back into Chinese:

(112) a. I have to mail this letter today.
     b. I mailed my younger sister several cakes of soap.
     c. He asked me to mail him this book.

(114) a. I want to ask you about something.

(121) a. I don't remember a word/of what he said.
     b. Keep it in mind and don't forget. We are going
       to meet him at three o'clock tomorrow.
     c. We used to play with him frequently. Do you
       still remember him?

(122) a. My watch stopped.
     b. Can you hold it securely this way?

(123) a. It may rain or shine, for all I care; I am not
       going out today anyway.

(125) a. I have to register this letter.

(126) a. None of us has any money, so we can't go. He
       has money all right, but he is busy, so he can't
       go either.

(128) a. Will this do?

(131) a. You stand over here, let him stand over there,
       and I'll stand in between.

(132) a. Did you try this suit on?

(136) a. This coat of mine is not heavy enough.

(137) a. This paper is too thin.

(138) a. How much do you weigh?

(139) a. This table is not light. One person probably
       can't move it up there.

DICHÍKE - MǍI SYÉ

I. Dwèihwà

Sē Ss. syǎng chyu mǎi syé. Dau Jàu
Ss. wūdzli lai gēn Jàu Ss. shwō:

Sē: Džān, wǒ syǎng chǐng nín gen wo chyu mǎi dyǎr
dūngsyi, nín you gūngfu ma?

5 Jàu: Nín dǎswan shémma shŕhou chyù?

Sē: Sāndyan jūng chéng buchéng?

Jàu: Nín děng wo kànkan. Syàndzài shŕ yìdyǎnbàn.
Syíng. Sāndyan jūng nín dau wǒ jèr lái, wǒ gen nín
yíkwàr chyù.

10   (Dàule syépù, hwǒji gwòlai shwō:)

Hwǒji: Nín láile. Chǐngdzwò, chǐngdzwò.

Jàu: Jèiwèi syānsheng yau mǎi yishwāng syé.

Hwǒji: Shr yau píde, háishr yau bùde?

Sē: Wǒ yau yishwāng písyé, yau hwángde.

15 Hwǒji: Nín chwān jǐhàurde?

Sē: Dàgài shr báhàurbàn. Wǒ jìbuchīngchule. Nǐ
lyánglyang ba.

(Hwǒji lyángwánle, bǎ syé náchulai shwō:)

Hwǒji: Nín shŕshr jèishwāng. Syān kànkan dàsyǎu héshr bu-
20   héshr?

(Sē Ss. chwānshang syé, shŕle shŕ, shwō:)

Sē: Chángdwǎn chàbudwō. Kwānjǎi hǎusyàng syǎu yidyǎr.

Wǒde jyǎu tài kwān. Jèige yàngdz wo ye búdà
syǐhwan.

(Hwǒji gǎnjǐn shwō:)

Hwǒji: Búyàujǐn, yǒu byéde yàngdzde. (Tā shwōje jyou
5   yòu náchu yishwāng lai.) Nín kàn jèishwāng
        dzěmmayàng? Pídz jēn hǎu.

Sz̄:   Jèishwāng bútswò. Jyòushr yánsher chyǎn yìdyǎr.
        Yǒu shēn yánsherde meiyou?

Hwǒji: Chyǎn yánsher pyàulyang. Nín jèige pyàulyang rén,
10   yīnggāi chwān pyàulyang syé.

Sz̄:   Chyǎn yánsher rúngyi dzāng. Džǎn, nín kàn
        jèishwāng dzěmmayàng?

Jàu: Jèishwāng yàngdz bútswò.

Sz̄:   Dwōshau chyán?

15 Hwǒji: Shŕèrkwài-èrmáuwǔ.

Sz̄:   Hē! Dzěmma dzěmma gwèi a?

Hwǒji: Dūngsyi hǎu. Wǒmen jèrde syé tèbyé jyēshr. Nín
        jŕdau mǎi dūngsyi shr "gwèide búgwèi, jyànde
        bújyàn". Dzàishwo jyàchyan ye bùbǐ byéde pùdz
20   gwèi.

Sz̄:   Hǎu. Wǒ jyou mǎi jèishwāng ba. Láujyà, gěi wǒ
        bāushang ba.

Hwǒji: Wǒmen yǒu hédz. Gěi nín jwāngchilai ba. Wǒmen
        yǒu hǎu wàdz, nín yàu lyangshwāng hǎu buhǎu?
25   Wǔmáuwǔ yìshwāng. Jēn pyányi.

Sz̄:   Wǒ kànkan. Hǎu. Gěi wǒ ná bàndá ba. Dōu jwāng-
        dzai nèige hédzli, jwāngdesyà jwāngbusyà?

Hwǒji: Jwāngdesyà. Nín hái yau yùng dyǎr shémma?

Sz̄:   Búyàu shemma le. Gwò lyǎngtyan dzài shwō ba. Jè
30   shr èrshrkwài chyan.

Hwǒji: Syèsye nín. Jáugei nín sżkwai-żmáuwǔ.

II. Shēngdż Yùngfǎ

140. syé	N: shoe (M: -shwāng for pair, -jr̄ for one of a pair).
140.1 syépù	N: shoe store
141. hwǒji	N: waiter, clerk (in stores)
142. -shwāng	M: pair (for shoes, socks, gloves, chopsticks, etc.)
143. pí	N: skin, fur, leather, hide. (M: -kwài, jāng)
143.1 pídz	N: fur, leather, hide
143.2 písyé	N: leather shoes
143.3 píbāu	N: hand bag, brief case, suit case
143.4 pídz dzwòde	made of leather
144. bù	N: cotton cloth (M: -pǐ, bolt; -mǎ, yard; -chř, foot; tswèn, inch)
144.1 bùyīshang	N: cotton garment
144.2 bùsyé	N: cotton shoes
144.3 jwōbù	N: table cloth
144.4 bù dzwòde	made of cloth

145. -hàu(r)   M: number, size

    a. Nín dài jǐhàur màudz?
    b. Nín dyànhwà dwōshau hàu?

146. lyáng   V: measure

    a. Nǐ lyánglyang jèige jwōdz yǒu dwōshau chř?

147. kwān   SV: be wide, broad

    a. Jèige chwānghu yǒu sānchř kwān, lyòuchř gāu.

148. jǎi   SV: be narrow

    a. Jèityáu jyē tài jǎi.

149. dàsyǎu   N: size

150. chángdwǎn   N: length

151. kwānjǎi   N: width

152. jyǎu   N: foot (of a person)

153. héshr̀   SV: be suitable, fit
 153.1 jèng héshr̀   just right

    a. Jèijyan yīshang, wǒ chwānje bùhéshr̀.
    b. Jèige jwōdz fàngdzai nèr jèng héshr̀.

154. gǎnjǐn   A: hurriedly, at once, promptly

    a. Tā yíjyàu wo, wǒ jyou gǎnjǐn gwòchyule.

155. chyǎn   SV: be light (in color), shallow
                         (of water, thought)
 155.1 chyǎnlán   N: light blue
 155.2 chyǎnhúng   N: light red

    a. Wǒ búywànyi chwān chyǎn yánsherde yīshang.
    b. Nèityáu hé, shwěi hěn chyǎn.

156. shēn   SV: be deep (color, water, thought)
 156.1 shēnlyù   N: deep green
 156.2 shēnhwáng   N: deep yellow

    a. Jèige jwōdzde hwáng yánsher tài shēn.

157. pyàulyang   SV: be attractive, smart looking

    a. Nèige rénde yīshang jen pyàulyang.

158. yīnggāi   A: ought to (interchangable with
                                    yīngdāng)
    a. Nǐ yīnggāi gàusung ta.

159. jyēshr   SV: be strong, durable, sturdy

    a. Nèige fángdz jyēshrjíle.
    b. Tāde háidz jǎngde jēn jyēshr.

160. jyàn   SV: be cheap

a. "Gwèide búgwèi, jyànde bújyàn."

161. jyàchyan   N: price, cost
  161.1 jyàchyan gwèi   expensive
  161.2 jyàchyan gāu   high priced
  161.3 jyàchyan dī   low priced
  161.4 jyàchyan pyányi   inexpensive, cheap in price
  161.5 jyàchyan hǎu   priced right

a. Měigwo shū, dzai Jūnggwo, kéyi mài hěn hǎude
   jyàchyan.

162. bāu   V/M: wrap/package, parcel
  162.1 yìbāu
        dūngsyi   N: a package of something
  162.2 yìbāu yān   N: a package of cigarettes
  162.3 bāuchilai   RV: wrap up
  162.4 bāushang   RV: wrap up

a. Chǐng ni bǎ jèige dūngsyi gei wo bāushang.

163. hédz   N: box (small)
  163.1 -hé(r)   M: a box of

164. jwāng   V: pack, load
  164.1 jwāngshang   RV: pack up
  164.2 jwāngchilai   RV: pack up

a. Wǒ bǎ yīshang dou jwāngdzai píbāuli le.
b. Chǐng ni bǎ jèisye dūngsyi jwāngchilai.

165. wàdz   N: sock, stocking (M: -shwāng, for
                           pair; -jr̄ for one of a pair)
  165.1 cháng wàdz   stocking
  165.2 dwǎn wàdz   socks

a. Wǒ děi chyu mǎi lyǎngshwāng wàdz.

166. -dá   M: dozen

167. -syà   BF: (RV-ending indicating downward
                           motion or capacity)
  167.1 fàngsya   RV: put down
  167.2 dzwòbusyà   RV: will not seat

168. jǎu(chyán)   V(O): make change

a. Tā hái méijǎu wo chyán ne.
b. Jèi shr wǔkwai chyán, chǐng nǐ jáugei wo.

III. Jyùdz Gòudzàu

1. Placewords as Objects:

Tsúng, dàu and dzài may take only a placeword as object,
not just any noun. Most nouns can be made into a PW by
adding a localizer. In English we say "come to me" and
"go to him", but in Chinese the literal equivalents "dàu
wǒ lái" and "dàu tā chyù" are not possible. To turn the
prounous wǒ and tā into PW, we may add such a PW as jèr
and nèr to them. Thus: Dàu wǒ jer lái and dàu tā ner
chyù.

1.1 The PW most commonly added to pronouns are:

jèr (jèli)	Nǐde shū méidzai wǒ jer.
nèr (nàli)	Chǐng nǐ dau chwānghu ner chyù.
jèibyar	Nǐ dau jèibyar lai.
nèibyar	Byé dau nèibyar chyu.
jèige dìfang	Wǒ jeige dìfang méiyou dwōshau rén.
nèige dìfang	Dzai tāmen neige dìfang yǒu fàngwǎr.
chyántou	Chǐng nǐ byé jàndzai wǒ chyántou.
hòutou	Bǎ jèige yǐdz fàngdzai tā hòutou.
chyánbyar	Wǒ kéyi bukéyi dzwòdzai nǐ chyánbyar?
hòubyar	Nǐ kě chyānwàn byé tsúng ta hòubyar gwòchyu.
dzwǒbyar	Tā búywànyi dzwòdzai wǒ dzwòbyar.
yòubyar	Dàu wǒ yòubyar lai.

1.2 All the above placewords may also be added to nouns.
In addition, there are certain localizers which can
only be added to nouns but not to pronouns:

lǐtou	Wǒ jùdzai chéng litou.
wàitou	Wǒ dau wūdz wàitou chyù yihwèr.
shàngtou	(Dzai) chìchē shàngtou yǒu yige rén.
syàtou	Wǒde míngdz dzai tā míngdz syàtou.
lǐbyar	Háishr dzai wūdz lǐbyar chī hǎu yidyǎr.
wàibyar	Dzai lóu wàibyar yǒu hěn dwō shù.
shàngbyar	Chǐng nǐ dzai hwàr shàngbyar syě jige dz.

syàbyar	Byé syědzai hwàr syàbyar.
dìsya	Dzwèihǎu bǎ yīshang fàngdzai jwōdz dìsya.
-li	Nǐ dzěmma bǎ wǒde chyán dōu jwāngdzai nǐde kǒudarli le.
-shang	Tā yau dàu jyēshang chyu mǎi yidyǎr dūngsyi.

1.3 All proper nouns which are the names of places are PW. In addition there are certain common nouns which are treated as PW and do not require a localizer when used after tsúng, dàu and dzài. They generally are common nouns which indicate a place:

jyā	kètīng	chúfáng
sy.wésyàu	fàntīng	fēijīchǎng
pùdz	shūfáng	dyànhwàjyú
fàngwǎr	yóujèngjyú	hwǒchējàn

1.4 There are other nouns which should from the point of view of meaning be considered PW, but which do not so function; i.e., they cannot stand as the object of a coverb of motion without the addition of a localizer:

hé	shān	jyē
hú	lù	
hǎi	chéng	

1.5 Exercise - Translate into Chinese:

1.51 Please go to the table.
1.52 Please come to me.
1.53 Have you come from Shanghai?
1.54 Aren't you eating at the restaurant?
1.55 Haven't you lived at your friend's?

1.6 Exercise - Let one person ask one of the following questions; let a second person answer it with a complete statement:

1.61 Nǐ yau dàu wǒ jeibyar lái ma?
1.62 Nǐ búywànyi dàu tā ner chyù ma?
1.63 Tāmen dōu shr tsúng Jàu Ss. ner láide ma?
1.64 Nǐde fēijī dzai shémma dìfang ne?
1.65 Chǐng nǐ dàu chwānghu jer lái ba.

2. Generalizations of Quantity, Quality and Degree:

In English there are certain generalizations of quantity,
quality and degree such as height, weight, width, thick-
ness, shade (of color), etc. In Chinese, one of the
ways to express these ideas is to combine an opposite
pair of stative verbs. The most commonly used ones are:

chángdwǎn	(length)
dàsyǎu	(size)
gāuǎi	(height)
shēnchyǎn	(depth; shade of color)
kwàimàn	(speed)
lěngrè	(temperature)
ywǎnjìn	(distance)
kwānjǎi	(width)
hǎuhwài	(quality - of things and people)
báuhòu	(thickness)
gwèijyàn	(price)
chīngjùng	(weight)
dwōshǎu	(quantity)

2.1 <u>Exercise</u> - Make sentences using the nouns listed
     above.

3. <u>Resultative Verb Endings</u>:

Many stative verbs can be used as resultative verb
endings. For example:

jǎngdedà	Jèige hwār jǎngdedà ma?
chŕbuhǎu	Tā dzwòde fàn tài shǎu, wǒ lǎushr chŕbuhǎu.
bànbuhǎu	Jèijyan shŕ tài nán, wǒ bànbuhǎu.

<u>Lái</u> and <u>chyù</u> and their combinations are also common
resultative verb endings:

shàngbulái	Tā yǒu bìng, kǔngpà yíge rén shàng- bulái.
hwéidechyù	Nǐ yìtyan hwéidechyù ma?
bāndeshànglái	Wǒ bāndeshànglái jèige jwōdz.

3.1 Certain functive verbs when used as resultative verb
    endings suffer modification of meaning. Even as RV
    endings they may have more than one meaning. Four
    of the most common endings in this group are:

    -jyàn   -jáu   -shàng   -syà

(Four more will be discussed in the next lesson.)

3.11 -Jyàn indicates perception of what is seen,
     heard, smelled, etc. Eg:

kànjyan   Wǒ dzwótyan méikànjyan ta.
tīngjyan   Nǐ tīngdejyàn tā chàng gēr ma?
wénjyan   Wǒmen dōu wénbujyàn wūdzli yǒu
                  shemma wèr.
pèngjyan   Chyánjityān wǒ dzai jyēshang
                  pèngjyanle yige lǎupéngyou.

3.12 The RV ending -jáu indicates success in attain-
     ing the object of the action. Here are the most
     common combinations:

shwèijáu   Wǒ shwèile bàntyān méishwèijáu.
jǎujáu   Nǐ jǎujaule nèiben shū le ma?
jyànjáu   Nǐ míngtyan chyù yídìng jyànbujáu
                  ta.
jyējáu   Tā jèi lyangtyan yìfeng syìn ye
                  méijyējáu.
dyǎnjáu   Dyǎndejáu dyǎnbujáu dōu búyàujǐn.
mǎijáu   Wǒ mǎijaule nǐ shwōde nèige bǐ le.
yùngjáu   Běnlái wǒ syǎng yùngbujáu nèige
                  dūngsyi, swóyi shōuchilaile.
                  Shéi jrdau syàndzài jēn yùngjáule.
chrjáu   Yǒu dwōshau chyán ye chrbujáu
                  dzèmma hǎude fàn.

Note that in the two potential forms and the
negative actual form, the ending jáu always gets
stress, but in the affirmative actual form, it
is sometimes stressed and sometimes not.

3.13 -Shàng as an RV ending generally indicates the
     accomplishment of the action. Some of the most
     common combinations are:

gwānshang   Wǒ gwānbushàng jèige chwānghu.
jùshang   Tā syàndzài yǒu chyán le. Jùshangle
                  syīn fángdz le.
chwānshang   Yīshang tài syǎu. Wǒ chwānle
                  bàntyān méichwānshàng.
bāushang   Jèijāng jr tài syǎu, kǔngpà
                  bāubushàng.

jwāngshang   Chǐng nǐ bǎ nèisyē yīshang
                  jwāngshang.

Sometimes the -shàng ending may be interpreted
as "onto" in chwānshang above, or in the follow-
ing illustration:

syěshang   Jèijāng jř bùhǎu, syěbushàng dž.

3.14 The RV ending -syà indicates either the down-
     ward motion of the action or the capacity of
     the topic as to extent of room, space or con-
     tent. In its first meaning, the RV is usually
     in the two actual forms:

fàngsya   Wǒ chǐng ta fàngsya, tā méifàngsya.
                  Hái náje ne.
tǎngsya   Tā yílèi jyou tǎngsya syōusyi
                  yihwěr.
dzwòsya   Dzwòsya ba. Byé jànjele.

But in its second meaning, the RV may be in any
of the four actual and potential forms:

fàngsya   Kǒudarli fàngbusyà dzèmma dwō
                  chyán.
tǎngsya   Jèige chwáng tǎngdesyà sānge rén.
dzwòsya   Jèijyan wūdz jēn dzwòsyale wǔshr
                  rén.

(The student is advised to learn only the
combinations given in the text and not to
attempt making up their own combinations with-
out confirmation.)

                    IV. Fāyīn Lyànsyí

1. A: Wǒ yàu mǎi yishwāng písyé.
   B: Yàu hwángde yàu hēide?

2. A: Jèige shr yùng shémma dzwòde?
   B: Wǒ syǎng shr yùng pídz dzwòde.

3. A: Tāde dyànhwà dwōshau hàu?

B: Wǒ jìbuchīngchule. Nǐ wèn Lǎu Lǐ ba.

4. A: Nǐ lyánglyang jèige jwōdz dwó cháng?
   B: Dwèibuchǐ, wǒ méiyou chǐ.

5. A: Nǐ shémma shŕhou hwèide jyā?
   B: Wǒ yitīngshwō, jyòu gǎnjǐn hwéichyule.

6. A: Jèishwāng syé jēn pyàulyang.
   B: Pyàulyang shr pyàulyang, kěshr bùjyēhsr.

7. A: Wǒ bǎ jèige bǐ jwāngdzai hédzli ba.
   B: Búyung. Bāushang jyou syíngle.

8. A: Jèige dìfang, yānde jyàchyan dzěmmayàng?
   B: Lyǎngmáuwǔ yìbāu.

9. A: Tā méijáugei ni chyán ma?
   B: Jǎu shr jǎule, kěshr jǎutswòle.

10. A: Nǐ kàn jèige jwōdz, kwānjǎi héshŕ bùhéshŕ?
    B: Kwānjǎi héshŕ, kěshr chángdwǎn bùhéshŕ.

V. Wèntí

1. Sz Ss. yàu jyau Jàu Ss. gēn ta dzwò shémma chyu? Tā dǎswan shémma shŕhou chyù?

2. Sz. Ss. yàu mǎi shémmayàngrde syé?

3. Sz Ss. chwān jǐhàurde syé? Tā jìde ma?

4. Sz Ss. bùjrdàu tā dzjǐ chwān dwó dàde syé, dzěmma bàn?

5. Hwǒji gěi Sz Ss. náchulaide syé, tā chwānje héshŕ bùhéshŕ? Nèige yàngdz tā syǐhwan busyǐhwan?

6. Dièrshwāng syé, Sz Ss. jywéde dzěmmayàng?

7. Hwǒji shwō chyán yánsher dzěmma hǎu? Sz Ss. shwō chyán yánsher dzěmma bùhǎu?

8. Jàu Ss. jywéde nèishwāng syé hǎu bùhǎu?

9. Nèishwāng syéde jyǎchyan dzěmmayàng? Sz̄ Ss. jywéde pyányi bupyányi?

10. Hwǒji shwō nèishwāng syé dzěmma hǎu?

11. "Gwèide búgwèi, jyànde bújyàn" shr shémma yìsz?

12. Hwǒji bǎ nèishwāng syé bāushangle ma?

13. Sz̄ Ss. mǎi wàdz le meiyou?

14. Nǐ syǐhwan chwān shémmayàngrde syé? Shr píde shr bùde? Shr hēide shr hwángde?

15. Nǐ chwān dwó dàde syé? Jǐhàur?

16. Nǐ jywéde shémma yánsher dzwèi pyàulyang? Shr shēn yánsher shr chyǎn yánsher?

17. Jyǎchyan gwèide syé dōu jyēshr ma?

18. Jèige wūdzde chángdwǎn, kwānjǎi dzěmmayàng? Nǐ lyánggwo meiyou?

19. Dzài Měigwo syépù mǎi syé, hwǒji shr bǎ syé jwāngdzai hédzli, háishr yùng jr̀ bāushang?

20. Yàushr nǐ mǎi yishwāng syé, shr shŕèrkwai-èrmáuwǔ. Nǐ gěi ta shŕwǔkwài chyán, tā jǎu nǐ dwōshau chyán?

VI. <u>Nǐ</u> Shwō <u>Shémma</u>?

1. Yàushr nǐ syǎng chǐng nǐde péngyou gēn nǐ chyu mǎi yìdyǎr dūngsyi, nǐ dzěmma gēn tā shwō?

2. Nǐ dàu pùdzli chyu kànkan, hwǒji wèn nǐ mǎi shémma; kěshr ni bùsyǎng mǎi shemma, nǐ dzěmma gēn tā shwō?

3. Nǐ dàule syépùli, shr̀le jishwāng syé, yǒude bùhéshr̀, yǒude nǐ bùsyǐhwan, kěshr hwǒji yídìng syǎng ràng nǐ mǎi, nǐ dzěmma bàn?

4. Nǐ dzài pùdzli mǎile yiyàngr dūngsyi, hwǒji yòu yàu ràng nǐ mǎi byéde, nǐ bùsyǎng mǎi, nǐ shwō shémma?

5. Yàushr nǐ gēn nǐde péngyou yíkwàr chyù mǎi dūngsyi, nǐ syǎng wènwen nǐ péngyoude yìsz dzěmmayàng, nǐ dzěmma shwō?

VII. Bèishū

A: Jīntyan tyānchi bútswò.
B: Jēn hǎu. Jēn shr chwūntyan le.

A: Kě búshr ma! Tsǎu yě lyùle, hwār yě kāile. Shùde yánsher syàng hwàde shrde.
B: Nwǎnhwole, dzai wàitou sànsan bù jen shūfu. Jèi yídūngtyān, búshr syà sywě jyòushr gwā fēng, yòu tèbyé lěng.

A: Rén dōu syǐhwan chwūntyan. Kěshr jèrde chwūntyan tài dwǎn. Hǎusyàng yìhwěr jyou gwòchyule.
B: Shr a! Swóyi wǒmen yīngdāng dzai tyānchi hǎude shrhou chūlai wárwar.

VIII. Fānyì

1. Translate into Chinese:

1.1 I sent him a pair of socks by air mail.

1.2 This is made of leather.

1.3 Will you please measure it for me and tell me the length.

1.4 This kind of paper is just the right thickness.

1.5 As soon as I heard what he said, I promptly wired my wife.

1.6 It's smart-looking all right, but it doesn't fit me.

1.7 This pair of shoes is good looking and will wear well. What's more, the price is right. However, they don't fit me well.

1.8 The price of this kind of cigarettes ought to be cheaper now.

1.9 I will pack these brushes in a box.

1.10 I gave him twenty dollars, and he gave me back two
     and a quarter in change.

2. Translate back into Chinese:

(145) a. What size hat do you wear?
      b. What's your telephone number?

(146) a. Will you measure this table and see how many
         feet long it is?

(147) a. This window is three feet wide by six feet
         high.

(148) a. This street is too narrow.

(152) a. This suit doesn't fit me.
      b. Placed there the table is just right.

(153) a. As soon as he called me, I went over at once.

(154) a. I don't like to wear light colored clothes.
      b. That river is very shallow.

(155) a. This table is too dark a brown.

(156) a. That man's clothes are very smart looking.

(157) a. You ought to tell him.

(158) a. That house is extremely well-built.

(159) a. "Expensive things are (in the end) not expensive,
         while cheap ones are (really) not cheap."

(160) a. American books can sell for very good prices in
         China.

(161) a. Please wrap this article for me.

(163) a. I packed all the clothes in the suitcase.
      b. Please pack these things away.

(164) a. I have to go and buy two pairs of socks.

(165) a. He hasn't given me the change yet.
      b. Here is five dollars. Please give me the change.

DÌBÁKE - DZŪ FÁNG

I. Dwèihwà

Sz̄ Ss. jyējau yifēng tsung
Měigwo láide syìn. Ràng Sz̄ Ss.
dzai Shànghǎi jù yìnyán. Sz̄ Ss.
syǎng bùneng dzai Jàujya jù nèmma
5   jyǒu. Swóyi tā děi jǎu fáng bān
jyā. Yǒu yityān, tā dzai bàushang
kànjyan yige gwǎnggàu, yǒu yiswǒ
fángdz chūdzū. Tā jyou dau nèige
fángdz nèr chyùle. Sz̄ Ss. jyànjau
10   fángdūng, gen fángdūng shwō:

Sz̄:   Wǒ dzai bàushang kànjyan nín dēngde gwǎnggàu.
              Nín yau chūdzūde shr̀ shémma yàngrde fángdz?

Fángdūng: Wǒ you wǔjyan fángdz chūdzū. Kètīng, fàntīng,
              wòfáng, chúfáng, dzǎufáng, yíyàngr yìjyān.
15   Dyàndēng, dyànhwà, dzìláishwěi dōu yǒu.

Sz̄:   ·Nín dài wo kànkan, kéyi ma?

Fángdūng: Kéyi. Nín děng wo swǒshang mén, wǒ gen nin
              yíkwàr chyù.

Sz̄:   Dzài nǎr a?

20 Fángdūng: Bùywǎn. Jyòu shr nèibyār sānshrwǔhàu. Hǎu!
              Wǒmen dzǒu ba.

              (Dàule sānshrwǔhàu, fángdūng ná yàushr bǎ mén
              kāikai, shwō:)

Fángdūng: Nín chǐng jìnlai. Nín kàn, jè shr kètīng.
25   Chyáng, dìbǎn, dōu hěn gānjing.

Sz̄:   Hěn hǎu! Fàntīng dzai nèibyar ba?

Fángdūng: Nín chǐng gwòlai. Jèijyan shr fàntīng, tsúng

jèige mén, kéyi dau chúfáng chyu.

Sz̄:   Chúfángli yǒu lúdz ma?

Fangdūng: Yǒu. Nín lai kànkan.   Dìfang hěn dà.

Sz̄:   Hǎujíle. Wòfáng dzai nǎr?

5 Fángdūng: Jèijyan jyou shr wòfáng. Nín kàn, yǒu sānge
           chwānghu, hěn lyàng. Dzǎufáng jyou dzai
           lǐtou. Lyǎnpén, dzǎupén, dōu shr syīn hwànde.
           Gwǎndz yě shr syīn shōushrde. Rèshwěi ye hěn
           fāngbyan.

10 Sz̄:   Dyànmén dzai nǎr?

Fángdūng: Dyànmén dzai jèr.

Sz̄:   Fángdzū shr̀ àn ywè swàn, shr̀ àn lǐbài swàn?

Fángdūng: Àn ywè swàn. Wǔshrwǔkwai chyán, yíge ywè.

Sz̄:   Dyàn, shwěi dōu dzai lǐtou ma?

15 Fángdūng: Dyàn, shwěi, wǒmen bùgwǎn.

Sz̄:   Hǎu. Děng wo hwéichyu syángsyang. Gwò yilyang-
           tyān wǒ dzai lai gen nín tán ba.

Fángdūng: Nín dzwèihǎu shr dzǎu yidyǎr jywédìng. Jīntyan
           dzǎushang yǐjing yǒu jiwèi lai kàngwole.

20 Sz̄:   Nèmma wǒ syān gěi nín yìdyǎr dìngchyan. Nín
           gei wo lyóu sāntyan chéng buchéng?

Fángdūng: Nín dǎswan gei dwōshau chyán na?

Sz̄:   Shr̀kwai chyán, hǎu buhǎu?

Fángdūng: Hǎu. Jyòu nèmma bàn ba. Tsúng mingtyan swàn.
25   Jīntyan shr èrshrlyòuhàu. Míngtyan èrshrchī,
           hòutyan èrshrbā, dàhòutyan èrshrjyǒu. Wǒ gei
           nín lyóudau èrshrjyǒude wǎnshang. Syīwang nín
           dzai sānshrhàu yǐchyán gàusung wǒ nín yàu buyàu.

Sz̄:   Hǎu. Yídìng. Jèr shr shr̀kwai chyán.

Fángdūng: Wǒ gei nín syě yige shōutyáur.

II. Shēngdz̀ Yùngfǎ

169. dzū   V: rent
  169.1 dzū fáng   VO: rent a house
  169.2 dzūchuchyu   RC: rent out
  169.3 dzūchyan   N: rental
  169.4 fángdzū   N: house rent
  169.5 chūdzū   V: for rent

    a. Jèige fángdz búshr wǒ dz̀jǐde, shr dzūde.
    b. Jèiswǒ fáng, chūdzū ma?
    c. Jèiswǒ fáng, yǐjing dzūchuchyule.

170. -jyǒu   SV: long (of time)
  170.1 hěnjyǒu
        méijyàn   Ph: haven't seen you for a long time

    a. Nǐ dzai jèr jùle dwójyǒule?

171. gwǎnggàu   N: advertisement

172. dēng   V: insert (an advertisement, notice,
                          etc.)
  172.1 dēng bàu   VO: put in the paper
  172.2 dēng gwǎnggàu VO: put an advertisement in the paper,
                          magazine, etc.

    a. Tā yau mài tade chìchē, swóyi dzai bàushang
       dēngle yige gwǎnggàu.

173. -swǒ(r)   M: for houses

    a. Jèiswǒ fángdz shr tāde.

174. fángdūng   N: landlord, landlady

175. wòfáng   N: bedroom (M: -jyān)

176. dēng   N: lamp, light
  176.1 dyàndēng   N: electric light
  176.2 shǒu dyàndēng N: flash light

177. dzláishwěi   N: running water
 177.1 dzláishwěibǐ   N: fountain pen

178. swǒ   V/N: lock (M: -bǎ)
 178.1 swǒshang   RV: lock up (doors, locks)
 178.2 swǒchilai   RV: lock up (things, people)

    a. Jèige swǒ hwàile. Swǒbúshàngle.

179. yàushr   N: key (M: -bǎ)

180. chyáng   N: wall

181. dìbǎn   N: floor

182. lúdz   N: stove, range, heater, furnace
 182.1 shēng lúdz   VO: start a fire in the stove; light
                          the furnace

    a. Nǐmen jyā shēng lúdz le meiyou?

183. pén   N: basin, tub
 183.1 (syǐ)dzǎupén   N: bath tub
 183.2 (syǐ)lyǎnpén   N: wash basin

184. hwàn   V: exchange, change
 184.1 hwàn chyán   exchange money
 184.2 hwàn yīshang   change clothes
 184.3 hwàn dūngsyi   exchange something

    a. Jèige húngde wǒ búdà syǐhwan, chíng ni gei wo
       hwàn yige lyùde, syíng busyíng?
    b. Tyān tài lěng, yàushr chūchyu, nǐ děi hwàn
       yijyàn yīshang.

185. gwǎndz   N: tube, pipe (M: -gēn)
 185.1 shwěi gwǎndz   N: water pipe

186. dyànmén   N: switch (electric)

187. àn(je)   CV: according to

    a. Wǒmen jyou ànje tā shwōde bàn ba.
    b. Àn wǒde yìsz, wǒmen shr búchyu, nǐ shwō ne?

188. swàn   V: reckon, calculate, add, count
  188.1 swànchulai   RV: figure out
  188.2 swànshang   RV: include in, add, count in
  188.3 búswàn   doesn't count, not reckoned as,
                         not considered

    a. Nǐmen chyù ba, byé swàn wǒ.
    b. Jèige byǎu, wǔshrkwai chyán, búswàn tài gwèi.

189. dìng   V: fix, order
  189.1 dìng shŕhou VO: make an appointment, set a time
  189.2 dìng dìfang VO: agree on a place, reserve a place
  189.3 dìnghǎule   RV: settled
  189.4 dìngchyan   N: deposit (on purchase or rent)

    a. Wǒ gēn ta dìnghǎule, míngtyan sāndyǎn jūng jyàn.
    b. Wǒ děi gēn ta dìng yige shŕhou tán yitán.

190. jywédìng   V: decide

    a. Wǒ jywédìngle, míngtyan búchyù.
    b. Nǐ shŕ dzěmma jywédìngde?

191. lyóu   V: keep, set aside, detain, save
  191.1 lyóu tyáur   VO: leave a message
  191.2 lyóusya   RV: leave it here
  191.3 lyóuchilai   RV: put away

    a. Chŕfànde shŕhou tā méihwéilai, wǒ gěi ta lyóule
       yìdyǎr tsài.
    b. Wǒ lyóu ta dzai jyāli chŕfàn.
    c. Tā yídìng yau dzǒu, wǒ bǎ ta lyóusyale.

192. jyòu nèmma bàn IE: Good, let's do it that way.

    A: Míngtyan wǒ gēn ni dau nǐmen sywésyàu chyu kànkan
       chyu.
    B: Hǎu. Jyòu nèmma bàn.

193. dàhòutyān   TW: three days from today
  193.1 dàchyántyan TW: three days ago

194. tyáur   N: brief note, short message
  194.1 shōutyáur   N: receipt

III. <u>Jyùdz Gòudzàu</u>

1. <u>Resultative Verb Endings</u> (continued):

It has been said in the last lesson that certain functive
verbs, when used as RV endings, suffer a change of mean-
ing. Four of these most common ones have been introduced.
Here are four more:

-lyǎu   -chǐ   -jù   -kāi

1.1 <u>-Lyǎu</u> as an RV ending indicates capacity either for
doing something, like:

dzwòbulyǎu	Jèijyan shŕ tài nán. Wǒ dzwòbulyǎu.
bàndelyǎu	Nǐ yíge rén bàndelyǎu dzèmma dwō shŕ ma?
méiláilyǎu	Tā dzwótyan yàu lái méiláilyǎu.

or for carrying it through completion, like:

chŕbulyǎu	Fàn tài dwō. Wǒ kǔngpà chŕbulyǎu.
yùngdelyǎu	Yíge rén yíge ywè yùngdelyǎu sānbǎikwai chyán ma?
méinályǎu	Wǒ yíge rén méinályǎu nemma dwō dūngsyi.

Note that RV with a <u>-lyǎu</u> ending seldom takes the
affirmative actual form.

1.2 <u>-Chǐ</u> as an RV ending carries the meaning of (1) high
up either in opinion or in position (2) able to afford
(in a financial sense).

Some of the most common ones that carry the first
meaning are:

kàndechǐ   (to have a high opinion of...)
    Wǒmen dōu hěn kàndechǐ ta.

kànbuchǐ   (to have a low opinion of...)
    Byé kànbuchǐ rén.

dwèidechǐ   (able to look someone in the face)
    Jèijyan shŕ, wǒ hěn dwèidechǐ ta. Tā wèi
    shémma hái bùgāusyìng?

dwèibuchǐ   (unable to face a person due to
               some fault, etc., hence, a form
               of apology--"Excuse me!"
      Tā hěn dwèibuchǐ wo. (He owes me an
                                apology.)
      Dwèibuchǐ, dzwótyan wǒ méilái. (Excuse me
                         for not being here
                         yesterday.)

Some of those which carry the second meaning are:

maǐdechǐ   Jèige chǐchē, wǒ maǐbuchǐ, tā
               maǐdechǐ.
jùbuchǐ   Jèige dìfang wǒ kě jùbuchǐ.
chr̄buchǐ   Wǒmen chr̄buchǐ nèmma hǎude dūngsyi.
kànbuchǐ   Dyànyǐngr tài gwèi. Wǒ kànbuchǐ.

RV with a -chǐ ending do not take the actual forms.
Note that the combinations kàndechǐ and kànbuchǐ
may carry either of the two meanings, the interpre-
tation depending on the context.

1.3 The RV ending -jù indicates (1) firmness and security;
    (2) to stop or to stump. It carries the first mean-
    ing in the following common combinations:

náju   Nǐ yìjr̄ shǒu kǔngpà nábujù.
jìju   Jèi yíkè wǒ nyànle sānshrdwō tsz̀
              háishr méijìjù.
jànju   Wǒde bìng hái méihǎu, jànbujù.
              Wǒ kéyi dzwòsya ma?

The following common combinations carry the second
meaning of -jù:

tíngju   Chē kāide yàushr tài kwài, jyou
              bùneng lìkè tíngju.
wènju   Jèige wèntí tài nán, bǎ wǒ gei
              wènjule.
nánju   Tā shémma dōu dǔng. Nǐ yídìng
              nánbujù ta.
jànju   Wǒde byǎu jànjule.

Note that jànju has been listed in both groups. Its
meaning depends on the context.

1.4 -Kāi as an RV ending carries the meaning of separation, "away" and "off".

> kāikai   Nǐ kāidekāi jèige hédz ma?
> líkai   Tāmen lyangge rén tyāntyān dzài
>   yíkwàr, jyānjŕde líbukāile.
> nákai   Kwài bǎ jèige nákai. Yǒu wèr le.
> dzǒukai   Jèrde shŕching mángjíle. Wǒ
>   yìlyǎngtyānli dzǒubukāi.

The student is again warned not to attempt to make up his own combinations with these RV endings.

1.5 Exercise - Translate into Chinese:

1.51 It is very difficult for me to leave this place.

1.52 Please hold this box for me. Have you really got hold of it?

1.53 Stop! Don't go any further.

1.54 The child is too small to be away from his mother.

1.55 I don't have much money. I cannot afford to go to New York everyday.

1.56 I think he looks down on me. Therefore I won't talk to him.

1.57 This is too difficult. I don't think I can do it.

1.58 It's going to rain shortly. I am afraid we cannot go.

1.59 You prepared too much food. We certainly won't be able to finish it.

1.60 Don't do anything to people that will make you unable to look them in the face.

2. Various Uses of Swàn: Swàn has several uses with varying meaning:

swàn .... to calculate, figure out
  swànchulai .... to calculate, figure out
  swànhǎule .... finished calculating

swànshang .... to count in, include
   swàndzai yikwàr   same
   swàndzai lǐtou   same

swàn(shr).......... to count as being, be considered as,
                 be classed as. (followed by a de-
                 scriptive expression)

swànle .... forget it, let the matter drop,
                 call it quits

2.1 Examples of the various uses of swàn:

   2.11 To calculate

       Yígùng yǒu dwōshau chyán, chǐng nǐ swàn yiswàn.
       (Please figure out how much it is altogether.)

       Yùng jèige fádz yíswàn jyou kéyi swànchulaile.
       (With this method you can figure it out at a
       glance.)

   2.12 To include

       Nǐmen chyu chr̄fàn, byé wàngle bǎ wǒ·swànshang.
       (When you go out to eat, don't forget to count
       me in.)

       Swànshang jīntyan yùngde chyán, yě búgwò
       bāshrwǔkwài.
       (Including what was spent today, it still
       doesn't exceed $85.00.)

   2.13 Be considered

       Yàushr ta yǐjing bùtóuténgle, tā neige bìng jyou
       swàn hǎule.
       (If his headache has stopped, then his ailment
       can be regarded as cured.)

       Nǐmen lyangge rénde yìsz bùyiyàng, kěshr nà
       bunéng swànshr tā tswòle.
       (You two don't hold the same opinion, but that
       doesn't mean that he is wrong.)

2.14 <u>Forget</u> <u>it</u>!

    Yàushr tā bukěn, jyou swànle.
    (If he isn't willing to do it, let the matter
     drop.)

    Swànle ba! Syà yǔ bunéng chyùle.
    (Let's drop the matter. It's raining so we
     can't go anyway.)

    Wǒ kàn nǐ swànle ba; méi chyán, chyù yǒu shémma
    yìsz?
    (I think you'd better let the matter drop; we
     haven't any money, so there's no point in going.)

2.2 <u>Exercise</u> - Translate into Chinese:

2.21 That plan of yours is fine, but first do a
little figuring as to how much money it's going
to take.

2.22 If you count me in too, there will be thirty-one
people.

2.23 If you two can't agree, just call it quits.

2.24 How much did it cost the three of us to eat last
night? Well, not counting the tip, it was $7.65.

2.25 I haven't yet finished figuring; when I have,
I'll tell you.

2.26 Including these of mine, there are two hundred
and forty-five in all.

2.27 If no one claims this money by tomorrow noon, I
shall consider it mine.

2.28 When we were figuring out how much food to take
along, we didn't count those two fellows in.

2.29 Have you figured out how many miles an hour that
type of plane travels?

2.30 Have you finished figuring out that problem I
asked you to figure?

IV. <u>Fāyīn Lyànsyí</u>

1. Nǐ nèiswǒr fáng <u>dzūchuchyule</u> ma? Nèiswor fáng <u>dzūbu-</u><u>chūchyù</u>.

2. Hěn jyǒu méi<u>jyàn</u>, <u>hǎu</u> ba? Hěn <u>hǎu</u>. Nín <u>tàitai</u> hǎu?

3. Wǒde fáng, <u>dzěmma</u> néng dzūchuchyu ne? Nǐ děi dēng yige gwǎng<u>gàu</u>.

4. Dzláishwěi <u>gwǎngz</u> shr syīn <u>hwàn</u>de ma? <u>Bú</u>shr. Shr̀ syīn <u>shōu</u>shrde.

5. Nǐde fáng<u>dzū</u> shr àn <u>ywè</u> swàn ma? Dwèile. Měiywè <u>lyòu</u>shrkwai chyán. <u>Bú</u>swàn shwěi <u>dyàn</u>.

6. Jèijūng jr̀ <u>jyē</u>shr ma? <u>Bú</u>swàn bù<u>jyē</u>shr.

7. Nǐ chǐng <u>kè</u> de shr̀ching jywé<u>dìng</u>le ma?   R̀dz dìnghǎule, <u>dì</u>fang hai méidìng ne.

8. Nǐ <u>lyóu</u> ta dzai jyāli chr̄fàn le ma? Wǒ <u>lyóu</u> ta le. Kěshr ta yídìng yau <u>dzǒu</u>.

9. Nǐ gěi ta dǎ dyànhwà le ma? <u>Dǎ</u>le. Tā méidzai <u>jyā</u>. Wǒ gei ta lyóule yige <u>tyáur</u>.

10. Tsài tai <u>dwō</u>, chr̄bulyǎu dzěmma <u>bàn</u>? Kéyi <u>lyóu</u>chilai.

V. <u>Wèntí</u>

1. Sz̄ Ss. jyē̄jaude syìn, shr̀ tsúng shémma dìfang láide? Syìnli shwō shémma?

2. Sz̄ Ss. wèi shémma yàu dzū fáng?

3. Sz̄ Ss. jǎu fáng dzěmma jǎu?

4. Tā jyànjau fángdūng gen fángdūng shwō shémma?

5. Tā jǎude fángdz shr shémmayàngrde fángdz? Yígùng jǐjyān? Yǒu dyàndēng dyànhwà dzláishwěi meiyou?

6. Nèige fángdz dzài shémma dìfang? Dàmén swǒje meiyou?

7. Nèige fángdz hǎu bùhǎu? Kètīng dzěmmayàng?

8. Tsúng fàntīng dàu chúfáng yǒu mén meiyou?

9. Chúfángli you lúdz ma? Chúfángde dìfang dà búdà?

10. Wòfáng dzěmmayàng? Dzǎufáng ne?

11. Fángdzū dzěmma swàn? Shr àn ywè swàn, shr àn lǐbài
    swàn? Dyàn shwěi, fángdūng gwǎn bugwǎn?

12. Fángdūng wèi shémma jyau Sz̄ Ss. dzǎu yidyǎr jywédìng?

13. Sz̄ Ss. wèi shémma yàu gěi dìngchyan? Tā yàu gěi dwōshau
    dìngchyan?

14. Yàushr Sz̄ Ss. sāntyan yǐhòu búywànyi dzū nèiswǒr fáng,
    tā gěide dìngchyan dzěmma bàn?

15. Nèityan shr jǐhàu? Fángdūng syīwàng shémma shŕhou jŕdau
    Sz̄ Ss. yàu buyàu dzū nèiswǒr fángdz?

16. Fángdūng gěi Sz̄ Ss. syě shōutyáur le meiyou?

17. Yàushr nǐ syǎng jǎu fáng, nǐ dzěmma jǎu?

18. Nǐ syàndzài jùde fángdz shr shémmayàngrde fángdz?
    Yígùng jǐjyān? Yǒu fàntīng meiyou? Fángdzū gwèi bugwèi?

19. Nǐde wòfáng dà budà? Yǒu jǐge chwānghu? Wòfángli yǒu
    syǐlyǎnpén meiyou?

20. Nǐ shémma shŕhou gei rén syě shōutyáur? Shémma shŕhou
    lyóu tyáur?

VI. Nǐ Shwō Shémma

1. Yàushr nǐ syǎng dzūfáng, nǐ kànjyan fángdūng nǐ dzěmma
   wèn tā?

2. Yàushr nǐ syǎng chǐng nǐde péngyou tì nǐ jǎu fáng, nǐde
   péngyou wèn nǐ yàu shémma yàngrde fángdz, nǐ dzěmma shwō?

3. Nǐ syàndzài jùde fángdz yǒu jǐjyān? Dōu shr shémma
   fángdz? Nǐ shwō yìshwō.

4. Yàushr nǐ kànle yìswǒ fángdz, nǐ bunéng jywédìng dzū
   budzū, nǐ syǎng dièrtyan dzài gàusung tā yàu buyàu, nǐ
   dzěmma gen tā shwō?

5. Yàushr nǐ jywédìng dzū nèiswǒ fáng le, nǐ děi gēn
   fángdūng shwō shémma?

VII. <u>Gùshr</u>

(on record)

VIII. <u>Fānyì</u>

1. Translate into Chinese:

   1.1 I want to rent this house, but I don't know what
        the rent is.

   1.2 The rent he asked was too high. I don't think he
        can rent it. Do you?

   1.3 How long have you been studying Chinese? Not very
        long.

   1.4 He did put an advertisement in the paper, but no-
        body called.

   1.5 The landlady said: "It is a ten-room house: two
        each of living rooms, dining rooms, kitchens, bed
        rooms and bath rooms."

   1.6 Everything in this house - such as lamps, switches,
        heater, bath tub, flooring, water pipes, even the
        locks, has been changed recently.

   1.7 The rent of this house is fifty dollars, not includ-
        ing electricity and water.

   1.8 This key doesn't fit this lock. You cannot open

the door with it. If you don't believe me, try it.

1.9 The furnace has been repaired lately.

1.10 Do you want to change with me?

1.11 According to my opinion, it is not satisfactory.

1.12 Will you figure out how much it is altogether?

1.13 Five dollars cannot be considered cheap for this
     kind of pen.

1.14 We have set a time to have lunch together.

1.15 He and I decided that we will go to New York to-
     gether by the three-o'clock train.

1.16 I have not decided yet whether I am going to rent
     the house or not.

1.17 I saved a piece of candy for him.

1.18 Will you please hold this room for a couple days?
     I'll give you five dollars deposit on it.

1.19 I have set aside some stationery for him, but I
     cannot be sure he will come for it.

1.20 May I leave five dollars for him?

2. Translate back into Chinese:

(169) a. This house isn't mine. It's rented.
      b. Is this house for rent?
      c. This house has already been rented.

(170) a. How long have you been living here?

(172) a. He wants to sell his car, so he put an advertise-
         ment in the paper.

(173) a. This house is his.

(182) a. Have you started the furnace in your house?

(184) a. I don't like this red one very well. Will
         you please change it for a green one?
      b. It's too cold. If you go out, you must
         change your clothes.

(187) a. Let's do what he says.
      b. In my opinion, we are not going. What do
         you say?

(188) a. You go ahead. Don't count me in.
      b. Fifty dollars can't be considered too much
         for this watch.

(189) a. He and I decided that we'll meet at 3:00
         tomorrow.
      b. I have to set a time to have a chat with him.

(191) a. He didn't come back in time for supper, so I
         saved some food for him.
      b. I kept him for supper.
      c. He insisted on going, but I persuaded him to
         stay.

(192) A: Tomorrow I'll go with you to visit your
         school.
      B: O.K., let's do that.

DÌJYǑUKE - JYÈ JYĀJYÙ

I. Dwèihwà

Sž Ss. kànle fáng, hwéidau Jàujya,
jǎu Jàu Tt. chyu shānglyang.

Jàu Tt: Nín hwéilaile. Fángdz jǎuhǎule meiyou?

Sž: Kànle yìswǒr, gěile shŕwai chyánde dìngchyan.
5   Kěshr wǒ hái méijywédìng ne. Wǒ syǎng gen nín
         shānglyangshānglyang.

Jàu Tt: Dzài nǎr a?

Sž: Dàsyīlù sānshrwǔhàu. Wǔjyān fáng.

Jàu Tt: Shŕ shémma yàngrde fángdz?

10 Sž: Shŕ syīshŕ. Kètīng, fàntīng, wòfáng, chúfáng,
         dzǎufáng, yíyàngr yìjyān.

Jàu Tt: Fángdzū dwōshau chyán?

Sž: Yíge ywè wǔshrwǔkwai chyán, dyàn shwěi lìngwài
         swàn.

15 Jàu Tt: Jēn pyányi. Syàndzài jèiyàngrde fángdz kě jēn
         bùrúngyi jǎu. Búdài jyājyu ba?

Sž: Dwèile, búdài. Jyòushr yīnwei búdài jyājyu,
         swóyi wǒ méijywédìng.

Jàu Tt: Jèiyàngrde fángdz syàndzài hěn nán jǎu. Dìfang
20   bútswò. Fángdzū ye búgwèi. Wǒ kàn, nín jyou dzū
        jèiswǒr ba. Jyājyu, wǒmen kéyi jyègei nín jijyàn.
        Děng nín dzǒude shŕhou dzai hwángei wǒmen.

Sž: Hǎujíle. Jyòu nèmma bàn ba. Nín néng jyègei wo
         shémma jyājyu ne?

Jàu Tt: Wǒmen yǒu yitàu shāfā, kéyi yùng. Hái you
yīgwèi, shūjyà, chwáng, jwōdz, yǐdz shémmade.
Yǒude yěsyǔ děi shōushrle. Nín dzwèihǎu syān
kànkan néng yùng buneng.

5 Sz̄:   Wǒ syǎng dōu néng yùng. Wǒ bùjyǎngjyou. Fǎn-
jèng wǒ jyòushr jànshŕ yùng jige ywè. Chúfángli
yùngde dūngsyi syàng pándz, wǎn dou dzai nǎr mǎi?

Jàu Tt: Yěisyē dūngsyi, nín dzwèihǎu shr děng jǎule chúdz
yǐhòu, jyau chúdz gei nín mǎi. Wǒmen syān shwō
10   kètīng ba. Shāfā, shūjyà dōu yǒu. Yěsyǔ dei
mǎi yige syǎu jwōdz gēn yige dēng, jyou syíngle.

Sz̄:   Dìtǎn nín yǒu ma?

Jàu Tt: Òu, dwèile. Yǒu, jyoushr jyòu yidyǎr, kěshr ye
búswàn tài jyòu. Nín kéyi kànkan. Busyíng
15   dzàishwō.

Sz̄:   Nèmma wòfáng ne?

Jàu Tt: Wòfángde chwáng, yīgwèi, yǐdz dōu yǒu. Kàn nín
hái syūyàu shémma?

Sz̄:   Wǒ syǎng chwángdāndz, tǎndz, jěntou, jěntoutàu,
20   háiyǒu chwānghu-lyándz, dōu děi mǎi.

Jàu Tt: Dwèile. Jèisye dūngsyi dàgài fēi mǎi bùkě.
Fàntīngde dūngsyi kǔngpà yě dōu dei mǎi. Wǒ
jyou yǒu yíge wǎngwèi, yěsyǔ hái bùnéng yùng.
Línglingswèiswèide syàng shǒujin, yǐdz shémmade,
25   yǒude nín yǒu, jyou búyung mǎile. Méiyoude děng
yǐhòu syūyàude shŕhou, dzai yìdyǎryìdyǎrde mǎi
ba. Nín shémma shŕhou yǒu gūngfu, wǒ dài nín
syān chyu kànkan hǎu buhǎu?

Sz̄:   Dōu dzai nǎr ne?

30 Jàu Tt: Jyòu dzài hòutou wūdzli ne. Yàushr nín méi shŕ,
wǒ syàndzài jyou gēn nín chyù.

Sz̄:   Hǎu. Wǒ méi shŕ. Chyù kànkan chyu ba.

II. <u>Shēngdz̀</u> <u>Yùngfǎ</u>

195. jyè   V: borrow, lend, loan
 195.1 jyè(gei)   V: lend to
 195.2 gēn...jyè CV..V: borrow from
 195.3 jyè chyán   VO: borrow money, lend money

    a. Wǒ gēn ta jyèle wǔkwai chyán.
    b. Tā jyègei wo wǔkwai chyán.
    c. Wǒ syǎng jyè ni nèiběn shū kànkan.

196. jyājyu   N: furniture (M: -jyàn, -tàu)
 196.1 dài jyājyu   VO: be furnished, include furniture

    a. Nǐ dzūde nèige fángdz, dài jyājyu búdài?

197. shānglyang   V: discuss, talk over

    a. Nèijyan shr̀ching yùngbujáu gēn ta shānglyang.

198. -shr̀   N: style, pattern fashion
 198.1 syīshr̀   western style or fashion
 198.2 Jūngshr̀   Chinese style
 198.3 syīnshr̀   modern style
 198.4 jyòushr̀   old style
 198.5 syīshr̀ fángdz   western style house
 198.6 syīshr̀ jyājyu   western style furniture
 198.7 nánshr̀ jájī   southern fried chicken

199. lìngwài   A: besides, in addition to
                     SP: other

    a. Wǒ hái lìngwài nyàn yìdyǎr byéde gūngkè.
    b. Búshr̀ jèige péngyou shwōde, shr̀ lìngwài yige
       (byéde) péngyou shwōde.

200. hwán(gei)   V: return (borrowed money or things)

    a. Tā chyùnyán gēn wo jyède chyán, hái méihwán wo ne,
       syàndzài yòu yau jyè.

201. -tàu   M: set of, suit of
 201.1 yítau jyājyu   set of furniture
 201.2 yítau yīshang   suit of clothes
 201.3 yítau pándz wǎn   set of dishes
 201.4 yítau shū   set of books

202. shāfā   N: sofa (M: -gè, -tàu)

203. gwèi(dz)   N: chest, cabinet
  203.1 yī(shang)-
          gwèi   N: wardrobe, chest of drawers
  203.2 shūgwèi   N: book shelf
  203.3 wǎngwèi   N: cupboard

204. jyàdz   N: rack, shelf, frame
  204.1 shūjyà(dz)   N: book shelf, book case
  204.2 yīshangjyà-
          (dz)   N: frame for hanging clothes, clothes
                           hanger, clothes tree, clothes rack

205. shémmade   N: and so on
  205.1 syàng...
          shémmade   such as....etc.

    a. Wǒ děi mǎi yidyǎr yídz, shǒujin, yáshwā, yágāu
       shémmade.
    b. Syàng jwōdz, yǐdz shémmade, nèige pùdz dōu hěn
       pyányi.

206. jyǎngjyou   SV: be meticulous, particular
                        V: be meticulous or particular about;
                           care a great deal about

    a. Tāmen jyālide jyājyu, jyǎngjyouyíle.
    b. Tā nèige rén hěn jyǎngjyou chr̄.

207. jànshŕ   A: temporarily, for the time being

    a. Syīn chìchē tài gwèi. Wǒ jànshŕ yùng jèige jyòude
       ba.

208. -pán   M: plate of, platter of
  208.1 yìpán tsai   a dish of food
  208.2 pándz...   N: plate, platter, tray
  208.3 chápándz   tea tray

209. chúdz   N: cook

210. dìtǎn   N: rug, carpet (M: -kwài, -jāng)

211. syūyàu   V: need
                        N: need

      a. Nǐ syūyàu shémma dūngsyi, gàusung wo, wǒ gei ni mǎi.
      b. Nǐ you shémma syūyàu de shŕhou, chǐng byē kèchi.

212. chwángdāndz   N: sheet

213. tǎndz   N: blanket (M: -kwài)

214. jěntou   N: pillow

215. lyándz   N: curtain
  215.1 chwāng(hu)-
       lyándz   N: drapes, shades, curtains

216. fēi...bùkě   IE: must, it won't do otherwise

      a. Wǒ fēi dau Jūnggwo chyu bùkě.
      b. Jèijyan shŕ, fēi tā bàn bùkě.

217. língswèi   SV: odds and ends of, sundry
  217.1 língchyán N: small change
  217.2 língswèi(de)
       shŕching   sundry affairs
  217.3 língswèi(de)
       dūngsyi   odds and ends, sundry articles
  217.4 língling-
       swèiswèide   sundries

      a. Wǒ jyou dǎ bà dūngsyi bāndzǒule. Língswèide
        syǎu dūngsyi, wǒ dou méibān.
      b. Bānjyāde shŕhou línglingswèiswèide dūngsyi
        dzwèi máfan.

218. yìdyǎryìdyǎr(de) A: little by little

      a. Tā yìdyǎryìdyǎrde bǎ língswèide shŕching dou
        dzwòwánle.

III. Jyùdz Gòudzàu

1. Lend and Borrow:

   In English, the difference between lending and borrowing
is made clear by using different verbs to indicate these
two actions. But in Chinese, the word jyè may mean

either to borrow or to lend:

  Wǒ jyèle ta wǔkwai chyán. (I borrowed $5.00 from
               him.) or
               (I lent him $5.00.)

Although the meaning of jyè may be clear from the context,
it is advisable to use distinctive forms to avoid possible
ambiguity. For lending, the two following forms are most
often used:

  jyègei   Wǒ jyègei ta wǔkwai chyán.
       (I lent him $5.00.)
  jyèchuchyu Wǒ jyèchuchyu wǔkwai chyán.
       (I lent out $5.00.)

For borrowing, the most commonly used form is:

  gēn....jyè Wǒ gēn ta jyèle wǔkwai chyán.
       (I borrowed $5.00 from him.)

1.1 <u>Exercise</u> - Translate into Chinese:

  2.11 My friend loaned me his car for a week.
  2.12 He wanted to borrow $500 from me, but I refused.
  2.13 I don't own this book. I borrowed it from Mr.
     Wang.
  2.14 If I were you, I wouldn't lend him that much
     money.
  2.15 May I borrow your boat tomorrow?

2. <u>The Use of Lìngwài</u>:

<u>Lìngwài</u> is most commonly used as a movable adverb and as
a specifier.

2.1 As a movable adverb it means "besides", "in addition"

  (Lìngwài) Tā (lìngwài) gěile wǒ wǔkwai chyán.
  (In addition, he gave me $5.00.)

  (Lìngwài) Wǒ (lìngwài) yǒu yige hǎu byǎu.
  (I have a good watch besides this one.)

2.2 As a specifier it means "another":

Nà shr̀ lìngwài yíjyàn shr̀ching.
(That's quite another matter.)

Wǒ yau dàu lìngwài yíge dìfang chyu jù jìtyān.
(I'm going elsewhere to spend a few days.)

2.3 Exercise - Translate into Chinese:

2.31 I have another blanket like this.

2.32 I bought a watch for him besides (this one).

2.33 He didn't come here last Friday. It was
another day he came.

2.34 That student has spent all of the $500 he
borrowed last month. Now he borrowed another
$500.

2.35 It was another friend of mine who gave me
that bookshelf.

3. Dwó(ma), Dzěmma, Jèmma (Dzèmma) and Nèmma:

These are all adverbs, some of which are movable and
some fixed.

3.1 The interchangeable forms dwó and dwóma are both
fixed adverbs which immediately precede a stative
verb only. They carry the two meanings of "how"--
interrogative and exclamatory. Therefore, the
sentence "Tā dwóma gāu a" may be punctuated:

Tā dwóma gāu a!   (How tall he is!) or
Tā dwóma gāu a?   (How tall is he?)

depending on the intent and the context.

3.2 Dzěmma, when used as a fixed adverb immediately
preceding a functive verb, carries the meaning "in
what way" and is generally stressed:

Nǐ dzěmma chyù?   (How are you going?)

But when used as a movable adverb, it means "why" or
"how is it that", usually stressing the subject of

the verb that it precedes or follows:

Dzěmma <u>nǐ</u> chyù?
<u>Nǐ</u> dzěmma chyù?   (How is it that <u>you</u> are going?

3.21 <u>Dzěmma</u> sometimes has the function of a verb.
It usually appears in these forms:

Nǐ <u>dzěmmale</u>? (What is the matter with you?)

(Wǒ) <u>méidzěmma</u>. (Nothing.)

Nǐ shwō dzěmma(je) tsai hǎu ne?
(What do you think should be done?)

3.22 Sometimes <u>dzěmma</u> can also be used as a specifier:

Tā shr̀ dzěmma yige rén?
(What kind of a person is he?)

Jè shr̀ dzěmma (yi)hwéi shr̀? (What happened?)

3.3 <u>Jèmma</u> or <u>dzèmma</u> carries the meaning "so...", "like
this", "in this way" and is a fixed adverb which
immediately precedes the FV or the SV:

Wǒmen děi jèmma bàn.
(We must handle the matter like this.)

Nǐ dzěmma chyùle dzěmma dwō tyān na?
(Why have you been gone for so many days?)

3.4 <u>Nèmma</u> has the meaning "so...", "like that", "in that
way", when used as a fixed adverb:

Jèmma bàn méiyou nèmma bàn hǎu.
(Doing it this way is·not as good as doing it that way)

Tā dzwò fàn dzwòde nèmma hǎu, wǒ méi fádz gēn ta bǐ.)
(Her cooking is so good that I cannot possibly compete
with her.)

<u>Nèmma</u>, when used as a movable adverb, means "in that
case":

(Nèmma) wǒ (nèmma) jyou búchyùle.

(In that case, I will not go.)

Note that jèmma and nèmma both mean "so..." in
English. The difference is when "so good" means
"this good--as good as this", "jèmma hǎu" should be
used; when "so good" means "that good--as good as
that", "nèmma hǎu" should be used.

3.5 Like dzěmma, jèmma and nèmma sometimes have the
function of a verb. In like manner, they are usually
followed by (je): 也

Jèmma(je) nǎr syíng a!
(This will never do!)

Nǐ yàushr nèmma(je), wǒ jyou bùsyǐhwan nǐ le.
(If you behave like that, I won't like you any more.)

3.6 Since dwóma and dzěmma are both question words, they
can be used as indefinites too:

Bùdzěmma hǎu.
(Not so good.)

Wǒ dzěmma(je) tā dōu bùgāusyìng.
(She is displeased no matter what I do.)

Jèige rén méidwó(ma) gāu.
(This person isn't very tall.)

Dwó(ma) hǎu ye méiyùng.
(It's useless no matter how excellent it is.)

3.7 Dzěmma can be combined with jèmma or nèmma and to-
gether they mean "why is it that N is so..."

Jèige jwōdz dzěmma jèmma cháng a?
(Why is it that the table is so long?)

Tā dzěmma nèmma hwài a?
(Why is it that he is so bad?)

3.8 The use of dwóma, dzěmma, jèmma and nèmma can best be
illustrated in the form of questions and answers:

Dzěmma syě?   Dzěmma syě.

Dzĕmma bàn?   Háishr nèmmayàng(r) bàn hău.
Dwóma gāu?   Jèmma gāu.
Dzĕmma(je) tsai syíng ne?   Nèmma(je) jyou syíngle.
Jè shr dzĕmma (yi)hwéi shr? Shr dzĕmma (yi)hwéi shr.
Tā shr dzĕmma yige rén?   Shr jèmma yige rén.

3.9 <u>Exercise</u> - Translate into Chinese:

3.91 Look, how beautiful she is!

3.92 Why is he so stupid?

3.93 I think he would be angry if we did it like this.

3.94 Why can't he rent out his house?

3.95 Why should we do it as he said?

3.96 No matter how he describes his house, I still wouldn't rent it.

3.97 A bathroom as good as this might cost one thousand dollars.

3.98 Why haven't you decided yet?

3.99 I don't understand what this is all about.

4.00 If you do like this, it stops. If you do like that, it goes.

IV. <u>Fāyīn Lyànsyí</u>

1. Nĭ dăswan gēn ta jyè <u>shémma</u> ?
   Wŏ yau gēn ta jyè yige shūjyàdz.

2. Nĭ wèi <u>shémma</u> jyè tade chìchē?
   Wŏ <u>méi</u>gen ta jyè, shr ta yau <u>jyègei</u> wo de.

3. Nèijyan shr, nĭ gen Jāng Ss. shānglyangle ma?
   <u>Méi</u>you. Kĕshr wŏ gen lìng<u>wài</u> yige péngyou shānglyangle.

4. Nĭ jèikwai dìtăn <u>jēn</u> hău.
   <u>Jèi</u>kwai búswan tài hău. Wŏ lìng<u>wai</u> yŏu yíkwai hăude.

5. Tā jyè nǐde chyán, hwánle meiyou?
   Hwánle yidyǎr. Hái méihwánwán ne.

6. Tā yùngde dūngsyi dou jyǎngjyoujíle.
   Jēnde ma? Wèi shémma yau nèmma jyǎngjyou?

7. Nǐ syūyàude dūngsyi dou mǎile ma?
   Chàbudwō dou mǎile.

8. Nǐ wèi shémma fēi nyàn Jūngwén bùkě?
   Wǒ ywànyi nyàn.

9. Nǐ yǒu língchyán meiyou?
   Wǒ jyou yǒu jimáu chyán. Nǐ yàu dwōshau?

10. Yòu shr chwūntyan le.
    Rdz yìtyān yìtyānde gwòde jēn kwài.

V. Wèntí

1. Sz̄ Ss. kànle fáng yǐhòu, hái méijywédìng dzū bùdzū de
   shŕhou, tā chyu jǎu shéi shānglyang chyule?

2. Jàu Tt. wèn Sz̄ Ss. shémma?
   Tā gàusung Jàu Tt. shémma?

3. Tā dzūde fángdz dài jyājyu búdài?

4. Jàu Tt. shwō nèige fángdz dzěmmayàng? Pyányi bùpyányi?
   Nèiyàngrde fángdz rúngyi jǎu burúngyi jǎu?

5. Jàu Tt. jywéde tā yīngdāng dzū nèiswǒr fángdz ma?

6. Nèige fángdz búdài jyājyu, Jàu Tt. shwō dzěmma bàn?

7. Jàu Tt. néng jyègei ta shémma jyājyu ne?
   Jyède jyājyu shémma shŕhou hwán ne?

8. Jàu Tt. yàu jyègei ta de jyājyu dōu shr syīnde ma?

9. Sz̄ Ss.de kètīngli dou syūyàu shémma jyājyu?
   Wòfáng ne? Fàntīng ne? Dzǎufáng ne?

10. Sz̄ Ss. děi yùng jyǎngjyoude jyājyu ma? Tā dei yùng
    dwōshau r̀dz?

11. Chúfángli yùngde dūngsyi, tā yě jyè ma? Chúfángli dou
    syūyàu shémma dūngsyi?

12. Chúfángli yùngde dūngsyi wèi shémma yau jyàu chúdz mǎi?

13. Kètīnglide dūngsyi, Jàu Tt. shwō tā yǒu shémma? Dōu
    děi mǎi shémma?

14. Jàu Tt. yǒu dìtǎn meiyou?

15. Wòfánglide dūngsyi, Jàu Tt. néng jyègei ta shémma?
    Tā hái děi mǎi shémma?

16. Fàngtīnglide dūngsyi. Jàu Tt. néng jyègei tā shémma?
    Nǐ syǎng tā hái děi mǎi shémma?

17. Jàu Tt. shwō línglingswèiswèide dūngsyi dzěmma bàn?

18. Jàu Tt. yàu jyègei ta de jyājya dou dzài nǎr fàngje ne?
    Tāmen chyu kànle ma?

19. Nǐ syàndzài jùde fángdz shr̀ dzūde shr dž jǐde?
    Nǐ jyāli dōu yǒu shémma jyājyu?

20. Nǐ syàndzài yùngde jyājyu shr̀ jyède shr dž jǐde?
    Háishr dzūde? Dōu shr̀ syīnde ma? Dōu shr syīnshr̀de ma?

VI. Nǐ Shwō Shémma?

1. Yàushr nǐ syǎng gēn nǐde péngyou jyè yiběn shū, nǐ
   dzěmma shwō?

2. Yàushr yǒu rén gēn nǐ jyè dūngsyi, nǐ bùnéng jyègei tā,
   nǐ dzěmma shwō?

3. Nǐde péngyou syǎng mǎi yiyàng dūngsyi, nǐ yǒu nèige
   dūngsyi, ywànyi jyègei tā. Nǐ dzěmma gēn ta shwō.

4. Nǐ kéyi bǎ nǐ jyālide jyājyu shwō yishwō ma?

5. Yǒu rén gēn nǐ dǎting, dàu Jūnggwo chyu, dōu děi dài

shémma jyājyu, nǐ shwō shémma?

VII. Bèishū

A: Chǐng nín kànkan jèifēng syìn, gwòjùng búgwò?

B: Shr̀ jì píngsyìn, shr̀ jì hángkūngsyìn?

A: Hángkūng syìn.

B: Gwòle.

A: Děi dwōshau yóufèi?

B: Yìmáuèr.

A: Chǐngwèn, dàu Jūnggwode bāugwǒ néng jì bùnéng?

B: Nín děng wo kànkan. Bùsyíng.

A: Nǐn géi wo shŕge lyòufēnde hángkūng yóupyàu, shŕge
   sānfēnde.

B: Hǎu. Yígùng jyǒumáu chyán.

A: Jèi shr jyǒumáu chyán.

B: Syèsye.

VIII. Fānyì

1. Translate into Chinese:

   1.1 May I borrow the car you just bought?

   1.2 I want to borrow some stamps from you.

   1.3 I loaned him a curtain and some odds and ends.

   1.4 He has not yet returned the blanket he borrowed.
       Now he wants to borrow some money.

1.5 I want to discuss this matter with him. Maybe he can help me out.

1.6 This is a modern-style house.

1.7 This watch is not fast but another watch of mine is.

1.8 I want to buy some other things too.

1.9 He's meticulous about his clothes.

1.10 I will use this old one temporarily.

1.11 He's a good cook.

1.12 Tell me what your need is.

1.13 Wait until I have sold these odds and ends.

1.14 I will handle those odds and ends, you don't have to bother.

1.15 We learned it little by little.

2. Translate back into Chinese:

(195) a. I borrowed five dollars from him.
      b. He loaned me five dollars.
      c. I want to borrow that book of yours to read.

(196) a. Is the house you rented furnished?

(197) a. You don't have to discuss the matter with him.

(199) a. I am taking some other courses too.
      b. It wasn't this friend who said it, but another one.

(200) a. He hasn't yet returned the money he borrowed from me last year. Now he wants to borrow some more.

(205) a. I have to buy soap, towel, toothbrush, toothpaste, etc.
      b. Things like tables and chairs, (etc.) are very cheap in that store.

(206) a. Their home is very nicely furnished.
      b. He is very particular about what he eats.

(207) a. New cars are very expensive. I'd better use
         this old one temporarily.

(211) a. Tell me what you need and I'll buy it for you.
      b. Whenever you are in need of anything, please
         don't hesitate to let me know.

(216) a. I simply must go to China.
      b. Only he can handle this affair.

(217) a. I moved out only the big things. I didn't
         touch any of the little odds and ends.
      b. When you are moving, the odds and ends are most
         troublesome.

(218) a. He finished all the odds and ends little by
         little.

DISHŔKE - GÙ CHÚDZ

I. Dwèihwà

Sz̄ Ss. tsúng Jàujya bānchulai,
syūyàu yíge chúdz gěi ta dzwòfàn.
Tā yau chǐng Jàu Džān Ss. gei ta
jyèshau yige. Yǒu yityān, Sz̄ Ss.
5   dau Jàujya láile. Dàule ménkǒur
Jàu Ss. jèng tsúng mén litou chūlai.

Jàu: Ai! Sz̄ Ss. Tsúng nǎr lái a?

Sz̄:   Tsúng jyā lái. Nín yau chūchyu ma?

Jàu: Dwèile. Búyàujǐn, wǒ méi shemma yàujǐnde shr̀.
10   Chǐng jìnlai dzwò yihwěr ba.

Sz̄:   Búyungle. Nín yǒu shr̀, nín dzǒu ba. Wǒ míngtyan
       dzài lái.

Jàu: Nín chǐng jìnlai ba. Wǒ bùmáng.

Sz̄:   Búyung jìnchyule. Wǒ jyòu you yìlyǎngjyu hwà.
15   Jyòu dzai jèr shwō ba. Wǒ syǎng chǐng nín gei wo
       jyèshau yige chúdz. Nín yǒu rènshrde méiyou?

Jàu: Nín děng wǒ syángsyang. Yǒu yige syìng Lǐ de.
       Tǐng chínjin, yě chéngshr. Wǒ jyàu ta míngtyan
       dau nín ner chyu jyànjyan nín chyu ba. Nín
20   kànkan ta chéng buchéng.

Sz̄:   Hǎujíle. Wǒ míngtyan syàwǔ buchūchyu. Nín jyàu
       ta chyù ba. Hǎu! Wǒ dzǒule. Míngtyan jyàn.
       Syèsye nín.

Jàu: Dwèibuchǐ. Yě méijìnlai hē dyǎr chá.

25   (Dièrtyan chúdz dau Sz̄ Ss. jyā láile.)

Sz̄:   Nǐ syìng shémma?

Chúdz: Syìng Lǐ.

Sz̄:   Nǐde míngdz jyàu shémma?

Chúdz: Wǒ jyau Lǐ Yǒutsái.

5 Sz̄:   Nǐ shr dzwò nánfang tsài, háishr běifang tsài?

Chúdz: Wǒ dōu néng dzwò. Syītsān wǒ ye néng dzwò
        yìdyǎr.

Sz̄:   Wǒ jerde shr̀ching hěn jyǎndān. Jyòushr wǒ yíge
        rén chr̄ fàn. Yǒu shŕhou chǐng kè, kěshr chǐng
10   kè de shŕhou bùwō. Jyòushr chǐng kè, yě méiyou
        tài dwōde rén. Gūngchyan, Jàu Ss. gen ni shwō-
        chīngchule ma?

Chúdz: Shwōchīngchule.

Sz̄:   Wǒ tīngshwō nǐ yòu chínjin yòu chéngshr. Dzwò
15   tsài yě dzwòde hǎu. Nǐ néng tsúng jīntyan chǐ,
        lái dzwò shr̀ ma?

Chúdz: Syíng. Gāngtsái wǒ dau chúfáng kànle kàn, nín
        chúfángli yùngde dūngsyi hǎusyàng dōu méiyǒu?

Sz̄:   Dwèile. Wǒ jèng yau gēn ni shwō. Wǒ syǎng jyàu
20   ni chyu gěi wo mǎi. Nǐ kàn dōu syūyàu shémma?

Chúdz: Wǒ syǎng tyāntyān yùngde pándz wǎn,bwōlibēi,
        kwàidz,dāudz chādz shémmade, dàgài dōu děi mǎi ba.

Sz̄:   Dāuchā, wǒ yǒu yitàu. Chúfángli yùngde dūngsyi,
25   wǒ jyǎnjŕde yìdyǎr dou bùdǔng. Nǐ shwō mǎi
        shémma, jyou mǎi shémma ba. Děng yihwěr, wǒ syān
        gěi ni yidyǎr chyán, nǐ chyu mǎi chyu. Měityan
        wǒ chīdyǎn jūng chr̄ dzǎufàn. Syàwǔ yìdyǎn jūng
        chr̄ wǔfàn. Lyòudyǎnbàn chr̄ wǎnfàn. Píngcháng
        wǒ dzǎufàn jyou chr̄ lyǎngge jīdàn, yìbēi nyóunǎi,
30   yǒu shŕhou chr̄ yìdyǎr kǎumyànbāu; jyúdzshwěi,
        méiyou ye méi gwānsyi. Wǔfàn wǒ chr̄de hěn shǎu.
        Shémma shěng shr̀ jyou dzwò shémma. Wǒ búywànyi
        byéren wèi wo tèbyé fèi shr̀. Wǎnfàn yǒu ròu, méi
        ròu, méi gwānsyi. Kěshr wǒ yàu yidyǎr chīngtsài.
35   Shwéigwǒ yě bùnán mǎi. Búlwùn shr̀ jyúdz pínggwo

syāng yāu wǒ dou syǐhwan chr̄. Nǐ kànje bàn hǎule.

Chúdz: Nín jēn hǎushwōhwà. Hǎu ba. Wǒ syān chūchyu mǎi
dūngsyi chyu ba.

Sz̄:   Hǎu. Nǐ syān ná shŕkwai chyán chyu. Bugòu,
dzàishwō.

II. Shēngdz̀ Yùngfǎ

219 gù   V: hire, employ (used with reference to
the laboring class, compare with
chǐng)
219.1 gù rén   VO: employ people
219.2 gù yùngren   VO: employ a servant
219.3 gù chúdz   VO: employ a cook
219.4 gù chē   VO: hire a conveyance

a. Wǒ děi gù yige yùngren.

220. ménkǒur   N: gate way, door way, in front of the
door
220.1 jyā ménkǒur   gateway of a home
220.2 pùdz ménkǒur   entrance of a store

221. tǐng   A: very
221.1 tǐng hǎu   very good
221.2 tǐng shūfu   very comfortable
221.3 tǐng yǒuyìsz   very interesting

222. chínjin   SV: be diligent, (refering to physical
work)

a. Tā dzwò shr̀ fēicháng chínjin.

223. chéngshŕ   SV: be honest, sincere

a. Nèige rén, dwèi ren hěn chéngshr.

224. míngdz   N: name (M: -gè)
224.1 míngdz jyàu...   (his) name is...
224.2 chǐ míngdz   VO: give a name, to name
224.3 jyàu shémma
míngdz?   What is it called?

a. Wǒ syìng Jàu, míngdz jyàu Džān.
b. Jèige míngdz shr shéi gěi ta chǐde?

225. syītsān   N: Western-style meal (M: -dwùn)

226. jyǎndān   SV: be simple

a. Tā shwōde hwà, yòu jyǎndan, yòu chīngchu.

227. chǐng kè   VO: invite guests, give a party

a. Dzwótyan tǎ chǐng kè, nǐ džěmma méichyù?

228. jyòushr...yě... A: even if (in supposition)

a. Nǐ jyòushr yǒuchyán, yě méi dìfang mǎi chyu.

229. gūngchyan   N: wage

230. tsúng...chǐ   CV...V: from...on

a. Tsúng syàndzài chǐ, wǒ yídìng búdzài hē jyǒule.

231. bwōli   N: glass, plastic
  231.1 bwōlide   glass
  231.2 bwōli dzwòde   made of glass or plastic
  231.3 bwōli píbāu   plastic hand bag

232. bēi(dz)   N: cup, glass
  232.1 -bēi   M: glass of, cup of
  232.2 jyǒubēi   N: wine, cup or glass
  232.3 chábēi   N: teacup
  232.4 bwōlibēi   N: glass, tumbler

233. dāuchā   N: knife and fork (M: -fèr, -tàu)

234. nyóunǎi   N: cow's milk
  234.1 nyóu   N: cow, ox, cattle
  234.2 nǎi   N: milk

235. kǎumyànbāu   N: toast
  235.1 kǎu   V: toast, bake
  235.2 myànbāu   N: bread (M: -kwài for slice; -gè for
                          loaf)
  235.3 kǎu myànbāu   VO: toast or bake bread

a. Chǐng nín gei wo kǎu yikwài myànbāu.

236. jyúdz   N: orange, tangerine
 236.1 jyúdzshwěi   N: orange juice

237. gwānsyi   N: relation, connection, relevance
 237.1 yǒu gwānsyi   VO: to be related to, to be relevant
 237.2 méi(you)
        gwānsyi   VO: not related to, not relevant
 237.3 méigwānsyi   IE: It doesn't matter, it's not im-
                            portant.

     a. Jèijyan shr̀ gēn nèijyan shr̀ yǒu hěn dàde gwānsyi.
     b. A: Dwèibuchǐ.
        B: Méigwānsyi.
     c. A: Nǐ jywéde chyù hǎu, búchyu hǎu?
        B: Chyù buchyù, méigwānsyi.

238. shěng   V: save (economize)
 238.1 shěngshr̀/
        shěng shr̀   SV/VO: trouble-saving/save trouble
 238.2 shěngchyán/
        shěng chyán   SV/VO: economical/save money
 238.3 shěngshŕhou/
        shěng shŕhou   SV/VO: time-saving/save time

     a. Búyung jìnchéng le. Jyòu dzai fùjìn mǎi ba。
        Shěngshr̀.
     b. Wǒ děi shěng yidyǎr chyán le.

239. fèi   V: waste, use a lot
 239.1 fèishr̀/
        fèi shr̀   SV/VO: laborious, troublesome/take a
                               lot of work
 239.2 fèichyán/
        fèi chyán   SV/VO: expensive/cost money, take
                               money
 239.3 fèishŕhou/
        fèi shŕhou   SV/VO: time consuming/use time, take
                               time

     a. Byé fèishr̀, nín yǒu shémma, wǒ jyou chr̄ shémma.
     b. Dzwò jèige tsài, fèile hěn dwō shŕhou.

240. wèi   CV: for

     a. Jèige byǎu wǒ shr wèi tā mǎide.

241. chīngtsài   N: green vegetables

242. shwĕigwŏ   N: fruit

243. búlwùn (wúlwùn) A: it doesn't matter, no matter what

   a. Búlwùn shémma shŕhou, tā dou dzài jyā.

244. kànje bàn   IE: do as you see fit

   a. Nèijyan shŕ, tā shwō jyàu wŏmen kànje bàn.

245. hăushwōhwà   SV: be affable, easy to get along with

   a. Tā búdà hăushwōhwà.

III. Jyùdz Gòudzàu

1. The Various Uses of Question Words:

The most common question words in Peking Mandarin are:

shémma	dzĕmma	dwóma	dwōshau
shéi	năr	nĕi-M	jĭ-M

Although wèi shémma and shémma dìfang are single words
in English (why, where), they are combinations of two
words in Chinese, the literal translations of which are
"for what" and "what place". Wèi shémma is a combina-
tion of CV-N and shémma dìfang one of N-N. Therefore,
they are not considered as single words.

The eight question words listed above are not the same
part of speech:

Noun:	shémma, shéi
Placeword:	năr
Specifier:	nĕi-
Numerals:	dwōshau, jĭ-
Adverbs:	dwóma, dzĕmma

It is worthy of note that the part of speech of a ques-
tion word decides its position in a sentence.

1.1 We recall that all question words can be used as in-
    definites. In this usage, there are several common
    patterns, in one of which the question word (as in-
    definite) is preceded by a negative verb:

$$\left.\begin{array}{l}\text{bù}\\\text{méi}\end{array}\right\}\ldots\ldots\ldots\text{ one of the indefinites}$$

Nǐ dau jèr lai yǒu shémma shr̀ a? Wǒ méi shemma
   shr̀.
(What business brings you here? I am doing
   nothing.)

Nǐ dau nǎr chyù? Wǒ búdau nǎr chyù.
(Where are you going? I am not going anywhere.)

Tā jǎngde bùdzěmma hǎukàn.
(She isn't too pretty.)

Wǒ méidzěmma yùngsyīn jyou hwèile.
(I didn't put in any special effort and I learned
   it.)

Tā bùdǎswan gěi shéi shémma dūngsyi.
(He isn't planning to give anyone anything.)

Rén shwō wǒ yǒuchyán, kěshr wǒ méi dwōshau chyán.
(People say I am rich, but I don't have much
   money.)

1.2 Another use of the question word is that it may be
    preceded by búlwùn, wúlwùn or bùgwǎn (any of which
    may be omitted) and followed by dōu or yě, indicating
    inclusive ideas such as "everyone" and "everything"
    or exclusive ideas such as "no one", "nothing" and
    "no matter...":

$$\left.\begin{array}{l}\text{(búlwùn)}\\\text{(wúlwùn)}\\\text{(bùgwǎn)}\end{array}\right\}\ldots\ldots\text{Indef}\ldots\ldots\left\{\begin{array}{l}\text{dōu}\ldots\ldots\ldots\\\text{yě}\ldots\ldots\ldots\end{array}\right.$$

Shéi dou méilái.
(No one came at all.)

(Búlwùn) dwó(ma) hǎu wǒ ye bùsyǐhwan.
(No matter how good it is, I don't like it.)

Tā (wúlwùn) dwōshau chyán dou búmài.
(He won't sell it for any price.)

Jèijyan shr̀ (bùgwǎn) dzěmma bàn ye bùsyíng.
(No matter how this matter is handled, it won't
   do.)

Nèige rén (wúlwùn) shémma dou búhwèi.
(That person cannot do anything.)

Jèi sānběn shū (wúlwùn) něiběn tā ye búnyàn.
(He won't read any of these three books.)

Nǐ wèi shémma búchyù? Wǒ shémma dou búwèi.
(Why aren't you going? For no reason at all.)

1.21 The above pattern with two alternatives replacing
     the question word in the middle gives the same in-
     clusive or exclusive ideas:

   (Búlwùn) (shr) hǎu(de) (shr) hwài(de), wǒ dōu mǎi.
   (I will buy it no matter whether it is good or
      bad.)

   (Wúlwùn) (shr) dzǎu (shr) wǎn, dōu chéng.
   (It's all right no matter whether it is early or
      late.)

   (Bùgwǎn) (shr) húngde (shr) lyùde, tā dōu
      bùsyǐhwan.
   (No matter whether it is red or green, he
      doesn't like it.)

   (Búlwùn) (shr) nǐ chyù (shr) wǒ chyù, dōu yíyàng.
   (No matter whether you go or I go, it's the same.)

1.3 Inclusive expressions such as whatever, whoever,
     whenever, however, whichever take a two-clause
     pattern in Chinese:

Wǒ   yàu   shémma   (jyou) mǎi shémma.
(I buy whatever I want.)

Nǎr   lyángkwai   wǒ (jyou) dàu nǎr   chyù.
(I go wherever it is cool.)

Shéi yǒu   gūngfu   shéi   chyù, hǎu buhǎu?
(Whoever has time will go. Will that do?)

   Něige pyányi wǒ mǎi něige.
   (I'll buy whichever is cheaper.)

   Dzěmma rúngyi dzěmma dzwò. Byé fèi shr̀.
   (Do it whichever way is easier. Don't waste
     effort.)

   Tā dzwòde fàn yàu dwóma hǎu yǒu dwóma hǎu.
   (Her cooking is as fine as you can ask for.)

   Nǐ géi wo dwōshau wǒ yàu dwōshau.
   (I'll take as many as you give me.)

   Syūyàu jǐge ná jǐge. Byé dōu nádzǒu.
   (Take as many as you need. Don't take them all.)

1.4 Exercise - Translate into Chinese:

   1.41 I don't want anything.
   1.42 He doesn't want to give anybody anything.
   1.43 Whatever she says is always right.
   1.44 I don't have anything to do.
   1.45 He'll take whatever you want to give.
   1.46 I'll leave whenever he arrives.
   1.47 We don't have much money.
   1.48 Whoever has money, she will marry.
   1.49 I didn't live there for long.
   1.50 No matter who tells me, I don't want to
        hear it.
   1.51 I'll go wherever it is warm.
   1.52 Everybody feels embarrassed to borrow money.
   1.53 It doesn't matter who lent him the money;
        in any case he got it.

1.54 I don't want to borrow anything.

1.55 He isn't particularly fussy about clothing.

2. The Uses of Dzài:

Dzài is a fixed adverb which carries at least two meanings, both of which are very common in usage:

2.1 It has the meaning of "again" and "some more", referring to the repetition of a previous action. In this sense it is stressed and is usually followed by V NU-M:

> Tā yǐjing mǎile yige, hái yau dzài mǎi yige.
> (He has already bought one and he wants to buy one more.)

> Dzwótyan tā dau Nyǒuywē chyùle. Míngtyan (hái) yau dzài chyù (yitsż).
> (He went to New York yesterday. Tomorrow, he will go again.)

2.2 When dzài is preceded by a time expression or a clause with a verb other than the one after it, it has the meaning of "not until" and "before...". In this case, dzài is often not stressed:

> Nǐ chřwán fàn dzai nyànshū ba.
> (You'd better finish your meal before you study.)

> Wǒ jīntyan yǒu shř. Míngtyan dzai chyù hǎu buhǎu?
> (I have something to do today. Let's not go until tomorrow.)

Note that dzài, meaning "not until" and "before...", is usually used in a plan, command, resolution, request or suggestion.

2.21 The most common patterns in the use of dzài, meaning "not until" are:

2.211 (S) syān V, dzai V (ba).

Nǐ syān shwèijyàu, dzai chūchyu (ba).

2.212 (S) <u>děng</u> V,   <u>dzai</u> V (<u>ba</u>).

Nǐ děng wǒ hwéilai dzai dzǒu (<u>ba</u>).

2.213 (S) <u>syān</u> V, <u>děng</u> V <u>dzai</u> V (<u>ba</u>).

Chǐng syān hē yidyǎr chá, děng Jāng Tt.
hwéilai, wǒmen dzai chr̄fàn.

2.3 <u>Exercise</u> - Translate into Chinese:

2.31 I plan to go to New York again tomorrow.

2.32 Why don't you discuss it first before you
decide?

2.33 Please take this book first; wait until tomorrow
before I lend you the other one.

2.34 I saw a good looking girl the other day. I am
going to see her again in a few days.

2.35 Wait until I have finished preparing my lessons
before we go out.

IV. Fāyīn Lyànsyí

1. Nǐ nèige syīn gùde <u>chúdz</u> dzěmmayàng?
   Tǐng <u>hǎu</u>. You <u>chínjin</u> you <u>chéngshŕ</u>.

2. Nǐ <u>shémma</u> shŕhou chǐng kè?
   Wǒ jyòushr <u>chǐng</u> kè yě buchǐng <u>nǐ</u>.

3. Nǐ yìtyān hē <u>jǐbēi</u> nyóunǎi?
   Yǒu shŕhou <u>hē</u> <u>yìbēi</u>, yǒu shŕhou <u>yìbēi</u> dou buhē.

4. Wèi shémma jyàu <u>tā</u> chyu bàn ne?
   <u>Nèijyan</u> shr̀ fēi <u>tā</u> <u>bùkě</u>.

5. Nǐ tsúng <u>shémma</u> shŕhou chǐ jyou bùchōu <u>yān</u> le?
   Tsúng shŕywè <u>èrhàu</u>.

6. Wǒmen dzai <u>shémma</u> dìfang <u>jyàn</u> ne?
   Shémma dìfang <u>hǎu</u>, jyou dzai shémma dìfang <u>jyàn</u>.

7. Tā dzwò fàn dzwòde jēn <u>hǎu</u>.
   Chígwàijíle. Tā <u>dzěmma</u> dzwò, dzěmma hǎu<u>chr</u>.

8. Nǐ shwō <u>dzěmma</u> bàn hǎu?
   <u>Méi</u> gwānsyi. <u>Búlwùn</u> dzěmma bàn dou syíng.

9. Dàu fàngwǎr chyu chrfàn ba. Shěng <u>shr</u>.
   Shěng shr kěshr fèi <u>chyán</u>. Dzài jyā chrfàn yě
      búfèi <u>shr</u>.

10. Tā shwō míngtyan syà <u>yǔ</u>.
    Búlwùn syà yǔ bú<u>syà</u>, fǎnjèng wǒ yě dei <u>chyù</u>.

                      V. <u>Wèntí</u>

1. Sz Ss. wèi shémma syūyàu gù yige chúdz?

2. Tā gù chúdz dzěmma gù?

3. Sz Ss. chyu jǎu Jàu Ss., dzai shémma dìfang jyànjaude
   Jàu Ss.?

4. Jàu Ss. kànjyan Sz Ss. gen ta shwō shémma? Sz Ss. shwō
   shémma?

5. Tāmen lyǎngge rén shr dzài shémma dìfang tánde hwà?

6. Jàu Ss. yau gei Sz Ss. jyèshaude chúdz syìng shémma?
   Jàu Ss. shwō nèige rén dzěmma hǎu?

7. Jàu Ss. syǎng jyàu nèige chúdz shémma shŕhou chyu jyàn
   Sz Ss.? Sz Ss. shwō shémma shŕhou chyu hǎu?

8. Sz Ss. líkai Jàujya de shŕhou, Jàu Ss. gēn ta shwō
   shémma?

9. Chúdz dau Sz Ss. jyā chyule, Sz Ss. dōu wèn ta shémma
   hwà?

10. Nèige chúdz hwèi dzwò shémma tsài?

11. Sz Ss. cháng chǐng kè ma? Tā chǐng kè de shŕhou cháng
    chǐng hěn dwōde rén ma?

12. Sz̄ Ss. syǎng ràng ta tsúng shémma shŕhou chǐ, chyu dzwò shr̀?

13. Chúfángli yùngde dūngsyi Sz̄ Ss. dōu yǒu ma? Ta dǎswan dzěmma bàn?

14. Sz̄ Ss. jr̄dau bujr̄dau ta dou syūyàu shémma dūngsyi? Chúdz shwō dou syūyàu shémma dūngsyi?

15. Sz̄ Ss. shémma shŕhou chr̄ dzǎufàn? Shémma shŕhou chr̄ wǔfàn, shémma shŕhou chr̄ wǎnfàn?

16. Tā dzǎufàn chr̄ shémma? Wǔfàn chr̄ shémma? Wǎnfàn chr̄ shémma?

17. Nèige chúdz jywéde Sz̄ Ss. dzěmmayàng?

18. Nǐ gùgwo yùngren meiyou? Nǐ syǎng nǐ gù yùngren de shŕhou děi wèn ta shémma?

19. Nǐ měityan shémma shŕhou chr̄ dzǎufàn? Shémma shŕhou chr̄ wǔfàn, shémma shŕhou chr̄ wǎnfàn? Dōu chr̄ shémma?

20. Dzwò chr̄de dūngsyi, yǒude hěn hǎuchr̄, kěshr fèishr̀; yě yǒude bútài hǎuchr̄, kěshr shěngshr̀. Nǐ ywànyi něiyàng?

VI. Nǐ Shwō Shémma?

1. Yàushr nǐ syūyàu yige chúdz, nǐ syǎng chǐng nǐde péngyou gěi nǐ jyèshau, nǐ dzěmma gēn nǐ péngyou shwō?

2. Yàushr nǐ gùle yige yùngren, nǐ dōu děi wèn tā shémma?

3. Nǐ dōu děi gàusung tā shémma?

4. Nǐde chúdz wèn nǐ wǎnfàn yàu chr̄ shémma? Nǐ shwō shémma?

5. Nǐ syǎng jyàu nǐde yùngren gěi nǐ mǎi yidyǎr dūngsyi, nǐ dzěmma gēn ta shwō?

VII. Gùshr

(on record)

VIII. Fānyì

1. Translate into Chinese:

1.1 Please hire a car for me.
1.2 He works very diligently.
1.3 If you are honest with others, others will be honest with you.
1.4 Don't you think this is very simple?
1.5 The words of the book are both clear and simple.
1.6 Even if he is diligent enough I still don't think he is suited to the job.
1.7 From that time on, I no longer drank liquor.
1.8 Since when did you stop beating your wife?
1.9 I will buy it, whenever I have the money.
1.10 I will give it to whomever you wish.
1.11 I will go wherever people are friendly.
1.12 It tastes good anyway she cooks it.
1.13 There isn't any relation between these two matters.
1.14 Let's eat in a restaurant, it will save a lot of trouble.
1.15 I don't like parties, they take too much time.
1.16 I don't think he can do it well, he is just wasting time.
1.17 No matter whether it is raining or not, I have to go and buy some oranges.
1.18 No matter how much wages you pay him, he won't take the job.
1.19 He is very easy to get along with. No matter what you discuss with him, he will tell you to do as you see fit.
1.20 Since he says to do it this way, we'd better do it this way.

2. Translate back into Chinese:

(219) a. I have to hire a servant.

(222) a. He works very diligently.

(223) a. That man is quite honest with people.

(224) a. My last name is Jàu and my given name is Džān.
     b. Who gave him this name?

(226) a. What he said was both simple and clear.

(227) a. Why didn't you go to his party yesterday?

(228) a. Even if you had the money, there is no where
to buy it.

(230) a. From now on, I'm determined not to drink
(liquor) anymore.

(235) a. Please toast a piece of bread for me.

(237) a. This matter is closely related to the other.
b. A: Excuse me.
B: It's all right.
c. A: Do you think it is better to go or not to go?
B: It doesn't matter whether you go or not.

(238) a. You don't need to go to town. Buy it locally
and save trouble.
b. I have to save some money.

(239) a. Don't go to any trouble. I'll eat whatever
you have.
b. It took a long time to make this dish.

(240) a. I bought this watch for him.

(243) a. He's at home any time of the day.

(244) a. He told us to do as we see fit about that
matter.

(245) a. He's not very easy to get along with.

DISHŔYĪKE - DǍ DYÀNHWÀ

I. Dwèihwà

Sz̄ Ss. bǎ ta syīn dzūde fángdz
shōushrdéle, chúdz yě gùhǎule, syǎng
chǐng Jàu Ss., Jàu Tt. dàu tā jer lai
chŕfàn. Swóyi tā gei Jàu Ss. dǎ dyàn-
5   hwà, yàu gēn tāmen dìng yige shŕhou.
Sz̄ Ss. dìyítsz̀ dǎ dyànhwà, dyànhwà-
jyúlide rén shwō:

Dyànhwàjyú: Yǒu rén shwōje hwà ne, chǐng děng yiděng.

(Sz̄ Ss. yòu jyàu dyànhwà.)

10 Sz̄:   Wài! Nín nǎr a?

Dyànhwàli: Syīnyǎ Gūngsz̄.

Sz̄:   Láujyà, chǐng wèn, nín dyànhwà dwōshauhàu?

Dyànhwàli: Wǔlíngyījyǒu.

Sz̄:   Dwèibuchǐ, tswòle.

15   (Sz̄ Ss. bǎ dyànhwà gwàshang, yòu jāisyalai jyàu
dyànhwà.)

Sz̄:   Wài! Nín nǎr a?

(Dyànhwàli shr̀ Jàujyade yùngren, hěn héchi.)

Yùngren: Wǒmen jèr shr Jàujya. Nín shr nǎr a?

20 Sz̄:   Wǒ shr Sz̄mǐdz. Láujyà chǐng Jàu Ss. jyē
dyànhwà.

Yùngren: Chǐng nín děng yihwěr, byé gwà, wo gei nín
kànkan chyu.

Jàu Ss: (dzai dyànhwàli shwō:) Wài!   Nín shr Sz̄ Ss. ma?
        Wǒ shr Džān ne.

Sz̄:   Jàu Ss., nín hǎu ba? Wǒ méi shémma tèbyéde shr̀.
        Wǒ yǐjing bǎ wūdz shōushrdéle, syǎng chǐng nín
5   gēn Jàu Tt. lai chr̄ fàn, nín shémma shŕhou yǒu
        gūngfu a?

Jàu: Dwèibuchǐ, dyànhwàlide shēngyin tài lwàn, wǒ
        méitīngchīngchu. Chǐng nín dà dyǎr shēngyin
        shwō.

10 Sz̄: Wǒ syǎng chǐng nín gēn Jàu Tt. dau wǒ jèr lai
        chr̄fàn. Nín něityan yǒu gūngfu?

Jàu: Hébì kèchi?

Sz̄:   Búshr kèchi. Wǒ syǎng chǐng nǐmen dàu wǒ jer
        lai kànkan.

15 Jàu: Wǒ hěn ywànyi chyù, kěshr nèiren jèi lyangtyān
        yǒudyǎr bùshūfu, dzài chwángshang tǎngje ne,
        méichǐlai.

Sz̄:   Dzěmmale?

Jàu: Bùsyǎude shr dzěmma hwéi shr̀. Dàgài shr̀ jāule
20   dyǎr lyáng, shāngfēng le. Dzwótyan tā shwō
        yǒudyǎr tóuténg. Yèli jyou késhouchilaile.
        Jīntyan dzǎushang, chǐng dàifu lai kànle kàn,
        dǎle yijēn, shr̀le shr wēndùbyǎu, dàushr méifāshāu.
        Dàifu shwō, dwō hē yidyǎr jyúdzshwěi, tǎng
25   yitǎng, syōusyisyōusyi, jyou hǎule.

Sz̄:   Děi lyóu dyǎr shén, jèijǔng tyānchi dzwèi rúngyi
        jāulyáng. Méichr̄ yàu ma?

Jàu: Dàifu shwō wǎnshang kéyi chr̄ yidyǎr àsz̄pǐlíng.

Sz̄:   Nín kàn nǐmen shémma shŕhou tsái néng lái ne?
30   Bǐfangshwō, syàlǐbài chéng buchéng?

Jàu: Nà wǒ kě bùgǎnshwō. Wǒmen gwò lyantyān dzai
        dìng, hǎu buhǎu?

Sz̄:   Hǎu ba, nèmma wǒ míngtyan dàu nín nèr chyu kànkan
        Jàu Tt.

Jàu: Bùgǎndāng. Yàushr nín yǒu gūngfu, chǐng gwòlai
         tántan.

Sz̄:   Hǎu. Míngtyan jyàn ba.

         (Tāmen jyou bǎ dyànhwà gwàshangle.)

                    II. Shēngdz̀ Yùngfǎ

246. dé   V: be ready
                      RVE: ready, completed
  246.1 dzwòdéle   RV: the job is completed
  246.2 syěbùdé   RV: writing cannot be finished on time
  246.3 débulyǎu   RV: cannot be ready on time
  246.4 lyǎubude   IE: extremely, very; terrific
  246.5 bùdélyǎu   IE: extremely, very; terrific

     a. Syǐ jèisye yīshang, jǐtyan dé?
     b. Jèige rén lìhaide bùdélyǎu (lyǎubude).
     c. Nèige rén jēn bùdélyǎu (lyǎubude).

247. wài   EX: hello (used in telephone conversation
                            only)

248. gūngsz̄   N: company, corporation
  248.1 Syīnyǎ
        Gūngsz̄   N: New Asia Company

249. chǐngwèn   IE: may I inquire

     a. Chǐngwèn, Syīnyǎ Gūngsz̄ dzài nǎr?

250. jāi   V: take off (hat, flower, etc.)
                           take down (picture, telephone
                           receiver, etc.; opposite gwà)
  250.1 jāisyalai   RV: take off or down
  250.2 jāi hwār   VO: pick flowers

     a. Chǐng ni bǎ màudz jāisyalai, hǎu buhǎu?

251. héchi   SV: be friendly, affable

     a. Dzwò mǎimai, yídìng děi héchi.

252. gwà   V: hang (something)
  252.1 gwàshang   RV: hang up
  252.2 gwàchilai   RV: hang up

    a. Jèijang hwàr, gwàdzai nǎr?
    b. Nǐ yàu chǐng Lǐ Ss. jyē dyànhwà ma? Byé gwà,
       wǒ gei nín kànkan ta dzài jyā búdzài.

253. shēngyin or
     shēngr   N: sound, noise

    a. Jèige chìchē yídìng hwàile. Nǐ tīng. Jèige
       shēngyin dwóma tèbyé!
    b. Chǐng dà dyǎr shēngr shwō.

254. lwàn   SV: be confused, in disorder, mixed up,
                        helterskelter, in trouble
                    A: confusedly, recklessly
  254.1 lwàn shwō   speak recklessly, not know what one
                        is saying
  254.2 lwànchībādzāu IE: in confusion, at sixth and seventh'

    a. Tā shwōde hwà hěn lwàn.
    b. Tā nà shr swéibyàn lwàn shwō.
    c. Wǒde wūdz lwànchībādzāu.

255. hébì   A: why is it necessary to?
  255.1 hébì fēi...
       bùkě   why insist on...? why must?

    a. Fùjìn mài yīshangde hěn dwō, hébì yídìng dàu
       chéng lǐtou chyu mǎi ne?
    b. Dàu Nyǒuywē chyu, dzwò hwǒchē yě hěn fāngbyan,
       hébì fēi dzwò fēijī bùkě?

256. nèirén   N: my wife (polite remark)
  256.1 wǒ nèirén   my wife (polite remark)

257. tǎng   V: lie down
  257.1 tǎngsya   RV: lie down, fall down
  257.2 tǎngdzai
       chwángshang   lie on the bed

    a. Tā tǎngje ne.
    b. Tā hē jyǒu hēdwōle, dzǒuje dzǒuje, tǎngsyale.

258. syǎude   V: know

    a. Jèijyan shr̀ching, nǐ syǎude ma?

259. jāulyáng   VO: catch cold

    a. Wǒ dzwótyan wǎnshang méigwān chwānghu, jāule dyǎr
       lyáng.

260. shāngfēng   VO: catch cold

    a. Wǒ shāngfēng, shāngde hěn lìhai.
    b. Wǒ yǒuyidyǎr shāngfēng.

261. téng   SV: ache
 261.1 tóuténg   SV: have a headache

    a. Wǒde tóu hěn téng. or Wǒ hěn tóuténg. or
       Wǒ tóuténgde hěn lìhai.

262. késou   V/N: cough

    a. Tā shāngfēng le, dzwótyan yèli késoule bàryè.

263. -chǐlai   RVE: start to, begin to; (also indicates
                            success in attaining object of the
                            action)
 263.1 kūchilaile   RV: begin to cry
 263.2 dǎchilaile   RV: begin to fight
 263.3 dǎdechilái   RV: will start to fight
 263.4 dǎbuchilái   RV: will not start to fight
 263.5 chàngchi gēr
        laile   RV: begin to sing
 263.6 syàchi yǔ
        laile   RV: begin to rain
 263.7 syǎngbu-
        chilái   RV: do not remember

264. dàifu   N: medical doctor, physician
 264.1 chǐng dàifu   VO: call a doctor
 264.2 kàn dàifu   VO: see the doctor
 264.3 jyàn dàifu   VO: see the doctor
 264.4 jǎu dàifu
        kànbìng   Ph: see the doctor for an ailment

265. jēn   N: needle, pin

                          M: stitch, shot, etc.
265.1 dǎjēn   VO: innoculate

    a. Dàifu géi wo dǎle yijēn.

266. wēndù   N: temperature
266.1 wēndùbyǎu   N: thermometer
266.2 shr̀ wēndù   VO: take temperature

    a. Nǐ shr̀shr tade wēndù gāu bugau?

267. fāshāu   VO: have a fever

    a. Tā fāshāu fāde hěn gāu.

268. lyóushén   V/VO: take care/be careful

    a. Lù bùhǎu dzǒu, chǐng lyóu dyǎr shén.
    b. Lyóushén, chìchē láile.

269. àszpǐlíng   N: aspirin (M: -pyàr)
269.1 chr̀ àszpǐlíng   VO: take aspirin

270. bǐfang   N/V: example/describe with gesture
270.1 bǐfangshwō   V: for instance
270.2 ná...dzwò
      bǐfang   take...for an example
270.3 ná shǒu
      bǐfang   Ph: to describe with the hands

    a. Bǐfangshwō, yàushr míngtyan syà yǔ, wǒmen hái
       chyù buchyù?
    b. Ná jèijyan shr̀ dzwò ge bǐfang ba.

271. gǎn   V: dare, venture
271.1 wǒ gǎn shwō   IE: I venture to say that, I'm sure
271.2 bùgǎn shwō   IE: one doesn't dare say, uncertain

    a. Wǒ yèli yíge rén bùgǎn dàu nèige hēi wūdzli chyu.
    b. Wǒ bùgǎn shwō tā míngtyan lái bulai.

III. Jyùdz Gòudzàu

1. Lái and Chyù as RV Endings:

Both lái and chyù can be used as endings in resultative verbs. For example:

nálaile	méinálai	nádelái	nábulái
chūchyule	méichūchyu	chūdechyù	chūbuchyù

Some of the resultative verbs of which lái and chyù are directional endings are in turn commonly used as directional endings to form other resultative verbs. The most common ones are:

shàng		E.g.: náshanglai
syà		bānsyachyu
jìn	{ lai	pǎujinlai
chū	{ chyu	sùngchuchyu
hwéi		fēihweilai
gwò		dzǒugwochyu

chǐlai (never chǐchyu)   náchilai (never náchichyu)

1.1 When there is an object, the directional ending which in itself is an RV may be split and the object inserted between its two parts. This is the most common form with the directional ending chilai:

Tā yìsyǎngchi ta mǔchin lai jyou kū.
Chǐng nǐ bāngwo jèige jwōdz lai.

1.2 Exercise - Translate into Chinese:

1.21 I have moved that table upstairs.

1.22 He has taken back the book he lent me.

1.23 The space is too narrow. I cannot drive through.

1.24 If I sell my car at this price, I'm sure I cannot buy it back for the same amount.

1.25 This mountain is not too high. I think I shall walk up.

2. <u>The Various Uses of Chilai as an RV Ending</u>:

<u>Chilai</u> as an RV ending has three common meanings:

2.1 It carries the meaning of "upward" like in:

náchilai jànchilai bānchilai gwàchilai dzwòchilai

2.2 It may have the meaning of "into a close or con-
stricted area" equivalent to the English word "-up":

swóchilai (lock up)   shōushrchilai (pack up)
gwānchilai (close up)

2.3 It also may have the meaning of "start to and keep
on going".

syàchi yǔ laile (started to rain--and is still
                                raining)
nyànchi shū laile (took up studying--and is still
                                going on)
dáchi jàng laile (started to fight--and is still
                                fighting)

2.4 <u>Exercise</u> - Translate into Chinese:

2.41 Before we finished talking, he started to sing.

2.42 When I arrived, they had started drinking
already.

2.43 After having been in business for two years,
he came home and took up studying again.

2.44 We'd better not talk about him. As soon as he
is mentioned, I get mad.

2.45 As soon as I pick up the pen, I forget every
single character I learned.

3. <u>The Various Uses of Jyòu</u>:

<u>Jyòu</u> is a fixed adverb and generally carries two meanings:

3.1 It means "only" and is generally used in the follow-
ing patterns:

jyòu V NU-M: Tā jyòu gěile wo yíkwai chyán.
(He only gave me a dollar.)

bù
méi } V jyòu(shr) V: Tā shémma dou bùjrdau, jyòu
(shr) jŕdau chŕfàn.
(He doesn't know how to do
anything but eat.)

V, jyòu(shr) { bù } V: Wǒ shémma dou dàile, jyòu
{ méi }   (shr) méidài chyán.
(I brought along everything
except money.)

Note that jyòu in this sense generally receives a
stress.

3.2 When the jyòu clause is preceded by a time expres-
sion or another clause, jyòu indicates the short
elapse between the two. Jyòu in this sense may be
translated as "them" although in English the word is
seldom used. In this sense, jyòu is seldom stressed:

Fan hǎule, wǒmen jyou chŕ ba.
(When dinner is ready we'll eat.)

(Dàu) nèige shŕhou, wǒ dàgài jyou jŕdaule.
(I will probably know by then.)

Tā děng yihwěr jyou hwéilaile.
(He'll be back after a while.)

Wǒ chŕle fàn jyou hwéi jyā.
(I'll go home right after the meal.)

3.21 Because jyòu indicates a short lapse between the
jyòu clause and the time expression or another
clause preceeding it, only words which further
stress the fact, like lìkè, can be added before
jyòu:

Tā láile, lìkè jyou dzǒule.
(He came but he immediately left.)

Expressions which contradict this fact, like
hěn jyòu, cannot be added before it as in the

following wrong statement:

Tā láile, tánle hěn jyǒu, jyou dzǒule.
(He came and chatted for a long time, and
    (then) left.)

3.22 Sentence particles le and ba are often used.
but never ne except in a question.

3.23 The fact that yi, meaning "as soon as", may be
added before the verb in the first clause
further indicates the short elapse:

Tā yídàu, wǒmen jyou dzǒu.
(We'll leave as soon as he arrives.)

3.3 The time expression or clause preceding the jyòu
clause may express a condition to what follows:

Yàushr míngtyan, wǒ jyou búchyùle.
(If it is tomorrow, (then) I will not go.)

Yàushr tā dzài shwō yíge dz̀, wǒ jyou dǎ ta.
(If he speaks one more word, I will punch him in
    the nose.)

Yīnwei tā láile, swóyi wǒmen jyou chǐng ta chr̄fàn.
(Because he came, we asked him to supper.)

3.4 Exercise - Translate into Chinese:

3.41 I have only five dollars.
3.42 He will pay you tomorrow.
3.43 He only lent me a little more than five hundred
    dollars.
3.44 I will read the second book, as soon as I finish
    the first one.
3.45 If he should give me money, I would buy it.

3.5 Exercise - Make sentences:

3.51 ... de shŕhou, ... jyou ...
3.52 ... yǐchyán,   ... jyou ...
3.53 ... gāngtsái,   ... jyou ...
3.54 ... gù chúdz,   ... jyou ...
3.55 ... mǎibujáu,   ... jyou ...

IV. Fāyīn Lyànsyí

1. "Jèijyan yīshang shémma shŕhou dé?"   "Syàlǐbaiyī jyou dé le."

2. "Wèi shémma bǎ hwàr jāisyalai?"   "Wǒ yàu gwà lìngwài yijāng."

3. "Shwō hwà tǐng héchide nèiwei tàitai shr shéi?"   "Wǒ yě búrènshr."

4. "Wǒ méitīngjyàn. Chǐng ni dà dyǎr shēngr shwō."   "Méitīngjyàn jyou swànle."

5. "Dzěmma le? Tóuteng ma?"   "Búshr. Wǒ yau tǎngsya syōusyi-syōusyi."

6. "Wǒ jèi lyangtyan lǎu késou."   "Děi lyóu dyǎr shén."

7. "Lwànchibādzāude shŕching, wǒ búywànyi gwǎn."   "Shéi ywànyi gwǎn ne?"

8. "Nǐ wèi shémma búràng dàifu gei ni dǎjēn?"   "Dǎjēn tài téng."

9. "Nǐ shr wēndùbyǎu le méiyou?"   "Shŕle. Méifāshāu."

10. "Jèiběn shūlide dz̀, nǐ dou rènshr ma?"   "Bùgǎn shwō dōu rènshr, kěshr ye chàbudwō."

V. Wèntí

1. Sz̄ Ss. wèi shémma gěi Jàu Ss. Jàu Tt̯. dǎ dyànhwà?

2. Tā diyítsz dǎ dyànhwà de shŕhou, dyànhwàjyúlide rén shwō shémma?

3. Sz̄ Zz. dièrtsz jyàu dyànhwà, tā dǎdau shémma dìfang chyule? Tā tīngjyan dyànhwàlide shēngyin búdwèi, tā shwō shémma?

4. Sz̄ Ss. disāntsz jyàu dyànhwà, shr shéi jyēde dyànhwà? Nèige rén jyē dyànhwà de shŕhou shwō shémma?

5. Sz̄ Ss. yàu chǐng Jàu Ss., Jàu Tt. dàu tā nèr chyu

Chřfàn, dzài dyànhwàli tā shr dzěmma shwōde?

6. Sz̄ Ss. dzài dyànhwàli shwōde hwà, Jàu Ss. tīngchīngchule meiyou? Wèi shémma? Jàu Ss. shwō shémma?

7. Sz̄ Ss. chǐng Jàu Ss., Jàu Tt., tāmen wèi shémma bùnéng chyù?

8. Jàu Tt. dzěmma le? Jàu Ss. jřdau shř dzěmma hwéi shř ma? Tā syǎng shr dzěmma hwéi shř?

9. Tāmen chǐng dàifu kànle meiyou? Dàifu shwō shémma le?

10. Jàu Tt. fāshāu le meiyou? Késou bùkésou? Tóuteng bùtóuteng?

11. Dàifu gěi Jàu Tt. shř wēndùbyǎu le meiyou? Kāi yàufāngr le meiyou?

12. Jàu Tt. chř yàu le meiyou? Tā chřde shr shémma yàu?

13. Jàu Ss., Jàu Tt., něityan néng dàu Sz̄ Ss. jyā chyù ne?

14. Sz̄ Ss. yàu chyu kàn Jàu Tt. ma? Jàu Ss. shwō shémma?

15. Yàushr yǒu rén gēn nǐ shwō hwà, nǐ méitīngchīngchu, nǐ shwō shémma?

16. Nǐ jyē dyànhwà de shřhou, yàushr dyànhwàlide rén shwō "tswòle", nǐ dzěmma bàn?

17. Yàushr nǐde péngyou bìngle, nǐ dzěmma bàn?

18. Shémmayàngrde tyānchi dzwèi rúngyi jāulyáng?

19. Yàushr shāngfēng le, yīngdāng chř shémma yàu? Yīngdāng dzwò shémma?

20. Dàifu kànbìng de shřhou, dōu dzwò shémma shř?

VI. Nǐ Shwō Shémma?

1. Yàushr nǐ dǎ dyànhwà dǎtswòle, nǐ shwō shémma?
2. Yàushr nǐ jyē dyànhwà, dyànhwàli jǎu nǐ jyālide rén jyē dyànhwà, nǐ shwō shémma?
3. Yàushr nǐ jyē dyànhwà de shŕhou, dyànhwàde shēngyin búda chīngchu, nǐ méitīngjyan dyànhwàli shwōde shr shémma, nǐ gēn tā shwō shémma?
4. Nǐde péngyou yǒubìng, dàifu láile, nǐ yàu bǎ nǐ péngyoude bìng gēn dàifu shwō yishwō, nǐ dzěmma shwō?
5. Yǒu rén chǐng nǐ chŕfàn, nǐ bùnéng dìng shémma shŕhou néng chyu, nǐ dzěmma shwō?

VII. Bèishū

A: Nín shŕ shémma shŕhou dàude?
B: Gāng dàu.
A: Wǒ bùjŕdau nín jǐdyǎn jūng dàu. Méidàu chējàn jyē nín, jēn dwèibuchǐ.
B: Wǒ pà nín kèchi, swóyi méigǎn gàusung nín.
A: Nín dzài jèr jù jǐtyān?
B: Dàgài, lyǎngsāntyān.
A: Nèmma míngtyān syàwǔ wǒmen dzài yíkwàr chŕ wǎnfàn ba.
B: Byé kèchi.
A: Wǒmen hěn jyǒu méijyànle. Tán yitán. Míngtyān syàwǔ lyòudyǎn, wǒ lái jyē nín, hǎu buhǎu?
B: Nín tài kèchile. Hǎu, wǒ děng nín ba.

VIII. Fānyì

1. Translate into Chinese:

   1.1 When will dinner be ready?
   1.2 I just hung up that picture; who took it down?
   1.3 He called me up and asked for a date on Saturday. As soon as I told him that I might be busy that day, he hung up.
   1.4 He said that he wants me to put Mr. Lǐ on the phone, I told him to hold the wire. He didn't quite understand. He hung up.
   1.5 Will you please say it softly?
   1.6 It is very noisy out on the street.

1.7 Why go to all that trouble?

1.8 Last night I saw a man, who was drunk, I guess. He was lying in a trolley car.

1.9 He said he had a splitting headache. I think he had a bad cold.

1.10 I wanted to take his temperature but I couldn't find the thermometer.

1.11 I told the doctor that I had a bad cough. He gave me a "shot".

1.12 The weather is very cold. We have to be careful.

1.13 For instance, the first year you pay ten dollars, the next year you pay five.

1.14 Let's take this sentence as an example.

1.15 Do you dare to say that you are not afraid of your wife?

2. Translate back into Chinese:

(246) a. How many days will it take to wash these clothes?
      b. This person is terribly stern.
      c. That man is terrific.

(249) a. I beg your pardon. Where is Syīnyǎ Co.?

(250) a. Won't you please take off your hat?

(251) a. One has to be friendly to do business.

(252) a. Where shall we hang this picture?
      b. Do you want to talk to Mr. Li? Hold the wire. I'll see whether he is in or not.

(253) a. I'm sure there is something wrong with the car. Listen! How peculiar it sounds!
      b. Please talk a little louder.

(254) a. What he is saying is all mixed up.
      b. He doesn't know what he is saying.
      c. My room is a mess.

(255) a. There are quite a few clothing stores around. Why
         must we go into town to buy them?
      b. It's very convenient to go to New York by train.
         Why do you insist on going by air?

(257) a. He is lying down.
      b. He drank too much and fell down after walking a
         few steps.

(258) a. Do you know anything about this matter?

(259) a. I didn't close the window last night and caught a
         little cold.

(260) a. I have a bad cold.
      b. I have a little cold.

(261) a. I have a splitting headache.

(262) a. He had a cold and coughed half the night last
         night.

(265) a. The doctor gave me an injection.

(266) a. Will you take his temperature and see whether it
         is high or not.

(267) a. He has a very high temperature.

(268) a. The road is not good. Please be careful.
      b. Watch out, a car is coming.

(270) a. For instance, shall we go tomorrow if it rains?
      b. Let's take this as an example.

(271) a. I dare not go to that dark room by myself at night.
      b. I am not sure whether he is coming or not.

DISHŔERKE - DYŌU DŪNGSYI

I. Dwèihwà

Jàu Ss. jyāli dyōule dūngsyi le.
Jǐngchájyú pài rén lai kànkan. Jàu
Ss. gēn jǐnggwān jǐngchá shwō:

Jàu: Chǐng nín dàu jèijyan wūli lai kànkan ba.
5   Chyángshang yǒu yige dùng. Dūngsyi dōu shr
      tsúng jèr nùngchūchyude.

Jǐnggwān: Jè shr yèli shémma shŕhou de shŕching?

Jàu: Wǒ yě shwōbuchīngchu. Wǒ shr shŕyīdyǎnbàn
      tǎngsyade. Dàgài tǎngle yǒu sānwǔfen jūng,
10   jyou shwèijáule. Yèli méitīngjyan shémma
      shēngyin. Jīntyan dzǎushang tsái kànjyan
      dūngsyi méile.

Jǐnggwān: Dōu dyōule shémma le?

Jàu: Yǒu shǒushr, yǒu yīfu. Wǒ kāile yijang dāndz.
15   Nín kànkan.

Jǐnggwān: Dūngsyi dōu fàngdzai nǎr le?

Jàu: Fàngdzai gwèidzli le.

Jǐngchá: Jèige gwèidz swǒje meiyou?

Jàu: Swǒje ne. Jèige gwèidz dzǔngshr swǒje. Kěshr
20   dzwótyan wǎnshang, wǒ bǎ yàushr fàngdzai
      jwōdzshang le. Jīntyan dzǎushang wǒ chǐlai,
      kànjyan chyángshang yǒu yige dùng. Wǒ gǎnjǐn
      jyou kàn jèige gwèidz. Jèige gwèimén gwānde
      hǎuhāurde. Yòu yíkàn, yàushr dzai dìsya ne.
25   Wǒ jyou gǎnjǐn kāi nèige gwèidz, yìkāi, jyou
      kāikaile. Dzài yíkàn, dūngsyi dōu méiyǒule.

Jǐngchá: Yígùng jř dwōshau chyán?

Jàu: Dàgài yígùng jř lyǎngchyāndwokwài. Wǒ nèijang
            dāndzshang dou syěje ne.

Jǐnggwān: Òu, dwèile. Wǒ kàn nín jèijang dāndz, syěde
5   hěn chīngchu. Wǒmen syān náhweichyu kànkan,
            syǎng fádz gěi nín jǎu ba.

Jàu: Syèsye nín.

            (Wǎnshang, Sz̄ Ss. tīngshwōle. Tā dàu Jàujya
            lai kànkan.)

10 Sz̄:   Wǒ tīngshwō nín jèr dzwótyan wǎnshang chūle
            dyǎr shř, shř dzěmma hwéi shř?

Jàu: Hài. Dzāugāu. Jēn dǎuméi. Dzwótyan yèli yǒu
            dzéi, bǎ wǒde yīfu gēn nèirende shǒushr dōu
            tōuchyule.

15 Sz̄:   Dōu dyōule shémma le?

Jàu: Wǒ dyōule lyǎngtàu syīfú, yíjyàn dàyī. Hái yǒu
            dyǎr línglingswèiswèide chènshān, kùdz shémmade.
            Dàushr bùjř dwoshau chyán. Kěshr wǒ nèirende
            shǒushr, yàushr syàndzài mǎi, kǔngpà děi lyǎng-
20   chyāndwōkwài.

Sz̄:   Hài. Jēn méisyǎngdàu. Nín fàngdzai nǎr le?

Jàu: Dōu dzài nèijyān wūdzde gwèidz litou. Jīntyan
            dzǎushang wǒ dàu nèijyān wūdz yíkàn, chyáng-
            shang yǒu yige dà dùng. Wǒ gǎnjǐn kāi gwèidz
25   kàn, yíkàn, dōu méiyǒule. Syìngkwēi wǒde chyán
            méifàngdzai nèr, yàushr fàngdzai nèr, yě dyōule.

Sz̄:   Nín méijǎu jǐngchájyú ma?

Jàu: Jīntyan dzǎushang wǒ yìjřdau, jyou lìkè gei
            jǐngchájyú dǎle yige dyànhwà. Jǐngchájyú pài
30   jǐnggwān, jǐngchá, lai kànle bàntyān. Tāmen
            shwō tāmen gei wǒmen jǎu. Kěshr jǎudejáu,
            jǎubujáu, shéi gǎn shwō?

Sz̄:   Nín bǎusyǎn le meiyou?

Jàu: Bǎule. Kěshr bǎude búgòu. Yígùng tsái bǎule
         yìchyānkwài chyán. Syìngkwēi bǎusyǎn le,
         yàuburán, nà kě jēn bùdélyǎu. Swéiran shr̀
         bǎusyǎn le, kěshr wǒ háishr̀ ywànyi néng bǎ
         dūngsyi jǎuhweilai.

Sz̄:   Nà shr̀ dāngrán. Wǒ syǎng yěsyǔ jǎudejáu. Byé
         jāují. Jāují búshr yě méiyùng ma?

Jàu: Wǒ bùjāují. Yùnchi bùhǎu, jyou shémma dōu
         búyùng shwōle.

II. Shēngdz̀ Yùngfǎ

272. jǐngchá   N: policeman
  272.1 jǐngchájyú   N: police department

273. jǐnggwān   N: police officer
  273.1 gwān   N: officer

274. pài   V: select, appoint or sent (someone to
                           do something)

   a. Wǒmen jyāde shwěigwǎndz hwàile. Chíng nǐ pài yige
      rén lai shōushrshōushr ba.

275. dùng   N: hole
  275.1 shāndùng   N: cave

276. nùng   V: arrange, take care of, see to, tend
                           to, handle
  276.1 nùnghwàile   RV: break (something)
  276.2 nùnghǎule   RV: it's been fixed
  276.3 nùngdzǒu   RV: take away
  276.4 nùngtswòle   RV: made a mistake, didn't do it right

   a. Nèijyan shr̀ching, tā méinùngchīngchu.

277. shǒushr   N: jewelry (M: -jyàn)

278. yīfu   N: clothes (M: -tàu for suit, -jyàn
                           for piece)

279. kāi   V: make out, write out (a note, slip,
                           etc.)

279.1 kāi yige
        tyáur   VO: write a note
279.2 kāisyalai   RV: list

280. dāndz   N: list (M: -jāng, -gè)
 280.1 tsàidāndz   N: menu
 280.2 chwángdāndz N: bed sheet (M: -chwáng, -gè)
 280.3 kāi dāndz   VO: make out a slip

        a. Nǐ bǎ ni píbāulide dūngsyi kāi yijāng dāndz,
           yíyangr yíyangrde dōu kāisyalai.

281. jŕ   V: be worth (so much)
 281.1 jŕ chyán/
        jŕchyán VO/SV: be worth (so much) money/ be
                       valuable
 281.2 jŕde   AV: worth while

        a. Tā nèijyan pídàyī, hěn jŕchyán.
        b. Jèige byǎu jŕ dwōshau chyán?
        c. Jèitau yīshang, sānshrwǔkwài chyán, jŕ bujŕ?
        d. Nèiběn shū jēn jŕde kàn.

282. chūshr̀   VO: have something go wrong, have an
                       accident

        a. Tīngshwō nèige fēijī chūshr̀le.
        b. Tā kāi chìchē chūle dyǎr shr̀, pèngle yige rén,
           kěshr pèngde bútài lìhai.

283. dzāugāu   SV: what a mess! too bad

        a. Jēn dzāugāu! Tā jèi lyangtyān dzǔng dyōu dūngsyi.
        b. Dzāugāu! Wǒ wàngle dài nèiběn shū le. Jīntyan
           fēi yùng bùkě.

284. dǎuméi   SV: be unlucky

        a. Tsúng chyùnyan chǐ, wǒmen jyā cháng chūshr̀, jēn
           dǎuméi!

285. dzéi   N: thief

286. tōu   V: steal
 286.1 tōuje   A: stealthily, secretly
 286.2 tōutōurde   A: stealthily, secretly

  a. Tāmen jyā, yòu ràng dzéi tōule.
  b. Dzéi dōu tōu dūngsyi. Nǎr yǒu bùtōu dūngsyi de
    dzéi!
  c. Tā tōuje gēn wǒ shwō, pà byéren tīngjyan.
  d. Tā dzwótyan wǎnshang, hwéijyā tài wǎnle. Swóyi
    tā bǎ syé twōle, tōutōurde jìnchyule.

287. syīfú   N: Western-style clothes (M: -tàu)

288. pídàyī   N: fur coat (M: -jyàn)
 288.1 dàyī   N: overcoat (M: -jyàn)

289. chènshān   N: shirt (M: -jyàn)

290. kùdz   N: pants, trousers (M: -tyáu)

291 méisyǎngdàu   RV: didn't expect

  a. Wǒmen dōu jr̄dau ta bùlái. Méisyǎngdàu ta láile.

292. syìngkwēi   A: fortunately

  a. Syìngkwēi jīntyan wǒ méidàu Nyǒuywē chyu. Yàushr
    chyule, jèmme dàde sywě, wǒ dzěmma hwéilai?
  b. Wǒ syìngkwēi dài chyán le; yàuburán, chǐngkè, méi
    chyán, nà dwóma dzāugaū!

293. bǎusyǎn   VO: buy insurance, guarantee
       V/SV: guarantee/be safe
 293.1 bǎu hwǒsyǎn VO: buy fire insurance

  a. Nǐde fángdz bǎu hwǒsyǎn le meiyou?
  b. Wǒ gǎn bǎusyǎn, tā jīntyan yídìng bùlái.
  c. Chyán lǎu fàngdzai jyāli, kǔngpà bùbǎusyǎn ba.

294. yùnchi   N: luck, fortune

III. Jyùdz Gòudzàu

1. The Bǎ Construction:

Bǎ is a CV and the basic pattern of sentences using bǎ is:

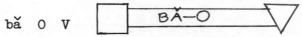

bǎ O V

The O after bǎ in most cases is the object of the following V. This object is brought to the front of the verb by the bǎ. A simple sentence may have three patterns:

The regular S V O construction: Tā gwānshang mén le.
The inverted object construction: Mén, tā gwānshangle.
The bǎ construction: Tā bǎ mén gwānshangle.

1.1 The object brought to the front of the verb is generally a specific object and not a general one. The mén mentioned in the third illustration above refers to "nèige mén", (the door), "nèisye mén" (the doors), "swóyoude mén" (all the doors), etc. and not to doors in general.

1.2 An object preceded by a NU-M requires special consideration as to whether it may be brought to the front of the verb or not. Such an object without a specifier is usually a general object and does not fit the bǎ pattern. Thus, the regular SVO pattern serves best:

Tā bāndzǒule sānge jwōdz. (meaning "any three
                                        tables")

The bǎ pattern: Tā bǎ sānge jwōdz bāndzǒule, - is considered inadequate unless a specifier or an inclusive adverb is added:

Tā bǎ nèisānge jwōdz bāndzǒule, (or)
Tā bǎ sānge jwōdz dōu bāndzǒule, (or)
Tā bǎ nèisānge jwōdz dōu bāndzǒule.

告送=告诉

1.3 When the main verb is gàusung, gěi or a compound verb with gěi as post-verb, there are usually two objects, (direct and indirect):

Chǐng nǐ gàusung wo nèijyan shŕching.
Tā jyàu wo gěi ta nèiben shū.
Wǒ dǎswan jyègei ta wǔkwai chyán.

In such a case, the second (direct) object may be
brought to the front of the verb by **bǎ**:

Chǐng nǐ bǎ nèijyan shŕching gàusung wǒ.
Tā jyàu wo bǎ nèiben shū jyègei tā.
Wǒ dǎswan bǎ <u>jèi</u>wǔkwai chyán jyègei tā.

Note that the second object in the third illustra-
tion is specified when brought to the front.

1.4 After a **bǎ** construction, the main verb must be
followed by a complement of some sort. It may be:

    1.41 <u>le</u>:   Wǒ bǎ ta dǎ<u>le</u>.

    1.42 <u>RVE</u>: Result Verb   Chǐng nǐ bǎ jèige jwōdz
               End ´J   bān<u>kai</u>.

    1.43 (dzai) PW: Wǒ bǎ tāde shū fàng<u>dzai</u> <u>jèr</u>
                         le.

    1.44 <u>Reduplication of
          the verb</u>:   Nǐ bǎ nèiben shū kàn<u>kan</u>.

    1.45 <u>NU-M</u>:   Wǒ bǎ nèiben shū kànle <u>yítsż</u>.

1.5 The negative adverb in a **bǎ** sentence is attached to
the **bǎ** or to the (AV) preceding it if there is one,
and is rarely in front of the main verb or the adverb
immediately preceding it:

Byé bǎ táng dou chŕle.
Wǒ búywànyi bǎ chyán dou yùngle.   愿意
Wǒ ywànyi bǎ chyán bùdou yùngle. (not recommended)

1.6 The potential form of an RV cannot be used as the
main verb in a **bǎ** sentence.   Resultative Verb

2. <u>The Various Uses of Tsái</u>:

<u>Tsái</u> is a fixed adverb and usually has one of two mean-
ings:

2.1 It means "only" when it is followed by a NU-M expression:

2.11 Tsái V NU-M: Tā tsái sžle yíge ywè.

2.12 Tsái NU-M: Syàndzài tsái sāndyan jūng.

2.2 It means "then and only then", "not until" and refers to the action or time element before the tsái clause:

Wǒ míngtyan tsái dzǒu ne.   (I'm not going until tomorrow.)
Tā chīwánle fàn tsái dzǒude. (He didn't leave until after he had his meal.)

Note ne or de is often used at the end of the sentence, to indicate future action or to stress the time element or some action other than that of the main verb.

2.21 Tsái cannot be used in a command or request, therefore a sentence using tsái in its sense cannot end with a suggestive ba.

2.22 Between the tsái clause and the time or some other action clause preceding it, a third clause may be inserted to indicate elapse of a third action between the two:

Tā chīwán fàn, you dzwòle bàntyān, tsái dzǒude. (After he finished eating, he stayed for a long time before he left.)

2.23 The clause before the tsái clause often serves as the condition to the latter:

Yàushr míngtyan, wǒ tsái néng chyù ne. (I can only go if it is tomorrow--meaning, only then I can go.)

Yídìng děi tā lái, wǒ tsái gěi chyán ne. (He must come before I pay.)

Yīnwei tā láile, wǒ tsái gěide chyán.

(I paid only because he came--meaning, only
then I paid.)

IV. Fāyīn Lyànsyí

1. "Jǐngchájyú pài rén chyu kànle meiyou?" "Pàile yíge
   jǐnggwān, lyǎngge jǐngchá."

2. "Shéi bǎ jèige swǒ nùnghwàile?" "Bùjŕdàu. Nǐ hwèi shōushr
   búhwèi?"

3. "Jèi shr shéi kāide dāndz?" "Wǒ. Wǒ bǎ yàu mǎide dūngsyi
   dou kāisyalaile."

4. "Nǐ kàn jèige byǎu jŕ dwōshau chyán?" "Wǒ bùgǎn shwō. Nǐ
   shwō jŕ wǔshrkwai chyán bùjr?"

5. "Hwǒji, ná tsàidāndz lai". "Lìkè jyou lái."

6. "Dzěmmale? Dyōule shémma le?" "Dzāugāu. Chìchē dyōule."

7. "Nèige dìfang chūle shémma shr̀ le?" "Chìchē pèng rén le."

8. "Nǐ wèi shémma tōutōurde gen ta shwō?" "Pà byéren
   tīngjyan."

9. "Wǒ dzwótyan syìngkwēi tōuje dzǒule." "Nǐ pà shémma?"
   "Yàuburán ta yòu yau gen wǒ jyè chyán."

10. "Nǐde chìchē bǎusyǎnle meiyou?" "Syìngkwēi bǎusyǎnle,
    yàuburán jèikwai bwōli děi shŕjikwài."

V. Wèntí

1. Jàu Ss. jyāli chūle shémma shr̀ le? Shémma dìfang pài
   rén láile? Pài shémma rén láile?

2. Dūngsyi shr̀ tsúng shémma dìfang nùngchūchyude?

3. Jàu Ss. jŕdau bùjŕdau dūngsyi shr yèli shémma shŕhou
   dyōude? Tā shr jǐdyǎn jūng tǎngsyade? Shr̀ shémma
   shŕhou shwèijáulede?

4. Jàu Ss. yèli tīngjyan shémma shēngyin meiyou? Dūngsyi dyōule, tā shr̀ shémma shŕhou jŕdaude?

5. Tā dou dyōule shémma dūngsyi le? Dyōulede dūngsyi ta fàngdzai shémma dìfang le?

6. Jàu Ss.de gwèi swŏle méiswŏ? Tā bǎ yàushr fàngdzai shémma dìfang le?

7. Tā dzǎushang chǐlai dzěmma jŕdau dyōule dūngsyi le? Tā kànjyan yàushr dzai shémma dìfang ne?

8. Tāde dūngsyi yígùng jŕ dwōshau chyán?

9. Nǐ syǎng Jàu Ss. kāide dāndzshang dou syěje shémma?

10. Jǐnggwān jǐngchá dzǒude shŕhou shwō shémma? Nǐ syǎng tade dūngsyi jǎudejáu ma?

11. Sz̄ Ss. wèi shémma dàu Jàujya chyu? Tā wèn Jàu Ss. shémma? Jàu Ss. shr dzěmma gàusung Sz Ss. de?

12. Jàu Ss.de chyán yě fàngdzai gwèili le ma?

13. Jàu Ss. jŕdau dūngsyi dyōule yǐhòu, tā dzěmma bàn?

14. Jàu Ss. jywéde tāde dūngsyi jǎudejáu ma?

15. Tāde dūngsyi bǎusyǎnle méiyou? Bǎule dwōshau chyán? Bǎude gòu búgòu?

16. Sz̄ Ss. shwō Jàu Ss.de dūngsyi jǎudejáu ma?

17. Nǐde chìchē chūgwo shr̀ meiyou? Yàushr chūle shr̀ nǐ dzěmma bàn?

18. Nǐ dyōugwo dūngsyi meiyou? Shr̀ nǐ dz̀jǐ dyōude háishr dzéi tōuchyude? Dyōule shémma le? Jŕ dwōshau chyán?

19. Nǐ jyālide jyājyu bǎusyǎnle meiyou? Nǐde fángdz bǎu hwǒsyǎn le meiyou? Bǎule dwōshau chyán?

20. Tā shwō tā yau dàu jǐngchájyú chyu jyàu jǐngchá. Shr̀ ta dz̀jǐ chyù, háishr tā yau pài rén chyù?

VI. Nǐ Shwō Shémma?

1. Yàushr nǐde péngyou jyāli chūle dyǎr shr̀, nǐ gēn tā
   shwō shémma?

2. Yàushr nǐde péngyou dyōule dūngsyi le, nǐ yàu wèn ta
   shémma?

3. Nǐde péngyou dyōule dūngsyi le. Nǐ syǎng gàusung ta, tā
   yīnggāi dzěmma bàn, nǐ dzěmma gēn tā shwō?

4. Nǐde péngyou dyōule dūngsyi le. Tā hěn jāují, nǐ gēn tā
   shwō shémma?

5. Nǐde péngyou dyōule dūngsyi le. Jǐngchá, jǐnggwān dōu
   láile, nǐ yàu bǎ dyōu dūngsyi de shr̀ching gàusung tamen,
   nǐ dzěmma shwō?

VII. Gùshr

(on record)

VIII. Fānyì

1. Translate into Chinese:

   1.1 The water company sent a man here to fix the water
       pipes.

   1.2 The store sent the jewelry we bought.

   1.3 He is just a policeman, not an officer, I made a
       mistake.

   1.4 I have a bad memory. I am afraid that I cannot
       remember all the things she wanted me to buy;
       therefore I wrote them down on a list.

   1.5 How much do you think this pair of pants is worth?

   1.6 I don't think this fur coat is worth anything.

1.7 I paid more than twenty-five dollars for this suit. Don't you think it's worth it?

1.8 Is it worth all this trouble?

1.9 Is it worth while to read?

1.10 He was in an air-plane accident the other day.

1.11 It's a pity (that) I forgot to make out the list.

1.12 I have been very unlucky lately.

1.13 A burglar came in yesterday, but he didn't take anything valuable. You can't call that unlucky.

1.14 If you ask, "Who has stolen my pen?", no one will answer. You'd better say, "Who has seen my pen?"

1.15 His overcoat is warmer than anything else.

1.16 You spend more to wash your shirt than to buy it.

1.17 Fortunately I didn't go. If I had gone, my car would have been in the same accident.

1.18 Fortunately he told me beforehand. If he hadn't, how embarrassing that would have been.

1.19 Do you have insurance on your house?

1.20 I can guarantee that he stole it.

2. Translate back into Chinese:

(274) a. The plumbing in our house has broken down. Please send some one to repair it.

(276) a. He is not clear about that matter.

(280) a. Please itemize all the things in your brief case.

(281) a. That fur coat of hers is very valuable.
     b. How much is this watch worth?
     c. This suit costs thirty-five dollars. Is it worth it?
     d. That book is certainly worth reading.

(282) a. I have heard something happened to that plane.
      b. He had an accident while driving. He bumped
         into a person, but it wasn't serious.

(283) a. What luck! He is always losing things these
         few days.
      b. Shucks! I forgot to bring that book. Today I
         have to use it.

(284) a. Since last year, lots of accidents happened in
         our home. What luck!

(286) a. Their home was burglarized again.
      b. All thieves steal (things). Where is there a
         thief who does not steal (things)?
      c. He secretly told me. He didn't want the others
         to hear.
      d. He came home very late last night. So he took
         off his shoes and sneaked into the house.

(291) a. We all knew he wasn't coming. Who would have
         thought he came.

(292) a. Fortunately, I didn't go to New York today. If
         I had gone, how could I have come back in such
         a big snowstorm?
      b. Fortunately, I brought money with me. If I
         hadn't, what a mess it would be to invite some
         one out and not to have money.

(293) a. Do you have fire insurance on your house?
      b. I can guarantee that he will not be here today.
      c. I am afraid it wouldn't be safe to always keep
         money in the house.

DISHRSĀNKE - JYǍNGYǍN

I. Dwèihwà

Yǒu rén chǐng Sz̄ Ss. dàu Shànghǎi
fùjìn yige syǎu chéng chyu jyǎngyǎn.
Chyù yǐchyán, tā dàu Jàujya, gen Jàu Ss.
dǎting nèige syǎu chéngde chíngsying. Sz̄
5   Ss. dàule Jàujya, jyànjau Jàu Ss., shwō:

Sz̄: Āi. Džān. Hǎu ba?

Jàu: Nín láile. Chǐngdzwò chǐngdzwò. Jèi jityan
     dzěmmayàng?

Sz̄: Hěn hǎu. Dyōulede dūngsyi dzěmmayàngle?

10 Jàu: Hái máijǎujáu. Jēn dzāugāu.

Sz̄: Jàu Tt. hǎule ba?

Jàu: Tā dàu hǎule. Sy.èsye nín. Nín méichūmén na?

Sz̄: Syàlǐbailyòu yǒu rén chǐng wǒ dau Shàusyàn chyu
     jyǎngyǎn. Nín dàu nèr chyùgwo ma?

15 Jàu: Chyùgwo. Nèige dìfang hěn bútswò. Jr̄de chyu
     kànkan.

Sz̄: Tsúng jèr chyù, děi dzài lùshang dzǒu dwó jyǒu?

Jàu: Dzwò hwǒchē, lyǎngge jūngtóu; dzwò chìchē, děi
     sāngebàn jūngtóu, yàushr kāide kwài, lùshang bùtíng,
20   sānge jūngtóu, jyou syíngle.

Sz̄: Nín jr̄dau nèige chéng litoude rénkǒu yǒu dwōshau ma?

Jàu: Wǒ jr̄daude búdà chīngchu. Dàgài yǒu chībāwàn rén.

Sz̄: Wǒ tīngshwō nèige dìfangde chūchǎn hěn dwō.

Jàu: Dwèile. Chūchǎn hěn fēngfù. Chū mǐ chūde dzwèi
     dwō. Chúle mǐ yǐwài, jīnyíntúngtyěsyī, wǔjīn dōu
     yǒu yìdyǎr. Hái you méi, myánhwa shémmade?

Sz̄: Chéng lǐtou yǒu sywésyàu ba?

5 Jàu: Yǒu lyǎngge jūngsywé, báge syǎusywé.

Sz̄: Nèisyē sywésyàu dōu shr̀ sz̄lìde, háishr gūnglìde?
    Yǒu jyàuhwèi bànde meiyou?

Jàu: Gūnglìde, sz̄lìde dōu yǒu. Yǒu sānge syǎusywé shr̀
     jyàuhwèi bàn de. Lyǎngge shr̀ Jīdūjyàu bànde, yíge
10   shr̀ Tyānjǔjyàu bàn de. Chéng lǐtou yǒu sānge
     jyàutáng, yíge jyàutáng yǒu yíge sywésyàu. Nèige
     dìfang jēn búhwài, yǒu jīhwei, wǒ hěn syǎng chyu
     kànkan.

Sz̄: Nèmma wǒmen yíkwàr chyù, hǎu buhǎu?

15 Jàu: Bùchéng. Syàlǐbailyòu jūngwǔ, wǒ yǒu yíge ywēhwei,
      shr̀ chyánjityan dìnghǎulede. Wǒ chyùbulyǎu.
      Dwèibuchǐ.

Sz̄: Méi gwānsyi, nèmma děng yǐhòu yǒu jīhwei dzàishwō
    ba.

20 Jàu: Nín shr̀ yùng Yīngwen jyǎng, shr̀ yùng Jūnggwén jyǎng?

Sz̄: Tāmen jyàu wo yùng Jūngwén, kěshr wǒde Jūnggwo hwà
    buchéng. Yǒu hǎusyē hwà, wǒ búhwèi shwō, yǒu
    hǎusyē hwà, wǒ shwōbudwèi.

Jàu: Nínde Jūnggwo hwà chéng. Gēn Jūnggwo rén shwōde
25   jyǎnjŕde yíyàng. Yěsyǔ yǒushŕhou yǒu shwōtswòlede
     dìfang, kěshr Jūnggwo rén shwō hwà, yě bùnéng
     méiyou shwōtswòlede shŕhou. Wǒ kàn, nín jyou yùng
     Jūngwén jyǎng ba.

Sz̄: Hǎu ba. Búgwò wǒ děi yùbeiyubei. Wǒ syǎng jīntyan
30   wǎnshang wǒ bǎ wǒ yàu jyǎngde syěsyalai, gěi nín
     kànkan, yǒu búdwèide dìfang, chǐng nín gěi wǒ
     gáigai. Gáihǎule, wǒ dzai nyàn jitsz̀, yěsyǔ jyou
     syǐngle.

Jàu: Hǎujíle. Nín syědéle, wǒ gěi nín kànkan. Nín jēn
35   tài syǎusyinle.

Sz̄: Búshr tài syǎusyin. Wǒ shr̀ pà shwōtswòle, chū
syàuhwa. Nín méitīngshwōgwo jèige syàuhwa ba.
Yǒu yige wàigwo rén, dàije yige syǎu háidz dzài
jyēshang wár. Yǒu yige Jūnggwo rén wèn ta shwō:

5   "Nín jèige háidz dzěmma dzèmma pàng a? Nín gěi ta
shémma chr̄?" Nèige wàigwo rén shwō: "Tā bùchr̄
byéde, jyòu chr̄ tā mǔchinde nyóunǎi." Nín shwō
kěsyàu bukěsyàu?

Jàu (dà syàu): Jèi kě jēn yǒuyìsz.

10 Sz̄: Wǒ děi dzǒule.

Jàu: Dzài dzwò yihwěr. Máng shemma?

Sz̄: Wǒ děi hwéichyu yùbei nèige jyǎngyǎn chyu. Wǒ
míngtyan dzài lái.

Jàu: Hǎu. Nèmma wǒ bùlyóu nín le. Míngtyan nín shémma
15   shŕhou lái?

Sz̄: Syàwǔ sz̀dyǎnbàn, chéng buchéng?

Jàu: Wǒ míngtyan méi shr̀. Nín shémma shŕhou lái dou
chéng.

Sz̄: Hǎu, míngtyanjyàn ba.

20 Jàu: Nín màndzǒu.

II. Shēngdz̀ Yùngfǎ

295. jyǎng   V: explain
  295.1 jyǎngyǎn   V/N: give a speech, lecture/a speech
  295.2 yǎnjyǎng   V/N: give a speech, lecture/a speech
                          (interchangable with jyǎngyǎn)
  295.3 jyǎnghwà   VO: speak
  295.4 jyǎngshū   VO: explain the lesson, lecture
                          (in class)
  295.5 jyǎng
        jyàchyan   VO: bargain

   a. Chǐng nín bǎ jèige dz̀ géi wo jyǎngjyang.
   b. Nèiwei syānsheng jyǎngshū jyǎngde jēn chīngchu.

296. chíngsying   N: condition, situation

297. Shàusyàn   PW: a fictitious town

298. rénkǒu   N: population

    a. Nèige dìfang yǒu dwōshau rénkǒu?

299. chūchǎn   V/N: produce/product, produce (natural)
  299.1 chū   V: produce (natural and manufactured
                  goods)

    a. Jèige dìfang chūchǎn shémma?

300. fēngfù   SV: be abundant, rich

    a. Nèige dìfangde chūchǎn hěn fēngfù.

301. chúle ....yǐwài   in addition to....., besides

    a. Chúle nǐmen yǐwài, jyòu méi byérén le.
    b. Tā chúle   Yīngwén yǐwài, ye hwèi Fàwén.
    c. Chúle shǒushr, tā hái dyōule sye yīfu.

302. mǐ   N: hulled rice (grain) (M: -dǒu, peck;
                    -shēng, pint; -jīn, catty)

303. jīnyíntúngtyěsyī N: gold, silver, brass, iron and lead
                  (known as the five metals)
  303.1 jīn-   BF: gold
  303.2 jīnde   N: of gold
  303.3 jīndz   N: gold (M: -lyǎng, ounce)
  303.4 jīnbyǎu   N: gold watch
  303.5 (yùng) jīndz
        dzwòde   made of gold
  303.6 yín-   BF: silver
  303.7 yínde   N: of silver
  303.8 yíndz   N: silver
  303.9 yínsháur   N: silver spoon
  303.10 túng   N: copper, brass
  303.11 túngde   N: of copper, of brass
  303.12 húngtúng   N: copper
  303.13 hwángtúng   N: brass
  303.14 (yùng)túng
        dzwòde   made of copper (brass)
  303.15 tyě   N: iron

303. jīnyíntúngtyěsyī (cont.)
303.16 tyěde   N: of iron
303.17 syī   N: lead

304. méi   N: coal (M: -jīn, catty; -dwūn, ton)

305. myánhwa   N: cotton (M: -jīn, catty; -bāu, bale)

306. syǎusywé   N: elementary school

307. jūngsywé   N: high school, secondary school

308. sẑlì(de)   BF: privately established
                          (school, factory, etc.)

309. gūnglì(de)   BF: publicly established
                          (school, factory, etc.)

     a. Jèige sywésyàu shr̀ sẑlìde, shr̀ gūnglìde?

310. jyàuhwèi   N: church (organization)
310.1 jyàuhwèi
       sywésyàu   church or mission school
310.2 jyàuhwèi yīywàn church or mission hospital
310.3 jyàuhwèi bànde   operated by the church

311. Jīdūjyàu   N: Christianity (usually refers to the
                          Protestant as vs. the Catholic church)
    311.1 (Yēsūjyàu) N: (same)

312. Tyānjǔjyàu   N: Catholic Church (Roman)

313. jyàutáng   N: church (building)
313.1 lǐbàitáng   N: church (lit. worshipping hall)

314. ywēhwei   N: engagement, appointment
314.1 dìng ywēhwei VO: make a date or an appointment

     a. Wǒ syǎng gēn ta dìng yige ywēhwei, tántan.

315. búgwò   A: but, only

     a. Wǒ kéyi chyù, búgwò wǒ búda ywànyi chyù.
     b. Tā búgwò gěile wo wǔkwai chyán.

316. gǎi   V: correct, change, alter, revise

316.1 gǎidelyǎu   RV: can change
316.2 gǎibulyǎu   RV: cannot change
316.3 gǎihǎule   RV: corrected
316.4 gǎihwàile   RV: changed for the worse
316.5 gǎi yīshang   VO: alter clothes

    a. Tā jèijyu hwà dzǔng shwōbudwèi, wǒ gěi ta gǎile
       háujitsz̀, tā háishr gǎibulyǎu.
    b. Jèijyan yīshang tài syǎu, méi fádz gǎile.

317. kěsyàu   SV: be laughable, funny

    a. Tā shwōde nèige syàuhwa, tā dz̀jǐ jywéde hěn kěsyàu,
       kěshr shwōwánle méi rén syàu.

III. Jyùdz Gòudzàu

1. Dzài, Jyòu and Tsái Compared:

The various uses of dzài, jyòu and tsái as fixed adverbs
have been discussed in Lessons 10, 11 and 12 respectively.
Now we will compare their different meanings in a single
pattern, i.e., when preceded by a limiting circumstance,
whether a word or a clause, e.g.:

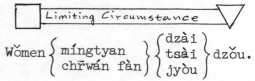

1.1 In this pattern, these three fixed adverbs have
    quite different meanings:

      Wǒmen chīrwán fàn dzai dzǒu ba.
      (Let's finish eating before we go.)

      Wǒmen chīrwán fàn tsai dzǒude.
      (We didn't go until we finished eating.)

      Wǒmen chīrwán fàn jyou dzǒu.
      (We will go after we finished eating.)

1.2 In the case of dzài and tsái, the limiting circum-

stance is an "imperative condition" to the action
after dzài or tsái in a contemplated action, and
expressions like yídìng děi (must) and syān (first)
can be added:

Wǒ yídìng děi chr̄le fàn tsai dzǒu ne.
(I must finish eating before I go.)

Wǒ děi syān chr̄wán fàn dzai dzǒu.
(I must finish eating first before I go.)

In a completed action, the limiting circumstance
serves as the stressed time or action only after
which the action in the subsequent clause happened:

Wǒ shr chr̄wán fàn tsai dzǒude.
(I didn't go until after I finished eating.)

1.3 In the case of jyòu, the limiting circumstance
before the jyòu clause states a time or action
immediately after which the action in the jyòu
clause is to follow. Jyòu may be preceded by lìkè,
which further intensifies the immediacy of the
action to follow, while dzài and tsái, because of
their nature mentioned in 1.2, cannot be preceded by
lìkè:

Wǒmen chr̄wán fàn lìkè jyou dzǒu.
(We will go immediately after we finish eating.)

Another illustration of the immediacy of the action
in the jyòu clause to follow the limiting circum-
stance is that yi- (as soon as) may precede the verb
in the first clause:

Wǒmen yìchr̄wán fàn jyou dzǒu.
(We will go as soon as we finish eating.)

1.4 The illustrations below will further clarify the
difference in meaning between these three adverbs:

Wǒ yídìng děi chr̄le fàn tsái dzǒu ne.
(See 1. 2)
Wǒ yídìng děi chr̄le fàn dzai dzǒu.
(See 1. 2)
Wǒ yídìng děi chr̄le fàn jyou dzǒu.
(I must go immediately after eating.)

The yídìng děi in the first two illustrations stresses
the imperative condition before the action after tsái
or dzài: the yídìng děi in the third stresses the
immediacy of the action after jyòu to follow that
before jyòu.

1.5 These three adverbs differ further as to which sen-
tence particles may follow them:

1.51 The dzài sentence may end with a suggestive ba
(see first illustration in 1.1.

1.52 The tsái sentence may end with a de (see sec-
ond illustration in 1.1), indicating that the
action has already been completed, and also
with a ne, indicating that the action is still
in the contemplating stage:

Wǒmen chīwán fàn tsái dzǒu ne.
(We will not be going until we finished
eating.)

1.53 The jyòu sentence may end with a suggestive ba
or a completed action le (continued action ne
is rarely used):

Wǒmen chīwán fàn jyou dzǒu ba.
(Let's go (right) after eating.)

Wǒmen chīwán fàn jyou dzǒule.
(We left (right) after eating.)

2. Dzài and Tsái Compared:

Dzài can be used only in a contemplated action in the
form of a plan, suggestion, request or command, and ean
not be used in a completed action:

Plan: Wǒ dǎswan míngtyan dzai chyù.
Suggestion: Nǐ dzwèihǎu míngtyan dzai chyù.
Request: Wǒmen míngtyan dzai chyù, hǎu buhǎu?
Command: Nǐ míngtyan dzai chyù.

But not: Tā dzwótyan dzai chyù.

Tsái can be used in both contemplated and completed
actions:

Tāmen míngtyan tsai chyù ne.
Tāmen dzwótyan tsai chyùde.

While tsái may be used in a contemplated action, it can only be used in the form of a statement or a plan:

Statement: Tāmen míngtyan tsai chyù ne.
Plan: Tāmen syǎng míngtyan tsai chyù ne.

It cannot be used in a suggestion, request or command.

3. Jyòu and Tsái Compared:

These two words are sometimes opposite in meaning. When they are preceded by a time expression, jyòu means "sooner than expected" and tsái means "later than expected".

Sooner: Tā lyòudyan jūng jyou láile.
         (He came when it was only six o'clock.)

Later: Tā lyòudyan jūng tsai láide.
         (He didn't come until six o'clock.)

4. Exercise - Translate into Chinese:

4.1 Don't go now; you'd better wait until he comes, and then go.

4.2 If he is willing to pay, I will be very glad to buy one for him.

4.3 It came at 3:30 - an hour too early.

4.4 We won't eat until he comes back from the school.

4.5 How about our doing it tomorrow?

4.6 I didn't answer her letter until she had written me three times.

4.7 I will pay you back as soon as I get another loan.

4.8 We will start a new book only when we finish this one.

4.9 If he can take me home, I will wait till twelve.'

4.10 I cannot understand the kind of Chinese spoken by
     other people. I can only understand his Chinese.

4.11 I plan to write a book when I come back from China.

4.12 I am too tired now. I'll have to take a rest
     before I do any more.

4.13 As soon as the spring comes, the grass turns green.

4.14 It was only because he didn't have any money, that
     I paid for him.

4.15 Don't read that book today. I don't want you to
     read it until tomorrow.

IV. <u>Fāyīn Lyànsyí</u>

1. "Dzwótyan wǎnshang jyǎngyǎnde <u>chíng</u>sying dzěmmayàng?"
   "Jyǎngde hěn <u>chīng</u>chu."

2. "Jeìjyu hwà <u>dzěmma</u> jyǎng?" "<u>Wó</u> ye bùjŕdàu."

3. "Nèige dìfangde <u>rén</u>kǒu dwōshau? Yǒu <u>shémma</u> chūchǎn?"
   "Nǐ dzwèihǎu wèn <u>tā</u> ba."

4. "Tā nèr chúle <u>myán</u>hwa yǐwài, <u>hái</u> mài shémma?" "Chúle
   <u>myán</u>hwa, <u>bú</u>mài byéde."

5. "Jèige shr <u>yín</u>dz dzwòde, shr <u>tyě</u> dzwòde?" "Dàgài shr
   <u>túng</u> dzwòde."

6. "Jèige syǎusywé shr <u>gūng</u>lide shr <u>sz̄</u>lìde?" "Shŕ jyàu
   <u>hwèi</u> bànde, swàn <u>sz̄</u>lide."

7. "Jèr fù<u>jìn</u> yǒu <u>Jī</u>dūjyàude jyàutáng ma?" "<u>Méi</u>you.
   Jyòu yǒu <u>Tyān</u>jǔjyàude jyàutáng."

8. "Lǐbailyòude <u>ywē</u>hwei dzěmmayàng?" "Dōu gen tāmen
   dìnghǎule."

9. "Tā shwōde syàuhwar kě<u>syàu</u> ma?" "Bùke<u>syàu</u>,kěshr

bùhǎuyìsz búsyàu."

10. "Jèige dž nǐ dzěmma hái shwōbudwèi?" "Wǒ jr̄dau búdwèi,
kěshr gǎibulyǎu."

V. Wèntí

1. Sž Ss. wèi shémma yau dǎtìng nèige syǎu chéngde chíng-
syìng? Tā gen shéi dǎtìng?

2. Tā jyànjau Jàu Ss., Jàu Džān gen ta shwō shémma? Wèn
ta shémma wèntí?

3. Jàu Ss. dau nèige syǎu chéng chyùgwo ma? Tā jywéde
nèige chéng dzěmmayàng? Tā hái syǎng chyù ma?

4. Dàu neige dìfang chyù, děi dzai lùshang dzǒu dwó jyǒu?

5. Nèige chéng lǐtoude rénkǒu yǒu dwōshau? Jàu Ss.
jr̄daude chīngchu buchīngchu?

6. Nèige dìfang yǒu shémma chūchǎn? Chū shémma chūde
dzwèi dwō? Hái chū shémma?

7. Nèige dìfangde sywésyàu shr szlìde hái shr gūnglìde?
Yǒu jyàuhwèi bànde meiyou? Shr̄ Tyānjǔjyàu bànde hái
shr Jīdūjyàu bànde?

8. Nèige dìfangde sywésyàu shr̄ jūngsywé shr syǎusywé?
Jǐge jūngsywé, jǐge syǎusywé?

9. Nèige chéng lǐtou yǒu jyàutáng ma? Shr̄ shémma jyàuhwèi-
de jyàutáng?

10. Sž Ss. yau chǐng Jàu Ss. gēn ta yíkwàr chyù ma? Wèi
shémma Sž Ss. ywànyi chǐng Jàu Ss. gen ta yíkwàr chyù?

11. Jàu Ss. ywànyi dau nèige dìfang chyù ma? Tā wèi shémma
bùnéng chyù?

12. Sž Ss.de jyǎngyǎn shr̄ yùng Yīngwén jyǎng, shr̄ yùng
Jūngwén jyǎng? Sž Ss. džjǐ jywéde tade Jūngwén dzěmma-
yàng?

13. Jàu Ss. jywéde Sż Ss.de Jūngwén dzĕmmayàng? Jàu Ss.
    jywéde ta yīngdāng yùng Jūngwén jyǎng háishr yùng
    Yīngwén jyǎng?

14. Sż Ss. dǎswan dzĕmma yùbei tade jyǎngyǎn? Jāu Ss.
    néng bāng ta shémma máng?

15. Wèi shémma Sż Ss. yàu nèmma syǎusyin?

16. Chǐng nǐ bǎ Sż Ss. shwōde nèige syàuhwa shwō yishwō?

17. Sż Ss. yàu dzǒude shŕhou, tā shwō shémma? Jàu Ss.
    shwō shémma?

18. Sż Ss. yau hwéichyu dzwò shémma chyu? Tā yau dièrtyan
    shémma shŕhou láî?

19. Nǐ jyǎngyǎngwo meiyou? Shŕ yùng Jūngwén jyǎngde ma?
    Nǐ jywéde jyǎngyǎn yǐchyán yīngdāng yùbèi ma? Yīngdāng
    dzĕmma yùbèi?

20. Chǐng ni bǎ nǐ chyùgwode yige syǎu chéngde chíngsying
    shwō yishwō.

VI. Nǐ Shwō Shémma?

1. Yàushr nǐ yàu dàu yige dìfang chyù, nèige dìfang nǐ
   méichyùgwo. Nǐ syǎng dǎting nèige dìfangde chíngsying.
   Nǐ dōu yàu dǎting shémma? Nǐ dzĕmma wèn?

2. Yàushr yǒu rén gēn nǐ dǎting, nǐ jùde nèige chéng yǒu
   shémma sywésyàu, yǒu shémma jyàutáng, nǐ dzĕmma shwō?

3. Yàushr nǐde péngyou chǐng nǐ gēn tā dàu yige dìfang
   chyù, nǐ bùnéng chyù. Nǐ dzĕmma gēn tā shwō?

4. Yàushr nǐ chǐng nǐde péngyou gēn nǐ dàu yige dìfang
   chyu, ta bùnéng chyù, kěshr tā hěn bùhǎuyìsz shwō. Nǐ
   gēn tā shwō shémma?

5. Nǐde péngyou dàu ni jyā láile. Tánle yìhwèr hwà, tā
   yàu dzǒu. Nǐ syǎng lyóu ta dzài dzwò yìhwèr. Nǐ
   dzĕmma gēn tā shwō?

VII. <u>Bèishū</u>

A: Wài, láujyà, gěi wǒ jyē sānjyú, èr-wǔ-líng-sż.

B: Hwáwén Sywésyàu. Nín shr nǎr?

A: Nín shr̀ Hwánwén Sywésyàu a! Láujyà, chǐng Lǐ Ss. jyē dyànhwà.

B: Něi wèi Lǐ Ss. a?

A: Lǐ Yáuchīng, Lǐ Ss.

B: Wǒ jyòu shr̀ a. Nín shr̀ něiwèi?

A: Wǒ syìng Sż a.

B: Òu, Sż Ss., hěn jyǒu méijyàn.

VII. <u>Fānyì</u>

1. Translate into Chinese:

  1.1 Who was the speaker yesterday? (Who spoke yesterday?)

  1.2 He's a very good speaker. (He spoke well.)

  1.3 His lecture was very clear.

  1.4 How is the situation in China now?

  1.5 The population of this place has increased a lot in comparison with last year.

  1.6 That place is rich in many kinds of products.

  1.7 Besides Chinese he knows German too.

  1.8 After he graduated from a public elementary school he went to a private high school.

  1.9 Is your high school a public, private, or church school?

1.10 This is made of cotton.

1.11 I understand that the school is operated by a
     church, but whether it is a Protestant or Catholic
     church, I don't know.

1.12 I have an engagement at six o'clock.

1.13 I can speak a little but not well.

1.14 If I made any mistake, please correct it for me.

1.15 I asked him to alter my dress but he made it worse.

2. Translate back into Chinese:

(295) a. Will you please explain this word for me.
      b. The teacher explained the lessons very clearly.

(298) a. What is the population of that place?

(299) a. What is produced (or grown) here?

(300) a. The place is rich in many kinds of products.

(301) a. There is no one but you.
      b. Besides English, he can speak French too.
      c. Besides her jewlry, she lost some clothes.

(309) a. Is this a private or public school?

(314) a. I want to set a time to have a chat with him.

(315) a. I can go, but I don't very much want to go.
      b. He gave me only five dollars.

(316) a. He never says this sentence correctly. I have
         corrected him many times already, but he
         doesn't seem to be able to get it right.
      b. This dress is too small. There is no way to
         alter it.

(317) a. He himself thought the joke he told was funny,
         but nobody laughed.

DISHRSZKE - DÀU SHÀUSYÀN CHYÙ

I. Dwèihwà

Sz̄ Ss. yàu dau Shàusyàn chyu.
Chyù yǐchyán, tā wàng hwǒchējàn dǎ
dyànhwà, dǎting yìtyān yǒu jǐtsz̀
chē, shémma shŕhou kāi, chēpyàu
5   dwōshau chyán.

Sz̄:   Wài, nín shr hwǒchējàn ma? Wǒ gēn nín dǎting,
           dau Shàusyàn chyude chē, yìtyān yǒu jǐtsz̀?

Dyànhwàli: Píngcháng shr̀ yìtyān lyǎngtsz̀. Syīngchīlyòu
           gēn syīngchītyān, yìtyān sāntsz̀.

10 Sz̄:   Chǐngwèn, dōu shr shémma shŕhou kāi?

Dyànhwàli: Píngcháng shr̀ shàngwǔ bādyǎn-shŕwǔ yítsz̀,
           syàwǔ sāndyǎn-sz̀shrwǔ yítsz̀. Syīngchīlyòu gēn
           syīngchīr̀, lìngwài yǒu yítsz̀ tèbyé-kwàichē,
           shr̀ jěng shŕèrdyǎn kāi.

15 Sz̄:   Tèbyé-kwàichē dzǒu jǐge jūngtóu?

Dyànhwàli: Dzǒu lyǎnggebàn jūngtóu, lyǎngdyǎnbàn dàu.

Sz̄:   Chēpyàu dwōshau chyán?

Dyànhwàli: Tóuděng sānkwai-lyòu, èrděng lyǎngkwai-sz̀,
           sānděng yíkwai-èr.

20 Sz̄:   Nín shwōde shr̀ tèbyé-kwàichēde jyàchyan ma?

Dyànhwàli: Dwèile.

Sz̄:   Láihwéipyàu pyányi yidyǎr ma?

Dyànhwàli: Bù. Láihwéipyàu swàn lyǎngge dānchéngpyàu.

Sz̄:   Dwōsyè, dwōsyè.

(Syīngchīlyòu, shŕyīdyan jūng, Sz̄ Ss. bǎ
syíngli shōushrhǎule. Chúdz bāngje ta náje
syāngdz, tsúng jyāli chūlai, gù sānlwúr.)

Chúdz: Sānlwúr, hwǒchējàn chyù buchyù?

5 Dēngsānlwúrde: Nín kànje gěi, hǎu buhǎu?

Chúdz: Nǐ shwō yàu dwōshau chyán ba.

Dēngsānlwúrde: Lyǎngmauwǔ ba.

Chúdz: Yìmáuwǔ, chyù buchyù?

Dēngsānlwúrde: Nín gěi lyǎngmáu chyán ba.

10 Chúdz: Yìmáuwǔ. Dwōle búyàu. Ai chyù búchyù.

Dēngsānlwúrde: Lái. Nín dzwòshang.

                    (Chúdz bǎ syāngdz fàngdzai sānlwúnchēshang,
                    Sz̄ Ss. shàngle chē jyòu dzǒule. Dàule
                    chējàn, jyǎuháng gwòlaile.)

15 Jyǎuháng: Nín dau nǎr chyù a? Mǎi pyàu le ma?

Sz̄:   Shàusyàn.

Jyǎuháng: Nín bǎ syāngdz jyāugei wǒ ba. Shr̀ gwà
                    páidz, shr̀ dz̀jǐ dài?

Sz̄:   Nǐ nájùle ma? Lyóu dyǎr shén.

20 Jyǎuháng: Nín fàngsyīn. Nín jyāugei wǒ ba.

Sz̄:   Dzài nǎr mǎi pyàu a?

Jyǎuháng: Pyàufángr dzài jèibyar. Nín chyu mǎi
                    pyàu chyu, wǒ dzài jèr děng nín.

                    (Sz̄ Ss. dzai pyàufángr chwānghu chyántou.)

Sz̄:   Shàusyàn. Tóuděng, tèbyé-kwàichē,
                    láihwéipyàu yìjāng.

Màipyàude: Sānkwai-lyòu.

Sz̄:   Jèi shr wǔkwài.

Màipyàude: Jǎu nín yíkwai-sz̀.

Sz̄:   (Dwèi jyǎuháng) Dàu jàntái chyu, tsúng nǎr dzǒu?

Jyǎuháng: Nín lái. Nín gēn wǒ dzǒu. Bùmáng. Chē hái
5   méijìn jàn ne.

            (Hwǒchē láile.)

Jyǎuháng: Nín kànkan nínde syíngli dwèi budwèi?
            Jyǎuháng bùsyǔ shàngchē.

Sz̄:   Hǎu. Nǐ jyāugei wǒ ba. Dwōshau chyán?

10 Jyǎuháng: Nín kànje gěi.

Sz̄:   Àn gwēijyu, shr dwōshau chyán yíjyàn?

Jyǎuháng: Àn gwēijyu shr lyǎngmáu chyán yíjyàn. Nín
            dwōshau dwō gěi yìdyǎr.

Sz̄:   Géi ni sānmáu chyán ba.

15 Jyǎuháng: Syèsye. Syèsye.

            (Dzài chēshang -)

Chápyàude: Wàng lǐ dzǒu. Lǐtou kūngje ne. Yǒudeshr̀
            dzwòwei.

Sz̄:   Jyègwāng, jyègwāng, ràng wǒ gwòchyu.

20   (Sz̄ Ss. kànjyan yǒu yige lyǎngge-rén-dzwòde
            yǐdzshang jyòu yǒu yíge rén. Yǒu yige
            dzwòwei kūngje ne. Jyòu gēn neige dzwòje de
            rén shwō:)

Sz̄:   Láujyà, jèr yǒu rén meiyou?

25 Yǐdzshang dzwòje de neige rén: Méiyou.

            (Sz̄ Ss. bǎ syāngdz fàngsya. Dzwòsya yǐhòu,
            chápyàude gwòlaile.)

Chápyàude: Pyàu. Pyàu. Chápyàu le. Chǐng bǎ pyàu
náchulai.

(Sz̄ Ss. bǎ pyàu náchulai, gēn chápyàude shwō:)

Sz̄:   Shr̀ lyǎngdyǎnbàn dàu Shàusyàn ma?

5 Chápyàude: Dwèile.

Sz̄:   Dàulede shŕhou, chǐng gàusung wo. Láujyà.

Chápyàude: Hǎu ba.

II. Shēngdz̀ Yùngfǎ

318. syīngchī   N/TW: week/Sunday
 318.1 syīngchīr̀   TW: Sunday
 318.2 syīngchītyān TW: Sunday (interchangable with
                         syīngchīr̀)
 318.3 syīngchīyī TW: Monday
 318.4 yíge syīngchī NU-M: one week

319. (tèbyé)-
        kwàichē   N: express train
 319.1 mànchē   N: local train

320. jěng   A: just, exactly
 320.1 jěng bādyǎn
        (bādyǎnjěng)   eight o'clock sharp, exactly 8
                       o'clock
 320.2 jěng shŕkwai
        chyán   ten dollars even

        a. Wǒ jěng chyùle sāntyan.

321. -děng   M: grade, class
 321.1 tóuděng(chē)   first class (train)
 321.2 èrděng   second class
 321.3 sānděng   third class

322. láihwéipyàu   N: round trip ticket

323. dānchéngpyàu N: one way ticket

324. dwōsyè   IE: many thanks

325. syāngdz   N: suitcase, trunk, chest
  325.1 písyāng   N: suitcase, trunk, chest (leather)

326. sānlwúr   N: pedicab (M: -lyàng)
  326.1 sānlywúnchē   N: pedicab
  326.2 gù sānlwúr   VO: to hire a pedicab
  326.3 dzwò sānlwúr   VO: to ride a pedicab
  326.4 dēng sānlwúrde VO: pedicab-man (lit. one who pedals
                            a pedicab)

327. ài chyù búchyù   IE: go or not as you please
  327.1 ài chr̄
        bùchr̄   IE: eat it or not as you please
  327.2 ài dzǒu
        bùdzǒu   IE: leave or stay as you please

328. jyǎuháng   N: porter (baggage)
  328.1 húng màudz   N: red cap

329. jyāu(gei)   V: turn over to, hand over to
  329.1 jyāugei tā   turn over to him

        a. Nǐ bǎ chyán jyāugei shéi le?
        b. Jèijyan shr̀ching wo bugwǎnle. Jyāugei nǐ ba.

330. páidz   N: sign, tag (baggage), brand, make
  330.1 gwà páiz   VO: to check baggage

        a. Nǐde chìchē shr̀ shémma páidz?

331. pyàufángr   N: ticket office

332. tái   N: stage, platform
  332.1 jàntái   N: station, platform

        a. Dàu Nánjīngde chē, dzài dìjǐ jàntái?

333. gēn   V: follow
  333.1 gēnje   V/A: follow
  333.2 gēnshang   RV: catch up

        a. Chǐng nǐmen dàjyā dōu gēnje wǒ nyàn.
        b. Tā dzǒude tài kwài, wǒ jyǎnjŕde gēnbushàng ta.

334. syǔ   V: permit, allow, let

a. Tā syǔ wǒ chyù, wǒ jyou chyù, bùsyǔ wǒ chyù, wǒ
   jyou búchyù.

335. gwēijyu   N: customs, rules and regulations
 335.1 yǒugwēijyu   SV: be well disciplined, well mannered
 335.2 àn gwēijyu   VO: "according to custom"

336. dwōshǎu V yìdyǎr   a little bit (more or less)
 336.1 dwōshǎu V jǐ...— a little bit (more or less)

     a. Wǒ dwōshau dǔng jijyù Yīngwén.
     b. Nǐ dwōshǎu gěi ta dyǎr chyán, jyòu syíngle.

337. chá pyàu   VO: to punch tickets, to examine
                          tickets
 337.1 chápyàude   N: conductor

338. kūng   SV: be empty, vacant
 338.1 kūng dzwòr   vacant seat
 338.2 kūng fáng   vacant house
 338.3 kūng wūdz   vacant room
 338.4 kūng hédz   empty box
 338.5 kūngle   it's become empty

     a. Wǒ jyā litou, yìjyān kūng wūdz dōu méiyǒu.
     b. Tā nèige syāngdz kūngje ne.

339. yǒudeshr̀   V: there is plenty (of it)

     a. Tā yǒudeshr̀ chyán.
     b. Yǒudeshr̀ hwèi shwō Jūnggwo hwà de Měigwo rén.

340. dzwòwèi   N: (M: -gè) seat
     (dzwòr)
 340.1 yǒu dzwòr   there are seats
 340.2 méi dzwòr   there are no seats
 340.3 dìng dzwòr   to reserve a seat

341. jyègwāng   please excuse me, pardon me

     a. Jyègwāng, dàu hwǒchējàn chyu dzěmma dzǒu?
     b. Jyègwāng, jyègwāng, ràng wǒ gwòchyu.

III. Jyùdz Gòudzàu

1. **Measures:**

A measure must immediately follow a number with two exceptions: (1) if there is no number appearing before the measure, the number yī is understood. It often appears in these forms:

Following a specifier: jèige (jèiyige), měityan (měiyityan), etc.
Following a verb: Wǒ you (yi) ge péngyou. Wǒ yau mái (yi) ben shū. Etc.

(2) A few stative verbs may be inserted between the number and the measure, the most frequently used ones being dà, syǎu and jěng: 整

Yídàben (shū)   sānsyǎukwai (yídz)   sžjěngjang (jř)   四 张 纸

1.1 The general measure ge, is applicable to most nouns even when a more appropriate measure is available. Since things of different shape, nature, number, size, weight or volume require specific measures, they may have specific meanings:

yìběn shū (a book)
yítàu shū (a set of books)
yìshwāng wàdz (a pair of socks)
yìdá wàdz (adozen pairs of socks)

Note that meaning is differentiated entirely by the measures. When a measure is used with one noun only or with a limited group of nouns, the noun itself is frequently omitted, since no confusion is likely to arise:

Nèisānběn wǒ dōu mǎile (definitely refers to books)
Dzwótyan láile sānwèi (definitely refers to people)

1.2 The following table contains the most important specific measures already introduced and is printed here for a general review:

TERM	MEANING AND USE	EXAMPLES
BǍ	to grasp - M. of things that are grasped	yìbǎ yǐdz (a chair) yìbǎ dāudz (a knife) yìbǎ chādz (a fork) yìbǎ sháudz (a spoon)
BĀU	to wrap - M. of things that are wrapped up	yìbāu yān (a pack of cigarettes)
BĚN	volume - M. of books; cf. <u>tàu</u>	yìběn shū (a book)
BÙ	section, class - M. of books	yíbù shū (a literary work)
CHǏ	foot (measure)	yìchǐ bù (a foot of cloth) yìchǐ cháng (a foot long)
DÁ	dozen	yìdá jīdàn (a dozen eggs) yìdá wàdz (a dozen pairs of socks or stockings)
DWǑ	cluster - M. of flowers	yìdwǒ hwār (a flower)
DYǍN	o'clock; hour	yìdyǎn jūng (one o'clock; one hour)
FĒN	minute; cent	yìfēn jūng (one minute) yìfēn chyán (one cent)
FĒNG	seal up	yìfēng syìn (a letter)
GÈ	general measure	yíge syǎuhár (a child) etc.
GĒN	root, origin - M. for long slender things	yìgēn yān (a cigarette) yìgēn yánghwǒ (a match)
HÀU	M. for room, house, telephone numbers, days of the month, hats, socks, shoes, clothing, etc.	yíhàu (No. 1) yíywè yíhàu (Jan. 1st) báhàu(r) syé (size 8 shoes) shŕwǔhàu(r)bàn chènshān (15 1/2 shirt)
HÉ	small box	yìhé(r) táng (a box of candy)

TERM	MEANING AND USE	EXAMPLES
		yìhé(r) yánghwǒ (a box of matches)
HWÉI	time, occasion	yìhwéi (once)
JĀNG	M. for certain flat, sheet-like items	yìjāng jř (a sheet of paper) yìjāng hwàr (a picture) yìjāng jwōdz (a table)
JŘ	one of a pair; single - M. for birds, boats, certain animals, etc.	yìjř jī (a chicken) yìjř yǎn (an eye) yìjř chwán (a boat) yìjř shǒu (a hand) yìjř jyǎu (a foot) yìjř nyóu (a cow, ox)
JǓNG	kind, sort	jèijǔng rén (this kind of people) jèijǔng pínggwǒ (this kind of apple)
JYĀN	M. for rooms	wǔjyān wūdz (five rooms) lyǎngjyān wòfáng (two bed-rooms)
JYÀN	article	yíjyàn shr̀ (a matter) yíjyàn yīshang (an article of clothing) yíjyàn syíngli (a luggage) yíjyàn dūngsyi (a thing)
JYÙ	sentence	yíjyù hwà (a sentence)
KĒ	M. for trees, plants	yìkē shù (a tree)
KÈ	quarter hour	yíkè jūng (15 minutes)
KÈ	lesson	yíkè (one lesson) dìyíkè (Lesson 1)
KWÀI	piece, lump - M. for anything dealt with in "pieces"	yíkwài dì (a piece of land) yíkwài chyán (a dollar) yíkwài bù (a piece of cloth)

TERM	MEANING AND USE	EXAMPLES
LǏ	M. for Chinese lǐ (about 1/3 mile)	yìlǐ (one lǐ) dzǒule yìlǐ lù (walked one lǐ)
LYÀNG	M. for vehicles except airplanes	yílyàng chē (a cart) yílyàng chìchē (a motor car)
MÁU	dime - M. for ten cents	yìmáu chyán (ten cents)
MÉN	M. for school subjects, learning	yìmén gūngke (a school subject) yìmén sywéwen (a learning)
NYÁN	**year**	yìnyán (a year)
PÁN(dz)	plate, dish	yìpán tsài (a plate of food)
SHWĀNG	pair	yìshwāng wàdz (a pair of socks or stockings) yìshwāng syé (a pair of shoes) yìshwāng kwàidz (a pair of chopsticks)
SWÈI	year of age	yíswèi (one year old)
SWǑ(r)	M. for house, building	yìswǒ(r) fángdz (a house) yìswǒ(r) lóu (a building)
TÀNG	time, occasion - M. for trips and those of buses, trains, etc.	yítàng chìchē (a trip of buses) Nǐ chyùgwo jǐtàng? (How many times have you been there?)
TÀU	covering, set	yítàu shū (a set of books) yítàu yīshang (a suit of clothes) yítàu jyājyu (a set of furniture)
TSZ̀	time, occasion	sāntsz̀ (three times)
TYĀN	day	yìtyān (a day)

TERM	MEANING AND USE	EXAMPLES
TYÁU	strip, branch - M. for long, slender things; cf. gēn	yìtyáu lù (a road) yìtyáu jyē (a street) yìtyáu hé (a river) yìtyáu yú (a fish)
WǍN	bowl	yìwǎn fàn (a bowl of rice) yìwǎn shwěi (a bowl of water)
WÈI	seat, position - polite M. for persons	yíwèi syānsheng (a gentleman) yíwèi kèren (a guest) yíwèi tàitai (a lady) yíwèi syáujye (a Miss)
YÀNG	kind, sort	lyǎngyàng(r) dyǎnsyin (two kinds of refreshments) jèiyàng(r) tyānchi (this kind of weather)
YÈ	night	sāntyān sānyè (three days and nights)
YĪNGLǏ	mile (lit. Eng. lǐ)	yìyīnglǐ (one mile)

2. Reduplicated Measures:

A reduplicated measure (MM) has the meaning of "each M" (měiyi M). It often serves as a N or a TW before the V in a sentence, and with an inclusive adverb like dōu, chywán, lǎu or dzǔng:

Nèisyejāng jwōdz, jāngjāng dou shr wǒde.
(Every one of those tables is mine.)

Tā tyāntyān dzǔngshr hē hěn dwō jyǒu.
(He drinks a lot everyday.)

Wǒ mǎide nèisye pínggwo, gègè(r) chywán shr hwàide.
(Every one of the apples I bought is rotten.)

Wǒmen nyánnyán lǎushr dàu wàigwo chyù yitsż.
(We go abroad once each year.)

3. Reduplicated Number-Measures:

Number-measures may be reduplicated too (NU-M NU-M). De
is usually added at the end and the entire expression
functions as an adverb. Each NU-M in the pair may be
followed by a noun. The most frequently used NU is yī
and the whole pattern means "one by one". When èr, sān,
etc. are used, then, of course, they mean "two by two",
"three by three", etc.:

   NU-M (N) NU-M (N) de

   Byé yíge(rén)yíge(rén)de chyù.
   (Don't go there one by one.)

   Wǒ shr yíge ywè yíge ywè de gěi fángchyan.
   (I pay my room rent by the month.)

The N after the NU-M is often left out when the meaning
is clear without it (as in the first illustration). If,
however, the meaning is not clear without the N, then it
cannot be left out (as in the second one).

3.1 All the NU-M may be reduplicated in this manner, the
    frequency of use of which depends on how common they
    are as number-measures. Therefore, the common
    measures given in the list in 1.2 are all frequently
    used in this reduplicated NU-M(N) pattern.

4. Exercise - Translate into English:

   4.1 Measures of yān:

       a. Wǒ yìgen yān dou buchōu.
       b. Tā mǎile wǔbau yān.
       c. Sānhé yān ta dōu chōuwánle.
       d. Jèijùng yān, wǒ busyǐhwan.

   4.2 Measures of hwà:

       a. Wǒ jyòu shwōle yíjyu hwà.
       b. Wǒ gen ta tángwo lyǎngtsż hwà.
       c. Shéi néng shwō wǔlyòugwó hwà?
       d. Tā lǎu ài shwō nèijǔng hwà.

   4.3 Measures of chē:

a. Sānlyàng chē dou hwàile.
b. Yìtyān yǒu szwǔtàng chē.
c. Wǒ dzwòle yìtyānde chē.
d. Nǐ dzwò sāndyǎn jūng nèitsz chē ba.

4.4 Measures of wàdz:

a. Wǒ mǎile lyǎngshwāng wàdz.
b. Wǒ yìjř wàdz dou méiyǒule.
c. Wǔdá wàdz tsái shŕèrkwai chyán.
d. Tā gěile wo sānbāu wàdz.

4.5 Measures of syìn:

a. Tā láigwo yítsž syìn.
b. Wǒ syěle yíyède syìn.
c. Nǐ jyējau jǐfeng syìn?
d. Wǒ búywànyi kàn jèijǔng syìn.

4.6 Measures of yīshang:

a. Wǒ děi mǎi yitàu yīshang.
b. Jèijyan yīshang hěn pyányi.
c. Wǒ jyou chwāngwo yítsž Jūnggwo yīshang.
d. Chǐng nǐ bǎ jèibau yīshang nádzǒu.

4.7 Measures of jī:

a. Wǒ mǎile lyǎngjř jī.
b. Jèijǔng jī shr Dégwo jī.
c. Nèi yìpándz jī wǒmen dou chřle.
d. Tā màile yìnyánde jì.

4.8 Measures of shū:

a. Wǒ mǎile yíbù shū.
b. Tā kànle sānběn shū.
c. Wǒ děi nyàn lyǎngnyán shū.
d. Wǒ lyán yídyǎr shū dōu méinyàngwo.

4.9 Measures of chādz:

a. Tā yǒu lyǎngbǎ chādz.
b. Jèi shr yítàu chādz.
c. Jè shr něigwó chādz?
d. Wǒ yùnggwo yìnyán jèijung chādz.

4.10 Measures of jūng:

    a. Syàndzài shr sāndyan jūng le.
    b. Wǒ mǎile yìdá dà jūng.
    c. Sānfēn jūngde gūngfu jyou wán le.
    d. Wǒ jyou dzai nèige pùdz mǎigwo yítsż jūng.

5. Exercise II - Give an appropriate specific measure (not ge) to every noun and translate into English:

jyājyu	jř
gūnggùng-chìchē	yǎnjing
fàn	syé
syānsheng	kùdz
kwàidz	syíngli
shwādz	shù
nyóu	hwār
hwà	chwán
gūngkè	jyǎu
tsài	hwàr

6. Exercise III - Choose 10 measures from the table in 1.2 and make sentences using reduplicated M and NU-M(N) patterns:

IV. Fāyīn Lyànsyí

1. "Nǐ bǎ nèige syāngdz jyāugei shéi le?" "Jyāugei jyǎuháng le."

2. "Dàu Nyóuywē de tèbyé-kwàichē shémma shŕhou kāi?" "Shŕèrdyǎnjěng."

3. "Dàu Shànghǎi de èrděng láihwéipyàu dwōshau chyán?" "Èrshrchíkwàibàn."

4. "Nín jèisānjyan syíngli dōu gwà páidz ma?" "Bù, jèijyan wǒ dżjǐ dài."

5. "Jyǎuháng, jyègwāng, pyàufángr dzai nǎr?" "Nínde syāngdz búyùng ren ná ma?"

6. "Jèr jèn bùsyǔ chōu yān ma?" "Dwèile, jè shr jèrde gwēijyu."

7. "Nín dwōshau dzài chr̄ yìdyǎr".   "Bùchr̄le, wǒ chr̄bǎule."

8. "Lǐtou hái you kūngdzwòr ma?"   "Chápyàude shwō yǒu."

9. "Jyègwāng, wǒ gen nín dǎting dǎting, chēshang syǔ chōu
    yān bùsyǔ?"   "Bùsyǔ. Nèr yǒu yíge páidz, syěje ne."

10. "Láujyà, dau Shànghai de chē, dzai dìjǐ jàntái?"   "Nín
    gen byéren dǎting ba. Wǒ ye shwōbuchīngchu."

V. Wèntí

1. Sz̄ Ss. gei nǎr dǎ dyànhwà? Wèi shémma dǎ?

2. Hwǒchē dau Shàusyàn, yìtyan you jǐtsz̀? Dōu shr shémma
   shŕhou kāi? Syīngchīlyòu gen syīngchītyān de tèbyé-
   kwàichē, shémma shŕhou kāi?

3. Tèbyé-kwàichē dzǒu jǐge jūngtóu? Shémma shŕhou dàu?

4. Chēpyàu tóuděng dwōshau chyán? Èrděng gen sānděng ne?

5. Láihwéipyàu bǐ lyǎngge dānchéng pyányi ma?

6. Sz̄ Ss. shr̀ něityan dàu Shàusyàn chyùde? Jǐdyǎn jūng?

7. Chúdz bāngje ta dzwò shémma shr̀?

8. Tā sānlwúr shr dwōshau chyán gùde?

9. Sz̄ Ss. jyàu jyǎuháng le méiyou? Jyǎuháng bāng ta dzwò
   shémma? Jyǎuháng wèn ta shémma?

10. Sz̄ Ss. mǎide shr̀ láihwéipyàu hái shr̀ dānchéngpyàu?

11. Sz̄ Ss. jr̄dau shr něige jàntái bujr̄dau? Tā rènshr
    burènshr jàntái dzai nǎr?

12. Jyǎuháng syǔ shàng chē busyú?

13. Jyǎuháng ná dūngsyi, àn gwēijyu, shr dwōshau chyán
    yìjyàn? Sz̄ Ss. gěile ta dwōshau chyan?

14. Chápyàude shwō shémma?

15. Sz̄ Ss. jǎujau dzwòwei meiyou? Dzěmma jǎujaude?

16. Sz̄ Ss. gen chápyàude shwō shémma?

17. Tsúng jèr dau Nyǒuywē yìtyan yǒu jǐtsz chē? Dōu shr shémma shŕhou kāi?

18. Dzài Měigwo píngcháng hwǒchē gen gūnggùng-chìchē, láihwéïpyàu bǐ lyǎngge dānchéngpyàu pyányi ma?

19. Jyǎuháng píngcháng dōu gwǎn shémma shr̀?

20. Měigwode hwǒchē yě yǒu tóuděng èrděng sānděng ma?

VI. Nǐ Shwō Shémma?

1. Yàushr nǐ yàu wèn dàu Nyǒuywē chyude hwōchē, yìtyan jǐtsz? Dōu shémma shŕhou kāi? Nǐ dzěmma wèn?

2. Yàushr ni gù sānlwúr dàu hwǒchējàn chyu, nǐ dzěmma shwō?

3. Yàushr nǐ syǎng dǎting dzài shémma dìfang mǎi hwǒchēpyàu, nǐ shwō shémma?

4. Dzài hwǒchēshang, yàushr nǐ syǎng wèn yige rén, nèige kūngdzwòr nǐ néng dzwò bunéng, nǐ yǒu jǐge fádz shwō?

5. Dzài chēshang, yàushr nǐ syǎng jyàu chápyàude dàulede shŕhou gàusung ni, nǐ dzěmma gēn ta shwō?

VII. Gùshr

(on record)

VIII. Fānyì

1. Translate into English:

   1.1 Last week I took an express train to go to New York. It didn't stop at any stations and took exactly two hours.

1.2 In England I usually go second class.

1.3 I asked the redcap to put this suitcase in the pedi-
cab, but he said it wasn't his job. I was so mad.

1.4 I just want to tell you, whether you go or not is
up to you.

1.5 May I turn this suitcase over to you, and you return
it to him for me?

1.6 Do you want to check this suitcase or take it with
you?

1.7 Will you buy another round trip ticket for me? The
ticket office is outside on the platform.

1.8 They are too fast, I cannot catch up with them.

1.9 If you drive so fast, how can he follow you?

1.10 No smoking. (Smoking is not allowed.)

1.11 That child has good manners.

1.12 The conductor said that the car is empty, there are
plenty of seats.

1.13 Do you have any vacant rooms?

1.14 I have plenty to show you.

1.15 Pardon me, let me take a look.

2. Translate back into Chinese:

(320) a. I went there for exactly three days.

(329) a. Whom did you turn the money over to?
      b. I'm not going to do anything more about this
         matter.

(330) a. What make is your car?

(332) a. What track is the Nanking train on?

(333) a. Will all of you please read after me.
      b. He walks too fast. I simply cannot catch up
         with him.

(334) a. If he'll allow me to go, I'll go; if not, I
         won't go.

(336) a. I understand a little bit of English--more or
         less.
      b. Give him a little money (more or less) and it
         will be all right.

(338) a. There isn't a single vacant room in my home.
      b. That box of his is empty.

(339) a. He has plenty of money.
      b. There are plenty of Americans who can speak
         Chinese.

(341) a. Pardon me, how do you go to get to the station?
      b. Excuse me, let me through.

DISHRWŬKE - DZWÒ LĬBÀI

I. Dwèihwà

Sz̄ Ss. dzai Jūnggwo yige syǎu
chéngli, jùle yityān. Tā dzai nèr
rènshrle bùshǎude Jūnggwo syāngsya
rén. Yǒu yityān, tā gen yige syāngsya
5   rén shwō:

<u>Sz̄</u>:   Míngtyan shr syīngchīr. Jyàutángli dzwò
                lǐbài. Nǐ yě chyù kànkan hǎu buhǎu?

<u>Syāngsya rén</u>: Dzwò lǐbài shr̀ dzěmma hwéi shr̀?

<u>Sz̄</u>:   Jèige hěn bùrúngyi jyǎng. Yìlyǎngjyù hwà
10   yě jyǎngbuchīngchu. Nǐ míngtyan syān chyu
                kànkan, kànwánle, wǒ dzai géi ni jyǎng ba.

                (Syīngchītyān dzǎushang, jyàutángli sànle
                hwèi, nèige syāngsya rén tsúng jyàutángli
                chūlai, jyou chyu jǎu Sz̄ Ss.)

15 <u>Sz̄</u>:   Dzěmmayàng? Nǐ kànjyan dzwò lǐbài le ba?

<u>Syāngsya rén</u>: Kànjyanle. Wǒ jìnchyu de shŕhou, chyántou
                dou dzwòmǎnle, wǒ dzai hòutou jǎule yige
                dzwòr, jyou dzwòsyale. Yìhwěr táishang
                chūlai yige rén náje yiběn shū. Jyàu wǒmen
20   dàjyā jànchilai chàng gēr.

<u>Sz̄</u>:   Nèige rén jyou shr̀ mùshr. Nǐmen chàngde
                shr dzànměishr̄. Shr̀ dzànměi Shàngdì de
                yìsz.

<u>Syāngsya rén</u>: Wǒmen gāng chàngwán, tā you jyàu wǒmen bǎ
25   tóu dīsya. Tā jàndzai nèr hǎusyàng bèishū
                shr̀de shwōle hǎusyē hwà. Tā nà shr dzwò
                shémma ne?

<u>Sz̄</u>:   Nà búshr bèishū, nà shr chǐdǎu.

Syāngsya rén: Òu! Nà jyòu shr chǐdǎu a. Wǒ cháng tīng-
               shwō syìn jyàude rén tyāntyān chǐdǎu,
               kěshr wǒ méitīngjyangwo. Hòulai nèige rén
               yòu dǎkai yiběn shū, nyànle bàntyān, nyán-
5   wánle, yòu jyǎngyǎn. Hòulai, wǒ jyou
               shwèijáule. Děng wǒ syǐngle, jyou kànjyan
               yǒu rén nája pándz chwánlai chwánchyù, wǒ
               kàn rén dou jywān chyán. Wǒ yě jywānle
               yidyǎr. Yǐhòu you chàngle yige gēr, jyou
10   sànle.

Sz̄:   Nèiwei mùshr nyànde shr shèngjīng. Tā
               jyǎngde shr Yēsū Jīdūde dàuli, nà jyàu
               jyǎngdàu. Nǐ tīngdǔngle yìdyǎr meiyou?

Syāngsya rén: Méidǔng dwōshǎu. Swéirán wǒ bútài dǔng,
15   kěshr wǒ jywéde nà litou hěn ānjìng. Rén
               yě dōu hěn héchi. Tāmen hái gěile wǒ
               yijāng hwàr. Nín kànkan.

Sz̄:   Nǐ jr̄dau jèijāng hwàrde yìsz ma? Jèi shr
               yige gùshr. Shr̄ Yēsū shwōde yige bǐfang.

20   Nǐ kàn, jèiwei lǎu syānsheng hěn gāusyìng.
               Nǐ jr̄dau ta wèi shémma gāusyìng ma? Jèige
               shr̄ tāde dà érdz, jèige shr̄ tāde syǎu érdz.
               Tāde dà érdz, syàng hěn shéngchìde yàngdz.
               Nǐ jr̄dau ta wèi shémma shēngchì ma? Nǐ
25   tīng wǒ shwō. Jèiwei lǎu syānsheng hěn
               yǒuchyán. Yǒu yityān, tā jèige syǎu érdz
               chǐng tā fùchin bǎ chyán fēngei ta. Tā
               fùchin jyou bǎ chyán fēngei ta le. Tā
               nája chyán jyou dàu yige hěn ywǎnde dìfang
30   chyule. Dzài nèr bǎ chyán dou yùngwánle.
               Chyúngde méi fàn chr̄. Kǔjíle. Hòulai tā
               syǎngmíngbaile. Tā jywéde ta bùyīngdāng
               líkai jyā. Tā jyou hwéichyule. Nǐ kàn
               jèi hwàr, jè jyòu shr tā jyànjau ta fùchin
35   de yàngdz. Tā shwō: "Fùchin, wǒ jēn dwèi-
               buchǐ nín. Wǒ jēn bùyīngdāng líkai nín."
               Tā fùchin kànjyan ta hwéilaile, syīn litou
               jyǎnjŕde tùngkwaijíle. Jyou gǎnjǐn jyau
               yùngren gei ta hwàn yīshang hwàn syé. Yòu
40   jyàu chúdz gei ta dzwò tèbyé hǎude tsài.
               Tā dà érdz kànjyan jyou hěn shēngchì. Gēn
               ta fùchin shwō: "Wǒ dzài jyā gěi nín dzwò

shr̀, dzwòle dzèmma dwō nyán, nín tsúnglá_i
yě méigěigwo wǒ shemma tèbyéde dūngsyi chr̄,
yě méigěigwo wǒ shemma tèbyéde yīshang
chwān. Wèi shémma wǒ dìdi bǎ tāde chyán
5   dōu yùngwánle, hwéilaile, nín dàu dzèmma
gāusyìng, gěi ta dzèmma dwō dūngsyi?" Tā
fùchin shwō: "Érdz a, nǐ tyāntyān gēn wo
dzài yíkwàr. Wǒde yíchyè, yǐjing dōu shr̀
nǐde le. Kěshr̀ nǐ dìdi, shr̀ sǎle yòu
10   hwóle; shr̀ dyōulede, syàndzài yòu jǎuhwéi-
laile. Swóyi wǒmen yīngdāng tèbyé gāusyìng."

<u>Syāngsya</u> <u>rén</u>: Jèi gùshr̀ hěn youyìsz.

II. <u>Shēngdz̀</u> <u>Yùngfǎ</u>

342. dzwò lǐbài   VO: attend a religious service, go to
                          church

   a. Wǒ měilǐbài dōu dàu nèige jyàutáng chyu dzwò lǐbài.

343. hwèi   N: meeting
   343.1 kāi hwèi   VO: open a meeting, hold a meeting

344. sàn   V: disperse, break up, adjourn
   344.1 sàn hwèi   VO: adjourn a meeting

   a. Dzwótyan wǎnshangde hwèi, shr̀ shémma shŕhou sànde?

345. mǎn   SV: to be full
   345.1 dzwòmǎnle   RV: all seats are taken, (the room) is
                          full
   345.2 jwāngmǎnle RV: packed full

   a. Wūdzli rén dōu mǎnle.

346. mùshr   N: preacher, pastor, minister

347. dzànměishr̄   N: hymnal, hymn
   347.1 dzànměi   V: praise
   347.2 shr̄   N: poem, poetry (M: -shǒu)
   347.3 chàng
      dzànměishr̄ VO: sing a hymn

348. Shàngdì   N: God (M: -wèi)

    a. Tāmen chàng dzànměishr̄, shr̀ dzànměi shàngdì de yìsz.

349. dītóu   VO: bow the head, lower the head
 349.1 dīsya   RV: bow down

    a. Jèige mén tài ǎi, nǐ bùdītóu, gwòbúchyu.

350. bèishū   VO: recite (a lesson); to memorize,
                    to learn by heart

    a. Sywé wàigwo hwà, bèishū hěn yǒuyùng.

351. chǐdǎu   V: pray

    a. Chǐng nǐ yùng Jūnggwo hwà gěi wǒmen chǐdǎu.

352. syìn   V: believe
 352.1 syìn jyàu   VO: accept a religion, adhere to a
                    religion, be a Christian
 352.2 syìn Jīdūjyàu VO: be a Christian
 352.3 syìn Yēsūjyàu VO: be a Christian
 352.4 syìn
       Tyānjǔjyàu VO: be a Catholic

    a. Tāde hwà wǒ búsyìn.

353. dǎkāi   RV: open up

    a. Chǐng nǐmen bǎ shū dǎkai.

354. syǐng   V: wake up
 354.1 jyàusyǐng   RV: awaken

    a. Tā yǐjing syǐngle.
    b. Tā hái syǐngje ne.
    c. Tā ràng wǒ jīntyan dzǎushang jyàu tā, wǒ jyàule
       tā bàntyān méijyàusyǐng.

355. chwán   V: pass, spread
 355.1 chwán jyàu   VO: propagate religion, to preach the
                  gospel

    a. Chǐng nǐ bǎ jèihér táng chwán yichwán.
    b. Tā dzài Jūnggwo chwán jyàu.

356. chwánlai
        chwánchyu   pass around
 356.1 dzǒulai
        dzǒuchyù   walk back and forth
 356.2 pǎulái pǎuchyù   run back and forth
 356.3 shwōlái
        shwōchyù   discuss (the matter) back and forth
 356.4 kànlái kànchyù   consider from one angle and another
 356.5 shànglái syàchyù go up and down

357. jywān   V: give, donate, contribute
 357.1 jywān chyán   VO: donate money, raise money by
                          donation
 357.2 jywāngei   V: donate to
 357.3 gěi...jywān
        chyán   raise money for....
 357.4 gēn...jywān
        chyán   ask for contribution, solicit fund

    a. Tāmen yàu chǐng ta jywāngei sywésyàu yìchyānkwai
       chyán, bùjrdàu tā kěn jywān bukěn.
    b. Wǒmen syǎng gěi nèisye chyúngrén jywān yidyǎr
       chyán.
    c. Tā yǒudeshr chyán, gēn ta jywān yìdyǎr ba.

358. shèngjīng   N: Holy Bible, the Scriptures, the
                        Bible

359. dàuli   N: teaching, doctrine
 359.1 yǒudàuli   SV: be logical, reasonable
 359.2 jyǎngdàu   VO: to preach

    a. Tā shwōde hwà hěn yǒudàuli.

360. ānjìng   SV: be quiet

    a. Chǐng ānjìng dyǎr!

361. fēn   V: divide, separate, share
 361.1 fēn dūngsyi   divide things
 361.2 fēngei wǒ
        wǔkwai chyán   give me my five dollar share
 361.3 fēnkai   RV: separate

    a. Wǒ bǎ nèikwai táng, fēngei ta yíbàn.

198   Chinese Dialogues

362. chyúng   SV: be poor
 362.1 chyúngrén   N: poor people

     a. Tā chyánlyangnyán hěn chyúng.

363. kǔ   SV: be bitter to the taste; be hard,
                             difficult (of life)
 363.1 chřkǔ   VO: suffer bitterly

     a. Dàgài méi rén syǐhwan chř kǔ dūngsyi.
     b. Tā jèilyangnyán, kǔjíle.
     c. Nèige rén hěn néng chřkǔ.

364. tsúnglái...
     (jyou)   MA: heretofore, in the past
 364.1 tsúnglái...
     méi...   never before, never did
 364.2 tsúnglái...
     bù...   never before, never do

     a. Wǒ tsúnglai méitīngjyangwo tā chàng gēr.

365. sž   V: die
 365.1 sžrén   N: dead person
 365.2 dǎszle   RV: killed (by beating or a gun)
 365.3 èszle   RV: die of hunger, starve (to death)
 365.4 bìngszle   RV: die of illness

     a. Dzwótyan nèige fēijī chūshř, sžle èrshr jige rén.
     b. Wǒmen kwài jǎu yige dìfang chřfàn chyu ba, wǒ
        jyǎnjřde yàu èszle.

366. hwó   SV: be alive, living
 366.1 hwóje   living
 366.2 hwóbulyǎu   RV: be unable to live
 366.3 hwógwolai   RV: come to

     a. Tā hwójede shřhou, dzwèi syǐhwan dàu jèr lái.
     b. Dzwótyan tāmen bǎ ta dászle, hòulai tā you
        hwógwolaile.

III. Jyùdz Gòudzàu

1. <u>Descriptive Complement and Resultative Verb Compared</u>:

We are accustomed to think of <u>pǎudekwài</u> as an RV, <u>kwài</u>
serving as the result of <u>pǎu</u> and the whole combination
referring to the capability of the actor in carrying out
the action.   In this case, it is customary to write all
the syllables together, forming one RV expression:

Tā pǎudekwài. (He can run fast.)

But <u>kwài</u> in this pattern may describe the manner or
degree of the action <u>pǎu</u> rather than its result.   In
this case, <u>kwài</u> is considered as a descriptive comple-
ment of <u>pǎu</u> and is written separately:

Tā pǎude kwài. (His running--the way he runs--is fast.)

The following sentence illustrates the different func-
tions of <u>kwài</u> as an RVE and as descriptive complement:

Rén shwō tā tài pàng, <u>pǎubukwài</u>. Nǐ kàn, tā pǎude
<u>hěn</u> <u>kwài</u>.
(People say he's too fat and can't run fast. Look,
he runs very fast.)

1.1 The two different functions of <u>kwài</u> can be seen more
clearly in a negative statement. In a negative
potential RV with <u>kwài</u> as the RVE, the form is the
familiar <u>pǎubukwài</u>; but when <u>kwài</u> serves as a
descriptive complement, <u>de</u> must be added after the
V, <u>pǎude</u> <u>búkwài</u>:

Resultative Verb: Tā pǎubukwài. (He cannot
run fast.)
Descriptive Complement: Tā pǎude búkwài. (He doesn't
run fast.)

1.2 It is to our benefit to review the pattern of "de-
scribing the manner of an action", introduced in
Speak Chinese, which is the same as calling what
comes after the V as a descriptive complement:

Tā sywé Jūnggwo hwà, sywéde hěn kwài.
Tāde Jūnggwo hwà, sywéde hěn kwài.

Jèige shŕching, nĭ dzwòde butswò.
Lăutàitai dzŏulù, dzŏude hĕn màn.

1.3 The Structure of the Descriptive Complement:

The descriptive complement describes the manner or
extent of the main action (V) or the state (SV)
preceding it:

Chŕde wŏ jànbuchiláile.
(I ate so much that I could not stand up.)

Gāusyìngde tā yíyè méishwèijyàu.
(He was excited to such an extent that he didn't
    sleep the whole night long.)

The descriptive complement may be just an SV (as
illustrated in 1. and 1.1) or a clause--S-SV, S-RV,
or S-V-O:

SV: Tā păude hĕn kwài.
S-SV: Tā shwōde wŏmen lèijíle.
S-RV: Lèide wŏ jànbuchiláile.
S-V-O: Chìde wŏ méichŕ wănfàn.

The important element in all these structures is the
SV, V or RV; the S or O, or both, may be dropped
when the meaning is clear without them.

1.4 Exercise - Translate into Chinese:

1.41 This tree cannot grow any taller.

1.42 He can write very well, but he doesn't want to.

1.43 These clothes are too small and can't be altered
     satisfactorily.

1.44 I don't think he can explain it clearly.

1.45 I think he explained it very clearly.

1.46 He sings beautifully.

1.47 Can we finish this book within a month? I
     think you can but he can't.

1.48 This table is sturdily made.

1.49 If you drive too slowly, it is just as bad as driving too fast.

1.50 I won't accept his invitation for supper, because I cannot get enough to eat in his house.

2. The Usage of Chúle:

Chúle or "chúle...yǐwài" means "except", "all but". Because of its exclusive meaning, an inclusive adverb, like dōu, chywán, lǎu and dzǔng, is generally used to refer to the rest of the things after an item has been singled out by chúle:

Chúle nèige (yǐwài), wǒ dōu syǐhwan.
(I like all but that one.)

From the above illustration we can see that dōu is equivalent to "all" in the English translation, indicating the inclusiveness; and chúle is equivalent to "but", singling out nèige (that one).

2.1 Chúle in the double clause "chúle...(yǐwài), ... lìngwài..." means "besides", "in addition to". The adverb hái is generally used in this structure to stress the idea of "still", "further" besides the item referred to by chúle:

Chúle jèige byǎu (yǐwài), wǒ lìngwài hái you yige.
(Besides this watch, I still have another one.)

2.2 Exercise - Translate into Chinese:

2.21 Besides the silver watch I bought for her, she still wants a gold one.

2.22 I like all of my courses except history.

2.23 In addition to these five hundred dollars, he still wants to borrow five hundred more.

2.24 Nobody knows how to do it except him.

2.25 In addition to these three Protestant churches, we have two Catholic churches.

IV. Fāyīn Lyànsyí

1. "Jīntyan dzwò lǐbài, shr shéi jyǎngdàu?" "Shr Chén Mushr, nǐ rènshr ma?"

2. "Dzwótyan kāi hwèi nǐmen dzwò shémma le?" "Wǒmen shānglyang jywān chyán de shrching."

3. "Nǐ yě syìn Tyānjǔjyàu ma?" "Wǒ shémma jyàu dou búsyìn."

4. "Chǐng nǐ bǎ shèngjīng dǎkai." "Wǒ wàngle dai shèngjīng laile."

5. "Nǐ jīntyan dzǎushang shémma shŕhou syǐngde?" "Tā wúdyan jūng jyou bǎ wo jyàusyǐngle."

6. "Nǐ tyāntyān shémma shŕhou chǐdǎu?" "Chángcháng shr dzai shwèijyàu yǐchyán."

7. "Dzài jyàutángli nǐ wèi shémma dzwòdzai hòutou?" "Chyántou dou dzwòmǎnle."

8. "Nǐ yīngdāng bǎ jywānde chyán, fēngei ta yíbàn." "Wǒ yàu fēngei ta, kěshr ta búyàu."

9. "Tāde chíngsying dzěmmayàng?" "Tā chyúngde méi fàn chr."

10. "Dzwótyan nèige fēijī chūshr, sžle jǐge rén?" "Wǔge rén. Yíge dou méihwó."

V. Wèntí

1. Sž Ss. dzai nèige syǎu chéngli jùle meijù? Tā dzai nèr rènshrle shémma rén le?

2. Yǒu yityān ta gen yige syāngsya rén shwō shémma? Nèige syāngsya rén dǔng budǔng ta shwōde hwà? Tā gěi nèige syāngsya rén jyǎngle meiyou? Wèi shémma?

3. Syīngchītyān dzǎushang nèige syāngsya rén dau jyàutáng
   chyùle meiyou? Sànle hwèi yǐhòu, tā dau shémma dìfang
   chyule?

4. Nèige syāngsya rén jìnle jyàutáng, dzwòdzai shémma
   dìfang le? Wèi shémma méidzwòdzai chyántou?

5. Táishangde rén shr shémma rén? Tāmen chàngde shr shémma?

6. Táishangde nèige rén syàng bèishū shrde shwōle hǎusyē
   hwà, nà shr dzwò shémma ne?

7. Táishangde rén nyàonde shū shr shémma shū? Tā jyǎngde
   shr shémma? Nèige syāngsya rén dǔng budǔng? Tā dzwò
   shémma le?

8. Nèige syāngsya rén shwō jyàutángli dzěmmayàng? Jyàu-
   tánglide rén dzěmmayàng?

9. Nèi syāngsya rén jr̄dau bujr̄dau nèijang hwàr shr shémma
   yìsz?

10. Nǐ syǎng nèijang hwàrshang dou hwàje shémma? Yǒu jǐge
    rén?

11. Nèijang hwàrshangde rén shéi hěn shēngchì? Shéi hěn
    gāusyìng? Nèige rén wèi shémma shēngchì? Nèige rén
    wèi shémma gāusyìng?

12. Nèige syǎu érdz yǒu yìtyān chǐng ta fùchin dzwò shémma?

13. Tā dau shémma dìfang chyule? Hòulai ta wèi shémma
    hwéilaile?

14. Tā hwéilai yǐhòu, gen ta fùchin shwō shémma?

15. Tā fùchin kànjyan ta hwéilaile, jyàu yùngren dzwò
    shémma? Tā dà érdz gen ta fùchin shwō shémma? Tā
    fùchin shwō shémma?

16. Shémma shr dzwò lǐbài? Dzwò lǐbài de shŕhou dou dzwò
    shémma shr̀?

17. Shémma shr dzànměishr̄? Shémma shr chǐdǎu? Shémma shr
    jyǎngdàu?

18. Nǐ syìn shémma jyàu? Shr̀ Jīdūjyàu háishr Tyānjǔjyàu?

19. Nǐ měitsz̀ dzwò lǐbài de shŕhou dou jywān chyán ma?
    Jywān dwōshau?

20. Yìbǎikwai chyán, sānge rén fēn, fēndekāi fēnbukāi?
    Yíge rén dàgài fēn dwōshau?

VI. Nǐ Shwō Shemma?

1. Yàushr yǒu rén wèn ni, dzwò lǐbài shr dzěmma hwéi shr̀,
   nǐ gēn ta shwō shémma?

2. Yàushr yǒu rén wèn ni, wèi shémma yàu chàng dzànměishr̄,
   nǐ shwō shémma?

3. Nǐ bǎ dzwò lǐbài dzwòde shr̀ching, shwōshwo.

4. Nǐ néng bǎ hwàrshang nèige gùshr shwōshwo ma?

5. Nǐ néng bǎ nèige bǐfangde yìsz jyǎngjyǎng ma?

VII. Bèishū

A: Hěnjyǒu méijyàn, jìnlái dzěmma yàng?

B: Hài, yǒuyidyǎr bushūfu.

A: Dzěmmale?

B: Shāngfēng, háujityān le.

A: Tóuténg ba.

B: Bù, kěshr késoude hěn lìhai.

A: Děi lyóu dyǎr shén. Chr̄ yàu le meiyou?

B: Chr̄le. Wǒ syàndzài dàu yīywàn chyu kànkan.

A: Dwèile. Nín kwài chyù ba.

B: Hǎu, dzàijyàn ba.

VIII. Fānyì

1. Translate into Chinese:

1.1 Some people go to church every week; some only go twice a year.

1.2 Since there are too many people attending service in that church, they need a bigger church.

1.3 When did the meeting adjourn?

1.4 This sheet of paper is full; let's have another one.

1.5 Every seat in that church was taken this morning.

1.6 That minister likes to preach very much, especially to us country people.

1.7 Now let's sing some hymns, number fifty-two, first.

1.8 God is right in our hearts.

1.9 Let's bow our heads and pray.

1.10 Can you recite some lines from the Bible?

1.11 What is your religion?

1.12 If you don't believe it, go and try it yourself.

1.13 Please open the Bible.

1.14 Last night when the thief came, I had gone to bed but I was still awake.

1.15 When I really fall sound asleep, nobody can wake me up.

1.16 He has been preaching the gospel in China for more than twenty years.

1.17 She said it over and over again, but I couldn't understand what she meant.

1.18 I just ask you to give me my due share.

1.19 During that war, quite a few people were killed.

1.20 When he was alive, he contributed a lot of money
     to that church.

2. Translate back into Chinese:

(342) a. I go to that church to attend the service
         there every Sunday.

(344) a. When did the meeting adjourn last night?

(345) a. The room is full of people.
      b. Every seat in the room is taken.

(348) a. The purpose of singing hymns is to praise God.

(349) a. This door is too low. You cannot pass through
         if you don't lower your head.

(350) a. Memorization is very useful in learning
         foreign languages.

(351) a. Please pray for us in Chinese.

(352) a. I don't believe what he says.

(353) a. Please open your books.

(354) a. He has already wakened.
      b. He is still awake.
      c. He asked me to wake him this morning. I tried
         for a long time, but did not succeed.

(355) a. Please pass this box of candy around.
      b. He is preaching the gospel in China.

(357) a. They are planning to ask him to contribute a
         thousand dollars to the school, but they don't
         know whether he will or not.
      b. We want to raise some money for those poor
         people.
      c. He has a lot of money. Let's ask him to
         contribute.

(359) a. What he said was very logical.

(360) a. Quiet down, please!

(361) a. I gave him half of that candy.

(362) a. He was very poor for the last couple of years.

(363) a. Probably there is nobody who likes to eat
           things that taste bitter.
      b. He's had a hard time these last few years.
      c. That man can endure a great deal of suffering.

(364) a. I have never heard him sing before.

(365) a. The airplane had an accident yesterday. More
           than twenty persons were killed.
      b. Let's find a place to eat, quickly. I'm
           starved!

(366) a. When he was alive, he liked very much to come
           here.
      b. They killed him yesterday, afterward he came to
           again.

DISHRLYÒUKE - TSĀNGWĀN SYWÉSYÀU

I. Dwèihwà

    Sz̄ Ss. syǎng chyu tsāngwān yige jūng-
sywé. Tā jr̄dau Jàu Džān Ss. rènshr nèige
syàujǎng. Tā jyou chyu jǎu Jàu Ss., chǐng
Jàu Ss. gěi ta syě yifēng jyèshàusyìn. Tā
5   jyànjau Jàu Ss. shwō:

Sz̄:   Āi, Džān, hěn jyǒu méijyàn.

Jàu: Nín hǎu a? Shémma shŕhou hwéilaide?

Sz̄:   Hwéilai lyangtyan le. Wǒ syǎng chyóu nín dyǎr
             shr̀. Wǒ syǎng dau Syīnggwó-Jūngsywé chyu
10   tsāngwantsāngwan. Wǒ jìde nín shwōgwo, nín
             rènshr nèiwei Chén Syàujǎng, shr̀ bushr̀? Wǒ
             syǎng chyóu nín gěi wo syě yifēng jyèshàusyìn,
             bùjr̄dau chéng buchéng?

Jàu: Dāngrán kéyi. Nín něityan chyù? Yàuburán wǒ
15   gen nín yíkwàr chyù, hǎu buhǎu?

Sz̄:   Nà tài máfan nín le. Wǒ kàn búbìle. Nín géi
             wo syě yifēng syìn, jyou syíngle. Dzàishwō,
             wǒ hái méijywédìng něityān néng chyù ne.

Jàu: Yě hǎu. Nèmma wǒ syàndzài jyou gěi nín syě.

20   (Gwòle lyǎngtyan Sz̄ Ss. dàule Syīnggwó-Jūng-
             sywéde ménfángr, bǎ tāde pyàndz gen jyèshàusyìn
             náchulai, gēn ménfángrlide rén shwō:)

Sz̄:   Wǒ shr Sz̄mǐdz̄. Jèi shr wǒde pyàndz, jèi shr
25   jyèshàusyìn. Wǒ yàu jyàn nǐmen syàujǎng.
             Láujyà, nín kànkan dzài jèr meiyou.

Ménfángr: Chǐng nín děng yihwěr, wǒ gěi kànkan chyu.

           (Ménfángr nája pyàndz gen syìn, jìnchyule,
            yìhwěr jyou chūlaile, shwō:)

Ménfángr: Chǐng nín jìnlai ba.

(Dàule kètīngli.)

Ménfángr: Nín syān chǐngdzwò ba. Syàujǎng yìhwěr jyou
lái.

5   (Yíwèi szshrdwōswèide nánren, dàije yǎnjìngr
jìnle kètīng, jyou syàuje gēn Sz Ss. lāshǒu.)

Syàujǎng: Nín shr Szmǐdz Ss. ba, wǒ shr Chén Dzūnghàn.

Sz: Ōu. Chén Syàujǎng. Jyǒuyǎng, jyǒuyǎng.

Syàujǎng: Nín dau Jūnggwo dwó jyǒule?

10 Sz: Chàbudwō bànnyán le.

Syàujǎng: Nín gēn Džān shr dzài Měigwo rènshrde ma?

Sz: Kě bushr ma! Wǒmen rènshr shrjinyán le. Lǎu
péngyou.

Syàujǎng: Tā hǎu ba.

15 Sz: Hěn hǎu, tā jyàu wo tì ta wèn nín hǎu.

Syàujǎng: Syèsye. Dzěmmayàng? Nín shr yàu kànkan
shàngkède chíngsying, shr bushr?

Sz: Dwèile. Yīnwei wǒ tīngshwō nín dwèi bàn
sywésyàu, yòu yǒu yánjyou, yòu yǒu jīngyan....

20 Syàujǎng: Gwòjyǎng.

Sz: Swóyi lái tsāngwantsāngwan, gēn nín sywésywe.

Syàujǎng: Nín jēn shr tài kèchi. Jèige sywésyàude lìshr
hěn dwǎn. Bànle tsái wǔnyán. Wǒmen yǒu
lyòubān sywésheng, chūjūng sānbān, gāujūng
25   sānbān. Fángdz ne, yǒu báge kèshr, yíge lǐtáng;
yùndùngchǎng, tǐyùgwǎn túshūgwǎn, dōu yǒu.
Swéirán bútài hǎu, kěshr hái dōu kéyi yùng.
Děng yìhwěr, wǒ gēn nín chyu kànkan.

Sz: Syàndzài yǒu dwōshau sywésheng?

Syàujǎng: Yǒu sānbǎidwō. Bǐ lyǎngnyán yǐchyán dwō yíbèi.

Sż: Dōu jùsyàu ma?

Syàujǎng: Bù. Sùshè búgòu dà. Jyòu you sānfēnjryī
          jùsyàu. Kěshr wǔfàn chàbudwō swǒyǒude sywésheng
5   dōu dzai jèr chr.

Sż: Yǒu dwōshauwèi jyàuywán?

Syàujǎng: Yǒu shŕlyòuwèi.

Sż: Nín jèrde gūngkè dōu yǒu shémma?

Syàujǎng: Bùyíyàng. Děi kàn shr něibān. Kěshr Jūngwén,
10   Yīngwén, dìlǐ, lìshǐ něiban dōu yǒu.

Sż: Yìnyán fēn jǐge sywéchī?

Syàujǎng: Wǒmen jèr yìnyán fēn lyǎngsywéchī. Shǔjyà,
          fàng lyǎngge ywè. Hánjyà, jyou you sānge
          syīngchī.

15 Sż: Měityān dzǎushang jídyan jūng shàngkè?

Syàujǎng: Jèr shr gūngkèbyǎu. Nín kàn, dzǎushang dìyītáng
          shr bādyǎn jūng shàngkè. Shàng wǔshrfēn jūng
          de kè, syōusyi shŕfēn jūng.

Sż: Syàndzài shàngkè ne ma?

20 Syàujǎng: Shàngkè ne. Wǒmen chyu kànkan chyu ba.

Sż: Hǎujíle.

II. Shēngdz̀ Yùngfǎ

367. tsāngwān   V: pay a visit to (a public place)
                        inspect informally, go sightseeing

     a. Tā chūchyu tsāngwān sywésyàu chyule.

368. jǎng   N: head (of an organization)
368.1 shěngjǎng   N: governor of a province
368.2 syànjang   N: magistrate of a county

368. -jǎng (continued)
  368.3 syàujǎng   N: principal of a school, president of
                               a college
  368.4 chwánjǎng   N: captain (fo a boat)
  368.5 jyújǎng   N: the one in charge of the office,
                               as - yóujèngjyú jyújǎng - postmaster

369. jyèshàusyìn   N: letter of introduction

370. chyóu   V: ask, beg
  370.1 chyóu rén   VO: ask for help
  370.2 chyóu....
        dyǎr shr̀   ask a favor

    a. Wǒ chyóu nín dyǎr shr̀.
    b. Nèiběn shū wǒ chyóu ta tì wǒ mǎile.

371. ménfángr   N: gatekeeper's room, gatekeeper

372. pyàndz   N: card, calling card (M: -jāng)

373. yǎnjìng(r)   N: eye glasses (M: -fù, set)
  373.1 dài yǎnjǐng(r) VO: wear glasses

374. lā   V: pull
  374.1 lāshǒu   VO: shake hands
  374.2 lāgwolai   RV: pull over
  374.3 lāshanglai   RV: pull up
  374.4 lāsyàchyu   RV: pull down

    a. Tā jyànjau wo, jyou lìkè gwòlai gēn wo lāshǒu.

375. jīngyàn   N: experience
  375.1 yǒujīngyàn   VO/SV: be experienced

    a. Tā dwèi jèiyàngde shr̀ching jīngyàn hěn dwō.

376. lìshr̀   N: history

    a. Jūnggwo yǒu wǔchyānnyánde lìshr̀.

377. bān   M/N: class (the group of students or the
                              period of class)
  377.1 shàngbān   VO: go to class; go to work
  377.2 syàbān   VO: class is dismissed; office hours
                              are over
  377.3 jèibān   this class

377. bān (continued)
  377.4 lyǎngbān   two classes

        a. Tā dzài bānshang cháng shwèijyàu.
        b. Jèige sywésyàu yǒu jǐbān sywésheng?

378. chūjūng   N: junior high (abbr. of 378.1)
  378.1 chūjí-
          jūngsywé   N: junior high school
  378.2 chūjūngyī
          (nyánjí)   N: first year of junior high

379. gāujūng   N: senior high (abbr. of 379.1)
  379.1 gāují-
          jūngsywé   N: senior high school
  379.2 gāujūngsān
          (nyánjí)   N: third year of senior high

380. kèshr̀   N: class room

381. -táng   BF/M: hall/class period
  381.1 (dà)
          lǐtáng   N: auditorium
  381.2 kètáng   N: class room
  381.3 jyǎngtáng   N: class room

        a. Wǒ jīntyan shàngwǔ yǒu sāntáng kè.

382. fēijǐchǎng   N: air field
  382.1 -chǎng   BF: field

383. yùndùng   V: exercise
  383.1 yùndùngchǎng   N: athletic field

384. -gwǎn   N: hall, building
  384.1 tǐyùgwǎn   N: gymnasium
  384.2 túshūgwǎn   N: library

385. -bèi   M: times, -fold

386. -fēnjr̄-   M: pattern for fractions
  386.1 sānfēnjr̄yī   NU: one third
  386.2 jǐfēnjr̄jǐ   NU: what fraction?

387. jùsyàu   VO: live in the school

388. sùshè   N: dormitory

389. jyàuywán   N: teacher (M: -wèi)

390. gūngkèbyǎu   N: schedule of day's classes

391. dìlǐ   N: geography

392. sywéchī   N/M: semester, term
  392.1 jèisywéchī   this term
  392.2 shàngsywéchī   last term
  392.3 syàsywéchī   next term
  392.4 sānge sywéchī   three terms

393. jyà   N: vacation
  393.1 chwūnjyà   N: spring vacation
  393.2 shǔjyà   N: summer vacation
  393.3 hánjyà   N: winter vacation
  393.4 bìngjyà   N: sick leave
  393.5 chǐng jyà   VO: ask leave
  393.6 fàng jyà   VO: close school for a vacation,
                           to have a vacation

  393.7 fàng sāntyān
        jyà   have three days vacation

        a. Nǐmen fàng jǐtyān jyà?
        b. Shǔjyà kwài dàule.

III. Jyùdz Gòudzàu

1. Multiples and Fractions:

In English we use such expressions as:

        twice as much   half again as large as
        three times as much as   one-fifth larger than
        fourfold   fifty percent wider
        half as long as   one and a half times the
                                       size of

In Chinese these all fall into the pattern of comparison
with measured degree. A secondary pattern, much less
used than the comparison pattern, is sometimes met. It
is known as the equality pattern.

6.6.Ch.II
P 260

1.1 Comparison Pattern with Measured Degree Based on BǏ:

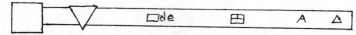

| □ | CV – O | △ | 田 |

Tāde fángdz   bǐ wǒde (fángdz)   dà   yíbèi.
Jèige húngde   bǐ nèige lánde   gwèi   yíbàn.
Jèityáu lù   bǐ nèityáu lù   cháng sānfēnjryī.

NOTE: bèi indicates the number of times or fold;
      bàn is the fraction half but follows the
      pattern of bèi (and is sometimes used in
      the sense of bèi, making the expression
      gwei yíbàn ambiguous).
      X-fēnjr-Y is the formula for a fraction when
X分之Y   preceded by an appropriate denomi-
              nator and followed by a numerator.

1.2 Equality Pattern Based on Yǒu or Shr̀:

| □ | ▽ | □de | 田 | A | △ |

Jèige wūdz shr̀ nèige(wūdz)de sānbèi.
Jèige wūdz yǒu nèige(wūdzde) sānbèi (nemma dà).

1.3 Exercise I - Make sentences in Chinese, using the following SV in the two patterns introduced above:

ywǎn cháng kwài dwō   hǎu   dà   gwèi
jìn   dwǎn   màn   shǎu hwài syǎu pyányi

1.4 Exercise II - Translate into Chinese:

1.41 I have only half as much as he has.
1.42 Mine is fifty percent larger than his.
1.43 This building is three times as tall as that
     one.
1.44 There are more men than women in this town. The
     women are only nine-tenths as many as the men.
1.45 He drives twice as fast as I do.
1.46 His house is one and a half times the size of
     mine.
1.47 He spent about three times as much as I did.
1.48 This one is one-fifth shorter than the other.
1.49 He only spends one fourth of the time I do in
     studying.
1.50 This tree is about two-thirds as tall as that
     one.

2. Prestated Topic of a Sentence:

The basic pattern in both Chinese and English is S-V-O.
In Chinese there is often added to these a prestated
topic. In English, we may say, "As to such-and-such a
matter, I am wholeheartedly in favor of it." "As to"
here introduces a prestated topic. In Chinese, however,
no introductory "as to" is required. Moreover, this
prestated topic may be (1) identical with the subject,
(2) identical with the object or (3) the possessor of
the subject. A prestated topic may be set off from the
rest of the sentence by a comma to indicate that it in
no way affects the structure of the statement that
follows:

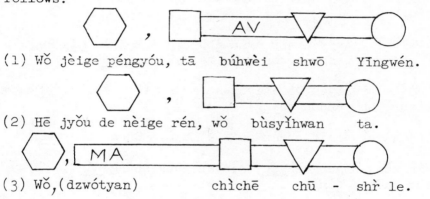

(1) Wǒ jèige péngyóu, tā búhwèi shwō Yīngwén.

(2) Hē jyǒu de nèige rén, wǒ bùsyǐhwan ta.

(3) Wǒ,(dzwótyan) chìchē chū - shr̀ le.

In (3) both wǒ and chìchē may be considered as the sub-
ject by interpreting it as wǒde chìchē. Since an MA,
like dzwótyan, may be inserted between wǒ and chìchē,
wǒ, although still the possessor of chìchē, may also be
considered as a prestated topic.

2.1 Exercise - Translate into Chinese:

2.11 With so little money, it will all be gone after
     the groceries and house rent are paid for.
2.12 Of these pictures, I like this one the most.
2.13 The one who gave me a car is very wealthy.
2.14 As to the well-to-dos, they don't want to donate;
     as to the poor, they cannot afford to donate
     anything.
2.15 I don't understand a word of what he said.
2.16 As to the teachers in the school, none of them
     dislikes you.
2.17 As to that man! He wants everything.

2.18 Speaking about the school he visited, everyone
     wants to study there.
2.19 As to all my friends, I didn't give them any-
     thing.
2.20 Although he sold the house for $5000, he spent
     it all within a month.

IV. F̄ayīn Lyànsyí

1. "Wǒ chyóu nín dyǎr shr̀." "Yǒu shémma shr̀? Nín shwō ba."

2. "Jāng Ss. wèn nín hǎu." "Nín jyànjau ta yě tì wǒ wèn tā
   hǎu."

3. "Nèiwei jyàuywán shr̀ jyāu chūjūng shr̀ jyāu gāujūng?"
   "Chūjung, kěshr wǒ bùjr̄dau ta jyāu něibān."

4. "Jèige sywésyàu yǒu tǐyùgwǎn meiyou?" "Méiyou tǐyùgwǎn,
   kěshr yǒu yùndùngchǎng."

5. "Nǐ jèisywéchī jùsyàu ma?" "Bújù. Sùshè tài lwǎn."

6. "Wǒ kànkan gūngkèbyǎu, jídyan jūng shàng bān?" "Dàgài
   shr bādyan bàn."

7. "Syàujǎng dzài dàlǐtáng dzwò shémma ne?" "Gēn jyàuywán
   tán hwà ne."

8. "Jèisywéchī nǐ jyāu dìlǐ ma?" "Méijyāu dìlǐ, jyāule
   yimén lìshr̀."

9. "Nǐmen sywésyàu shémma shŕhou fàng shǔjyà?" "Dàgài shr
   lyòuywè, wǒ shwōbuchīngchu."

10. "Wǒ syǎng míngtyan chǐng yìtyan jyà, kéyi bùkéyi?"
    "Yàushr yǒu yàujǐnde shr̀ jyou kéyi."

V. Wèntí

1. Sz̄ Ss. wèi shémma chyu jǎu Jàu Ss.?

2. Sz̄ Ss. syǎng chǐng Jàu Ss. bāng ta yidyǎr máng, tā shr
   dzěmma gen Jàu Ss. shwōde?

3. Sz̄ Ss. dzěmma jr̄dau Jàu Ss. rènshr Chén Syàujǎng?

4. Wèi shémma Sz̄ Ss. búràng Jàu Ss. gen ta yíkwàr chyù?

5. Sz̄ Ss. dàule sywésyàude ménfángr gen ménfángrlide ren dzěmma shwōde?

6. Chén Syàujǎng shémma yàngr? Tā jìnle kètīng dzwò shémma shr̀?

7. Sz̄ Ss. gen Chén Syàujǎng shwō wèi shémma ta yau tsāngwān nèige sywésyàu?

8. Nèige sywésyàude lìshr̀ you dwōshaunyán le? Tāmen you dwōshaubān sywésheng? Chūjūng jǐbān, gāujūng jǐbān?

9. Nèige sywésyàu dōu yǒu shémma fángdz? Yǒu sùshè meiyou?

10. Tāmen you dwōshau sywésheng? Bǐ lyǎngnyán yǐchyán dwō dwōshau?

11. Yǒu dwōshau sywésheng jùsyàu? Jùsyàude sywésheng shr swǒyǒude sywéshengde jǐfēnjr̄jǐ?

12. Yǒu dwōshau sywésheng dzai sywésyàuli chr̄ wǔfèn?

13. Tāmen yǒu dwōshauwèi jyàuywán? Tāmen dōu yǒu shémma gūngkè?

14. Tāmen yinyán fēn jǐsywéchī? Yǒu dwōshau r̀dzde shǔjyà? Yǒu dwōshau r̀dzde hánjyà? Chwūnjyà ne?

15. Tāmen měityān shémma shŕhou shàng kè? Shémma shŕhou syà kè? Gūngkèbyǎushang shr dzěmma syěde?

16. Měigwode jūngsywé fēn chūjūng gāujūng bufēn? Chūjūng jǐnyán? Gāujūng jǐnyán?

17. Měigwode jūngsywé dzwèi yàujǐnde gūngkè dōu shr̀ shémma?

18. Nǐ shàngde nèige jūngsywé dōu yǒu shémma fángdz? Yǒu yùndùngchǎng meiyou? Yǒu sùshè meiyou? Nǐ nèige shŕhou jùsyàu ma?

19. Nǐ yíge lǐbài shàng dwōshautáng kè? Měityān jídyan jūng shàng kè? Jídyan jūng syà kè?

20. Jèige sywésyàu yìnyán fēn jǐsywéchī? Shǔjyà dwóma
    cháng? Hánjyà dwóma cháng? Chwūnjyà ne?

VI. <u>Nǐ Shwǒ Shémma</u>?

1. Yàushr nǐ chyù kàn nǐde péngyou, dàule ménfángr, nǐ gēn
   ménfángrlide rén shwō shémma?

2. Yàushr nǐ dàu yíge sywésyàu chyu tsāngwān, dzài tsāngwān
   yǐchyán, ni gēn syàujǎng shwō shémma?

3. Nǐ kànjyan nǐde péngyou, syǎng dǎting yige byéde péngyoude
   chíngsying, nǐ shwō shémma?

4. Yàushr nǐ syǎng gàusung nǐ sywésyàude chíngsying, nǐ shwō
   shémma?

5. Yàushr yǒurén wèn ni, yìtyān shàng jǐge jūngtóude kè, nǐ
   dzěmma shwō?

VII. <u>Gùshr</u>

(on record)

VIII. <u>Fānyì</u>

1. Translate into Chinese:

   1.1 May I ask a favor of you?

   1.2 May I ask you to write a letter of introduction?

   1.3 This teacher is experienced in teaching history in
       junior high.

   1.4 This is an old high school, but this library is new.

   1.5 When are you coming back from work?

   1.6 The class will end at ten past ten o'clock.

1.7 Those students are all in the first year of senior high.

1.8 The dormitory is big enough for every teacher and student to live at the school.

1.9 How many courses does that teacher teach?

1.10 After he finished his speech, the principal of the school shook hands with everybody.

1.11 What does the principal look like? Does he wear glasses?

1.12 He has been a freshman for three terms.

1.13 When will the spring vacation begin at your school?

1.14 We are going to have three days vacation.

1.15 Tomorrow is a holiday.

2. Translate back into Chinese:

(367) a. He went out to visit a school.

(370) a. May I ask a favor of you?
      b. I have asked him to buy that book for me.

(374) a. As soon as he saw me, he came over and shook hands with me.

(375) a. His experience in this kind of things is quite extensive.

(376) a. China has a history of five thousand years.

(377) a. He often sleeps in class.
      b. How many classes are there in this school?

(381) a. I have three classes (or periods) this morning.

(393) a. How many days vacation do you have?
      b. Summer vacation will soon be here.

DISHRCHÍKE - TSĀNGWĀN SHÀNGKÈ

I. Dwèihwà

Sz̄ Ss. chyu tsāngwān sywésyàu. Chén
Syàujǎng dàije ta dàu yíge kèshr̀
kànkan shàngkède chíngsying.

Syàujǎng: Wǒ syān chǐng nín kàn jèibān ba. Jèibān shr̀
5   chūjūng èrnyánjíde Yīngwén. Jyāu Yīngwén,
             dāngrán shr̀ měibānde sywésheng ywè shǎu ywè
             hǎu, kěshr̀ yīnwei wǒmende jyàuywán búgòu,
             swóyi jèibān chàbudwō you sz̀shrdwōge sywésheng.
             Wǒ jr̄dau jèige bànfa búdwèi. Búgwò méi fádz.
10   Syìngkwēi wǒmen sywésyàu yǒu lyóushēngjī;
             tāmen sywésheng syàle bān, kéyi tīng pyāndz.

Sz̄:   Nà jyou hǎudwōle.

             (Tāmen dàule kèshr̀li, dzwòdzai hòutou.)

Jyàuywán: (dwèi sywésheng) Kàn disz̀shrbáyè. Jāng
15   Fāngnyán, nǐ nyàn diyíjyù.

Jāng: (jànchilai) "I don't...(a)...know whether...
             (a)...I...(a)...will go or not."

Jyàuywán: Nǐde fāyīn búswàn tài bùhǎu. Kěshr̀ nyànde
             bútài dz̀rán. Wǒ dàije nǐmen nyàn jitsz̀.
20   Nǐmen dou gēnje wo nyàn.

             (Nyànle jitsz̀ yǐhòu.)

Jyàuywán: Lǐ Yǒutsái, nǐ jyēje nyàn dièrjyù.

             (Lǐ Yǒutsái jànchilai, jànle lyǎngfēn jūng,
             mànmārde shwō:)

25 Lǐ: Syānsheng, dzwótyan wǎnshang wǒ yǒuyidyǎr tóu-
             teng. Nín lyóusyade gūngkè, wǒ méiyùbei, jèi
             disānge dz̀ nyàn shémma? Wǒ bùjr̄dau dzěmma
             nyàn.

Jyàuywán: Disānge dz̀ shr̀ "whether".

Lǐ: "No matter weser....."

Jyàuywán: Bùdwèi. Nǐ tīngje, wǒ gěi ni gǎi. Nǐ gēnje
          wo shwō: "Whether".

5 Lǐ: "Wheser."

Jyàuywán: "No matter whether."

Lǐ: "No matter wheser."

Jyàuywán: Búdwèi. Búshr "wheser", shr̀ "whether." "TH"
          gēn "S" de fāyīn yǒu fēnbye. Nǐ tīngdechulái
10   ma?

Lǐ: Tīng shr tīngdechulái, kěshr shwōbudwèi. Chǐng
          nín dzai dài wo nyàn jitsz̀.

Jyàuywán: Ní lyóushén tīng, "whether."

Lǐ: "Whether."

15 Jyàuywán: Dwèile, wàng syà nyàn.

Lǐ: No matter...(a)...whether...(a)...he will...(a)
          ...go or not, I...(jèige jèige), will stay here.

Jyàuywán: Nǐ dǔng jèijyu hwà dzěmma jyǎng ma? Nǐ néng
          hwéidá ma? Nǐ néng bǎ jèijyu hwà, fāncheng
20   Jūngwén ma?

Lǐ: Wǒ syáng wo néng fān. Nà yìsz shr̀ bushr̀
          "Wúlwùn nǐ chyù búchyu, wǒ fǎnjèng búchyù."

Jyàuywán: Chàbudwō. "Whether", jèige dz̀, dzěmma yùng?
          Nǐ yùng jèige dz̀, dzwò yijyù hwà.

25   (Lǐ Yǒutsái jàndzai nèr, bàntyān méishwō hwà.)

Jyàuywán: (dwèi Lǐ Yǒutsái) Nǐ dzwòsya ba. Yǒu byérén
          hwèi meiyou? Méiyou rén hwèi. Nǐmen dōu kàn
          disz̀shrjyǒuyè syàtoude lyànsyí. Hwéichyu bǎ
          lyànsyí dzwòdzwo. Dzài bǎ dishŕèrke wēnsyi-
30   wēnsyi. Syàsyīngchīyī wǒmen kǎushr̀. Nǐmen

yǒu shémma wèntí ma?

(Sz̄ Ss.gen syàujǎng jyou chūlaile. Dzài
lìngwài yige kèshr̀li, yiwèi lǎu syānsheng
jyǎng Tángshr̄. Yǒu sz̀shrjige sywésheng tīng,
5   hēibǎnshang syěje "jyú tóu wàng míng
ywè, dī tóu sz̄ gù syāng" shŕge dà dz̀.
Syàujǎng gen Sz̄ Ss. jàndzai hòutou.)

Lǎu syānsheng: Jèi lyǎngjyu shr̄ shr̀ Lǐ Bái dzwòde.
                Nǐmen yǒu rén hwèi jyǎng ma?

10   (Sywésheng dōu bùshwō hwà.)

Lǎu syānsheng: Něige dz̀ búhwèi jyǎng? Jyǔshǒu.

          (Yǒu yíge sywésheng jyǔshǒu.)

Lǎu syānsheng: Hǎu. Jāng Míngcháng. Nǐ něige dz̀
                bùdǔng? Yǒu shémma wèntí?

15 Jāng: Jèige "jyú" dz̀ wǒ búhwèi jyǎng. Píngcháng
          wǒmen shwō yùng shǒu jyú dūngsyi. Hwòshr shwō,
          bǎ dūngsyi jyúchilai. Wǒmen yě shwō jyúshǒu.
          Kěshr "jyútóu" dzěmma jyǎng ne?

Lǎu syānsheng: Nǐmen děi jr̄dau, syàndzài wǒmen shwōde
20   hwà, gēn shr̄ lǐtoude hwà, yǒu hěn dàde
              fēnbyé. Syàndzài wǒmen shwō "jyú",
              dwōbàn dōu shr yùng shǒu jyú. Yàushr
              jèige "jyú" dz̀, yě shr yùng shǒu jyúde
              yìsz, nèmma "jyútóu" jyou shr yùng shǒu
25   bǎ tóu jyúchilaile. Nà búshr chéngle
              syàuhwa le ma? "Jyútóu" lyǎngge dz̀de
              yìsz, jyou shr wǒmen syàndzài shwō
              "táitóu" de yìsz. "Wàng" jyou shr "kàn".
              "Jyǔ tóu wàng míng ywè", jyou shr táitóu
30   kànjyan hěn lyàngde ywèlyang. Syàtou
              nèijyù "dī tóu sz̄ gù syāng", dzěmma jyǎng
              ne?

Jāng: Wǒ syang "dī tóu" jèi lyǎngge dz̀, gen wǒmen
          syàndzài shwō "dī tóu", méi shemma fēnbyé.
35   Jyòu shr bǎ tóu dīsya. "Sz̄" wǒ syǎng jyou shr
          "syǎng" de yìsz, "Gù syāng" jyou shr "lǎujyā".
          Jèijyu shr̄de yìsz, wǒ syǎng shr "dīsya tóu

jyou syángchi lǎujyā laile". Bùjŕdau dwèi
budwèi?

Lǎu syānsheng: Bútswò.

5
(Sŕ Ss. gen Chén Syàujǎng mànmārde dzǒuchu-
laile.)

Sŕ: Jèiwei lǎu syānsheng jyǎngde hěn yǒuyìsz.

Syàujǎng: Jèiwei syānsheng dwèi jyǎng Tángshŕ fēicháng
yǒuyánjyou. Chǐng nín dau wǒmen túshūgwǎn
chyu kànkan ba.

10 Sŕ: Hǎujíle.

II. Shēngdz̀ Yùngfǎ

394. ywè...ywè...   A: the more...the more...
   394.1 ywè chŕ
         ywè pàng   the more you eat, the fatter you are
   394.2 ywè syě ywè
         kwài   the more you write, the faster you
                        get

   a. Ywè sywé ywè dwō, ywè dwō ywè rúngyi wàng.

395. ywè lái ywè...   A: getting more and more...
   395.1 ywè lái
         ywè nán   getting more and more difficult
   395.2 ywè lái ywè
         dzāugāu   getting worse and worse

   a. Nèige rén ywè lái ywè chígwài.

396. bànfǎ   N: method of doing, way tc do something
   396.1 méiyǒu
         bànfǎ   VO: there is no way out
   396.2 syǎng bànfǎ   VO: to think of a way

   a. Jèijyàn shř, nǐ děi tì wǒ syǎng yige bànfǎ.

397. lyóushēngjī   N: phonograph
   397.1 kāi lyóu-
         shēngjī   VO: play the phonograph

398. pyāndz   N: record, film
 398.1 tīng pyāndz   VO: listen to record
 398.2 lyóushēngjī
       pyāndz   N: phonograph record

399. yè   M: page
 399.1 diyīye   the first page

400. fāyīn   VO/N: pronounce/pronunciation

    a. Tā jèige dz̀ fāyīn fāde búdwèi.

401. dz̀rán   SV/A: be natural/of course, naturally
 401.1 nà shr̀ dz̀rán IE: Naturally!

       a. Tāde hwà shwōde hěn dz̀rán.
       b. Nǐ bùgěi ta chyán, dz̀rán ta bugéi ni dzwò.

402. dài(je)   V: lead

    a. Chǐng nín dàije wǒmen chǐdǎu.
    b. Syānsheng dàije wo nyànle sāntsz̀.
    c. Chǐng nín dài wo chyu kànkan.

403. jyēje   A: continuing, going on, or tying in
                        where one left off when interrupted.
 403.1 jyēje nyàn   continue reading
 403.2 jyēje shwō   continue speaking
 403.3 jyēje syě   continue writing

    a. Tāde gùshr, dzwòtyan méishwōwán; jīntyan hái yàu
       jyēje shwō.

404. fēnbyé   N: difference
 404.1 yǒu fēnbye   there is a difference
 404.2 fēnbye hěn dà   the difference is considerable
 404.3 fēnbye dzai jèr the difference is right here

    a. Jèi lyǎngge dz̀ yǒu hěn dàde fēnbye.

405. -chūlai   RVE: make out, distinguish
 405.1 kànchulai   RV: make out (seeing)
 405.2 wénchulai   RV: make out (smelling)
 405.3 chángchulai   RV: make out (tasting)
 405.4 chr̄chulai   RV: make out (tasting)
 405.5 tīngchulai   RV: make out (hearing)

406. hwéidá   V: answer

    a. Tā jyàu wo hwéidá, kěshr wo hwéidábuchulái.

407. fān(yì)   V/N: translate/translation; translator
  407.1 fānyi shū   VO: translate books.

408. chéng   V: become
                 RVE: (change) into
  408.1 fāncheng
      Jūngwén   RV-O: translate into Chinese
  408.2 fēncheng
      sānkwài   RV-O: divided into three pieces
  408.3 dzwòchéng   RV: accomplish

    a. Jinyán bújyàn, tā chéngle dà rén le.
    b. Chǐng nǐ bǎ jèijyu hwà fāncheng Yīngwén.
    c. Tāde yīshang dzwòchéngle ma?

409. lyànsyí   V/N: practice
  409.1 dzwò lyànsyí VO: do exercise

    a. Sywé shwō wàigwo hwà, lyànsyide jīhwei ywè dwō
       ywè hǎu.
    b. Tā Jūnggwo hwà méisywéhǎu, shr yīnwei lyànsyí
       búgòu.

410. wēnsyí   V: review

    a. Wǒmen jèige syīngchī wēnsyi, méiyou syīn gūngkè.

411. kǎu   V: examine, take an examination
  411.1 kǎu shū   VO: examine, take an examination
  411.2 kǎushr   V: examine, take an examination
                 N: examination

    a. Wǒmen shémma shŕhou kǎushr?
    b. Tā jèitsz kǎushr, kǎude bútswò.

412. wèntí   N: question, problem
  412.1 hwéidá wèntí VO: answer a question
  412.2 méi wèntí   IE: there is no problem.

413. Tángshr̄   N: T'ang (Dynasty) poetry (M. shǒu)

414. hēibǎn   N: blackboard (M: -kwài)

415. Lǐ Bái   N: Li Po (one of the most celebrated
                           poets of the T'ang Dynasty)

416. jyǔ   V: raise
   416.1 jyǔshǒu   VO: raise one's hand
   416.2 jyúchilai   RV: raise up

      a. Shéi hwèi, chǐng jyǔshǒu.
      b. Jèige dūngsyi wo yìjr̄ shǒu jyǔbuchilái.

417. táitou   VO: lift up one's head, raise up one's
                           head

      a. Nǐ bǎ tóu táichilai. (Táichi tóu lai.)
      b. Wǒ táitóu yíkàn, wàitou syà sywě le.

418. ywèlyang   N: moon

419. syángchilai   RV: recall, think of
   419.1 syángchi
           lǎujyā laile recall my old home
   419.2 syángchi tā
           shwōde laile   recall what he said
   419.3 syángchi yǐchyánde
           shr̀ching
           laile   recall old times

      a. Tā yìshwō yàu sywé Yīngwén, wǒ jyou syángchi nǐ
         laile.

                    III. Jyùdz Gòudzàu

1. NU-M as a predicate:

   Sometimes a NU-M alone may serve as predicate without a
   verb:

      Tā sānswèi le. (He is three years old.)
      Wǔkwai chyán yiběn. (Five dollars per book.)

   One explanation is that the verb is understood (since a
   verb may be supplied).

      Tā (yǒu) sānswèi (nemma dà) le.
      Wǔkwai chyán (mǎi) yiběn.

Another explanation is that a NU-M used in this way functions as a verb. The fact is that a NU-M is often used as a full predicate.

1.1 The subject or topic of the NU-M predicate is not necessarily a noun. It may be an S-V-O:

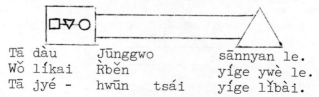

Tā dàu	Jūnggwo		sānnyan le.
Wǒ líkai	Rběn		yíge ywè le.
Tā jyé -	hwūn	tsái	yíge lǐbài.

1.2 <u>Exercise</u> - Translate into Chinese:

   1.21 This book costs five dollars.

   1.22 How old are all your children?

   1.23 How much (money) for each of us?

   1.24 He has been graduated from college for five years already.

   1.25 I have had this pen for more than ten years and I am still using it.

   1.26 I have been here for more than six months.

   1.27 He arrived here an hour ago.

   1.28 He finished singing only ten minutes ago.

   1.29 It has been only two years since he left school.

   1.30 This tree has been here for ten and a half years.

2. <u>Action-time Relationship</u>:

When a time-spent expression is used in a sentence, it is sometimes not clear whether it refers to the period of time during which the action has been continuous or to the period of time that has elapsed since the action. The context generally can clarify the ambiguity.

2.1 Action-time relations often appear in one of these

patterns:

2.11 Tā   chr̄le   yíge jūngtóu le.
     (He has been eating for an hour.--continuous
        action)
     (He finished eating an hour ago.--elapsed time)

2.12 Hwār   húngle   sāntyan le.
     (The flower became red three days ago.---elapsed
        time)

2.13 Wǒ sywé Jūngwén   sywéle   wǔge ywè le.
     (I have been studying Chinese for five months.--
        continuous action) (rarely elapsed time)

2.14 Nèijang hwàr, tā hwàle yityān le.
     (He has been painting that picture for a whole
        day.-- continuous action)
     (He finished painting that picture a day ago.--
        (elapsed time)

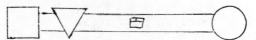

2.15 Tā nyànle sānge lǐbàide Fàwén.
     (He studied French for three weeks.--
        continuous action)

2.16 Tā jyéhwūn yìnyán le.
     (He was married a year ago.--elapsed time)

2.2 <u>Exercise</u> - Translate into Chinese:

2.21 He has left China for more than three years.
2.22 He has been talking about leaving China for
     more than three years.
2.23 He has recovered a week ago.

2.24 He has been well for a week.
2.25 I have been teaching for one year already.
2.26 It has been one year already since I taught him.
2.27 He has been writing that book for half a year.
2.28 He wrote that book a year ago.
2.29 He graduated from college a year ago.
2.30 The wedding lasted four hours.

IV. Fāyīn Lyànsyí

1. "Nèibĕn shū nĭ wèi shémma méikànwán?"   "Ywè kàn ywè
méiyìsz."

2. "Jèi lyangtyān nèijyan shŕching dzĕmmayàng?" "Ywè lai
ywè bùhăubàn."

3. "Nèige dz̀ nĭde fāyīn búda chīngchu." "Dwèile. Chĭng
nĭ dàije wo shwō jitsz̀."

4. "Nèiben shū ni kànle dwōshauyè le?" "Gāng kànle
èrshrdwōyè, míngtyan dzai jyēje kàn."

5. "Jèi lyăngjyu hwà you shémma fēnbye?" "Méi shémma dà
fēnbye."

6. "Nĭ néng bă jèijyu hwà fāncheng Řwén ma?" "Wŏ yĕsyŭ
néng fān, kĕshr bùyídìng dwèi."

7. "Nĭde fāyīn búdwèi, dàgài shr méi gūngfu lyànsyi ba."
"Búshr méi gūngfu lyànsyi, méilyànsyi jyou shŕle."

8. "Míngtyan kăushr̀, nĭ jīntyan wănshang dĕi wēnsyi ba."
"Nà shr dz̀rán. Bùwēnsyi bùsyíng."

9. "Jèige dz̀de yìsz dzwótyan wēnsyide shŕhou wŏ hăusyàng
jìjule." "Syàndzài wàngle shr̀ bushr̀?" "Búshr wàngle,
shr syăngbuchiláile."

10. "Hēibănshangde dz̀ shéi kànbuchīngchu, jyŭshŏu."
"Syānsheng, dìwŭge dz̀ shr shémma?"

V. <u>Wèntí</u>

1. Chén Syàujǎng dàije Sz̄ Ss. tsāngwān shàngkède chíng-
   sying, tāmen syān kàn něibān? Nèibān yǒu dwōshau
   sywésheng? Wèi shémma nèibān yǒu nèmma dwō sywésheng?

2. Chēn Syàujǎng jywéde yìbān yīngdāng buyīngdāng yǒu nèmma
   dwō sywésheng? Tāmende sywésheng syàle bān dzěmma
   lyànsyi?

3. Jyāu Yīngwén de jyàuywán jyàu sywésheng dzwò shémma?
   Jyàuywán shwō nèige sywéshengde fāyīn dzěmmayàng?

4. Nèiwei jyàuywán jyau Lǐ Yǒutsái nyàn, Lǐ Yǒutsái shwō
   shémma?

5. Lǐ Yǒutsái dǔng budǔng nèijyu Yīngwén shr shémma yìsz?
   Tā néng bǎ nèijyu fāncheng Jūngwén ma? Nèijyu hwà shr
   shémma yìsz?

6. Lǐ Yǒutsái bǎ nèijyu hwà fānwánle, jyàuywán yòu jyàu ta
   dzwò shémma? Tā hwèi buhwèi?

7. Jyàuywán ràng tāmen dzěmma wēnsyi? Wēnsyi didwōshaukè?
   Tāmen shémma shŕhou kǎushř? Sywésheng yǒu wèntí meiyou?

8. Chén Syàujǎng gen Sz̄ Ss. chūlai yǐhòu, yòu chyù
   tsāngwán shémma kè?

9. Dzài nèige kèshŕli yǒu dwōshau sywésheng? Hēibǎnshang
   syěje shémma?

10. Lǎu syānsheng shwō nèi lyǎngjyu shr̄ shr shéi dzwòde?
    Sywésheng yǒurén hwèi jyǎng ma?

11. Jāng Míngcháng wèi shémma jyǔshǒu? Tā yǒu shémma
    wèntí? Tā něige dz̀ bùdǔng?

12. Lǎu syānsheng shwō syàndzài rén shwōde hwà gen shŕlide
    hwà yǒu meiyou fēnbyé?

13. Syàndzài rén shwō "jyǔ" shr shémma yìsz? "Jyǔtóu" shr
    shémma yìsz? "Dītóu" gen syàndzài shwō dītóu de yìsz
    yíyàng buyíyàng?

14. Lǎu syānsheng shwō Jāng Míngcháng jyǎngde dwèi budwèi?

15. Sz̄ Ss. shwō nèiwei Lǎu syānsheng jyǎngde dzěmmayàng?
    Chén Syàujǎng shwō nèiwei lǎu syānsheng jyǎng Tángshr̄
    jyǎngde dzěmmayàng?

16. Jyāu Yīngwén dzwèihǎu yìbān yǒu dwōshau sywéshēng?

17. Sywé Yīngwén yùng lyóushēngjī tīng pyāndz, yǒuyùng
    meiyou?

18. Jūnggwó sywéshēng sywé Yīngwén, shémma dìfang dzwèi nán?
    Shémma dz̀ fāyīn dzwèi nán?

19. Nèi lyǎngjyu shr̄lide shŕge dz̀, chǐng ni yígèyígède
    jyǎng yijyǎng.

20. Chǐng nǐ bǎ nèi lyǎngjyu shr̄ fāncheng Yīngwén.

VI. Nǐ Shwō Shémma?

1. Dzài kèshr̀li, yàushr syānsheng shwōde hwà nǐ méitīng-
   chīngchu, nǐ syǎng wèn, nǐ dzěmma wèn?

2. Yàushr nǐ syǎng chǐng syānsheng dàije nǐ lyànsyi fāyīn,
   nǐ dzěmma gēn syānsheng shwō?

3. Yàushr nǐ yǒu wèntí syǎng wèn syānsheng, nǐ dzěmma wèn?

4. Yàushr yǒude dz̀ nǐ búhwèi jyǎng, nǐ dzěmma chǐng
   syānsheng gěi nǐ jyǎng?

5. Yàushr yǒu yige dz̀ nǐ búrènshr, nǐ dzěmma wèn?

VII. Bèishū

A: Jèitáng nǐ yǒu kè meiyǒu?

B: Yǒu. Jīntyan shàngwǔ sz̀táng. Nǐ ne?

A: Wǒ gāng shànglè yitáng lìshr̀. Jèitáng méi kè. Dàu
   túshūgwǎn chyu kàn yihwěr shū.

B: Jīntyan hái yǒu jǐtáng?

A: Syàwǔ hái you yìtáng. Nǐ shémma shŕhou syà kè?

B: Shŕèrdyǎnbàn syàle kè jyou méi kè le.

A: Sāndyan jūng dàu wo nèr chyu hē dyǎr chá, dzěmmayàng?

B: Hǎu. Jyòu nèmma bàn.

VIII. Fānyì

1. Translate into Chinese:

   1.1 The more you pay him money the more he will drink.

   1.2 Since he came here, my headache has been getting worse and worse.

   1.3 In case I lose it I'll have to think of another way.

   1.4 His translation is all right, but the way he talks is not very natural. He needs more practice, I guess.

   1.5 I will read it first; all of you follow me.

   1.6 I will go on with the story tomorrow.

   1.7 What is the difference between these two methods?

   1.8 There is considerable difference between these two kinds of tea. Can you distinguish it?

   1.9 Can you translate this sentence into Russian?

   1.10 You haven't had enough practice and review. That's what you need most. Don't you think so?

   1.11 We are going to review this week, and have an examination next week. Our vacation begins Friday.

   1.12 He did very poorly in this examination.

   1.13 Which of you have finished the first question? Please raise your hands.

1.14 After the prayer, everybody raised his head.

1.15 When I saw the moon, I recalled my old home.

2. Translate back into Chinese:

(394) a. The more you study, the more you know; the more you know, the easier you forget.

(395) a. That man is getting more and more peculiar.

(396) a. You've got to find me a solution for this problem.

(400) a. He pronounced this word incorrectly.

(401) a. He speaks very naturally.
     b. If you don't pay him naturally he won't do it.

(402) a. Will you please lead us in prayer.
     b. I read it after the teacher three times.

(403) a. He didn't finish his story yesterday, and he will go on with it today.

(404) a. There is a whole lot of difference between these two words.

(406) a. He asked me to answer it, but I couldn't.

(408) a. I haven't seen him for a few years, and he has become an adult.
     b. Please translate this sentence into English.
     c. Are his clothes finished?

(409) a. In learning a foreign language, the more opportunity for practice the better.
     b. His Chinese is poor, because he hasn't had enough practice.

(410) a. This week we'll review. There will be no new lessons.

(411) a. When is our examination?
     b. He did very well in this examination.

(416) a. Whoever knows the answer please raise his hand.
      b. I cannot raise this thing with one hand.

(417) a. Please raise your head.
      b. When I raised my head and looked, it was
         snowing outside.

(419) a. As soon as he said he wanted to learn English,
         I thought of you.

DISHRBÁKE - KÀNBÌNG

I. Dwèihwà

Sz̄ Ss. jywéde yǒuyidyǎr bùshūfu.
Tā dàu yige yīywàn chyu jǎu
dàifu gěi ta kànkan. Tā dàule
yīywàn ménkǒur, gēn yige rén
5   dǎting.

SŽ:   Chǐngwèn, dzài shémma dìfang gwàhàu?

Nèige rén: (yùng shǒu jǐrje) Jyòu dzài dzwǒbyar nèige syǎu
               chwānghu nèr. Chwānghu pángbyār yǒu yige
               páidz, shàngtou syěje gwàhàuchù. Nín rènshr
10   Jūnggwo dz̀ ba. Jyòu shr̀ nèibyar neige,
               chyántou jànje hǎusyē rén. Nín kànjyan meiyou?

SZ̄:   Kànjyanle. Láujyà, láujyà.

               (Sz̄ Ss. dàule lǐtou, kànjyan chwānghu chyántou
               yǒu hěn dwō rén. Tā jyou jàndzai hòutou
15   děngje. Děngjede shŕhou, tā gēn yige bìngrén,
               Jāng Ss., shwō:)

SZ̄:   Nín gwèisyìng?

Jāng: Syìng Jāng. Nín gwèisyìng?

SZ̄:   Syìng Sz̄. Nín shr̀ lai kànbìng de ma?

20 Jāng: Kě bushr̀ ma! Yá téng.

SZ̄:   Nín dàu jèr láigwo ma?

Jāng: Láigwo háujihwéi le. Jèige yīywàn shŕdzài
               bútswò. Yákē dàifu yóuchí hǎu. Chyán-
               lyangtyan wǒ yá téng, téngde jyǎnjŕde bùnéng
25   chr̄ dūngsyi. Láile yítsż, jyou hǎudwōle. Jè
               shr̀ wǒ disāntsz lái. Syàndzai yìdyǎr dōu

bùténgle. Yàubúshr̀ dàifu shàngtsz shwō jyàu
wo dzài lai kàn yitsz̀, wǒ jyou bùláile.

SZ: Dzài jèige yīywàn kànbìng, shǒusyu máfan
           bumáfan?

5 Jāng: Máfan dàushr bùmáfan, gwàle hàu jyòu chyu
           jyàn dàifu, búgwò bìngrén tài dwō, děi děngje.
           Jyòu shr dānwu gūngfu.

           (SZ Ss. kànjyan chwānghu chyántou méi rén le.)

SZ: Nín chyu gwàhàu ba. Gāi nín le.

10   (Jāng Ss. gwàle hàu, shwō:)

Jāng: Nín lái ba. Wǒ yau jyàn dàifu chyule. Dzài-
           jyàn.

           (SZ Ss. dàule chwānghu chyántou.)

Gwàhàuchù: Nín láigwo meiyou?

15 SZ: Méiláigwo, jè shr̀ diyítsz̀.

Gwàhàuchù: Shr̀ nèikē, shr̀ wàikē?

SZ: Nèikē.

Gwàhàuchù: Nín shr̀ gwà pǔtūnghàu, háishr̀ gwà tèbyéhàu?

SZ: Yǒu shémma fēnbye?

20 Gwàhàuchù: Pǔtūnghàu yíkwai chyán, tèbyéhàu wǔkwai chyán.
           Gwà pǔtūng hàu de rén dwō, děi dwō děng yìhwěr.

SZ: Dwō děng yìhwěr búyàujǐn, wō fǎnjèng méi shr̀.
           Wǒ gwà pǔtūnghàu ba.

Gwàhàuchù: Yíkwai chyán. Nín bǎ jèijang byǎu tyán
25   yityán.

           (SZ Ss. bǎ byǎu tyánhǎu, jyāugei gwàhàuchù, you gěile
           yikwai chyán. Gwàhàuchù gěi ta yige páidz.)

Gwàhàuchù: Nín shr sānbǎi-sz̀shr̀-lyòuhàu. Dàu èrtséng
           lou, èrbǎi-wǔshrhàu chyu jyàn Mǎ Daifu.

Sz̄:   Hǎu. Syèsye.

               (Sz̄ Ss. dàule èrbǎi-wǔshrhàu, bǎ gwàhàude
               páidz gei hùshr kànle kàn.)

Hùshr: Nín chǐng dzwòsya děng yìhwěr ba.

5   (Děngle bànge jūngtóu.)

Hùshr: Sānbǎi-szshŕ-lyòuhàu. Sz̄mǐdz̄ Ss.

               (Sz̄ Ss. jyou dàu dàifude wūdzli chyule.)

Mǎ: Nín shr Sz̄mǐdz̄ Ss. ba? Chǐngdzwò ba.
               Dzěmmale?

10 Sz̄:   Jìnlái yèli shwèijyàu shwèide bùhǎu. Búshwèi
               yě búkwùn. Shwèijáule jyou dzwò mèng. Dzwòde
               mèng, dōu tǐng kěpà. Shwèibulyǎu jifēnjūng,
               jyou syà yityàu, syàsyǐngle. Syǐnglede
               shŕhou, dzǔngshr chū hǎusyē hàn. Hái cháng-
15   chang késou. Yǒu shŕhou jywéde lèide lìlai.
               Yě bútài syǎng chŕ dūngsyi. Bùjŕdau shr
               shémma ywángu. Wǒ pà ywè lái ywè lìhai,
               swóyi lai chǐng nín géi wo jyǎnchajyǎncha.

Mǎ: Hǎu. Wǒ gěi nín kànkan.

20   (Mǎ dàifu gei Sz̄ Ss. tīngle ting, shŕle shr
               wēndùbyǎu.)

Mǎ: Nín kě bukě?

Sz̄:   Kě. Dzǔng syǎng hē shwěi.

Mǎ: Tīngbuchūlái yǒu shémma bìng. Yě méifāshāu.
25   Wǒ kàn děi jàu yìjāng X-gwāngde syàng, kàn
               yikàn. Yàushr nín yǒu gūngfu, dzwèihǎu shr
               jùywàn jyǎnchá jyǎnghá.

Sz̄:   Wǒ syǎng wǒ syān jàu yijāng X-gwāngde syàng-
               pyār, chǐng nín kàn yikàn, yàushr hái
30   kànbuchūlái, wǒ syàsyīngchī dzài lái jùywàn.
               Bùjŕdau sýíng bùsýíng?

Mǎ: Hǎu ba, jànshŕ wǒ syān gěi nín kāi yige

yàufāngr, nín dau yàufángli mǎi yìdyǎr jèige
yàu, shr̀ ānmyányàu, shwèijyàu yǐchyán chr̄.
(Bǎ yàufāngr jyāugei Sz̄ Ss.) Nín chǐng dàu
sāntséng lóu sānbǎi-bāshr̄-sz̀hàu, chyu jàu
yìjāng syàng. Syàsyīngchī nín dzài lái kàn-
kan ba.

Sz̄:   Hǎu ba, syèsye nín, dzàijyàn.

II. Shēngdz̀ Yùngfǎ

420. yīywàn   N: hospital

421. jr̀je   V: pointing
  421.1 jr̀   V: point

422. chù   BF: place, office, point feature
                      M: (for dìfang) specifies localization
  422.1 gwàhàuchù   N: registration (desk, window, etc.)
  422.2 chùchù   N: everywhere
  422.3 hǎuchu   N: good point, benefit
  422.4 hwàichu   N: bad point
  422.5 chángchu   N: strong point (of people)
  422.6 dwǎnchu   N: shortcoming (of people)
  422.7 nánchu   N: difficulty
  422.8 yùngchu   N: use, usage

    a. Nyànshū yǒu hěn dwōde hǎuchu.

423. kē   N: department
  423.1 yákē   N: dental department
  423.2 yǎnkē   N: optical department
  423.3 ěrbíhóukē   N: ear, nose, throat department
  423.4 nèikē   N: medical department
  423.5 wàikē   N: surgical department

424. shŕdzài   SV: be real, honest
                      A: really, actually
  424.1 shŕdzài shwō tell you the honest truth
  424.2 shwō shŕdzàide tell you the honest truth

    a. Tā jèige rén hěn shŕdzài.
    b. Jèige dz̀ shŕdzài tài nán.

425. shǒusyu   N: procedure, process

426. dānwu   V: to delay, waste (cf. fèi)
  426.1 dānwu gūngfu   waste time, take time
  426.2 dānwu shŕhou   waste time, take time
  426.3 dānwu shŕching   delay a business affair

      a. Wǒmen dzài chìchējàn děng chē, dānwule hěn dwōde
         shŕhou.

427. gāi   AV: it is fitting that, should
  427.1 gāi shéi?   whose turn?
  427.2 gāi dzǒule   its time to go

      a. Jīntyan gāi nǐ chyùle, míngtyan gāi shéi?

428. pǔtūng   SV: ordinary, common (cf. píngcháng)
                  A: ordinarily
  428.1 pǔtūng hwà   common speech

      a. Jèijyù hwà, pǔtūng bújèmma shwō.

429. byǎu   N: chart, blank, form (M: -jāng)

430. tyán   V: fill in
  430.1 tyán byǎu   VO: fill in a form

431. tséng   M: story (for lóu)
  431.1 sāntséng lóu   third floor, three stories
  431.2 dìwǔtséng   fifth floor

      a. Jèige lóu yǒu sāntséng.
      b. Tā jùdzai sāntséng lóu.

432. hùshŕ   N: nurse (M: -wèi)

433. jìnlái   A: recently

      a. Nǐ jìnlái kànjyan ta meiyou?

434. kwùn   SV: be sleepy

435. ywángù   N: reason

436. mèng   N: dream
  436.1 dzwò mèng   VO: dream

436.2 mèngjyan   RV: dreamed about, see...in a dream

a. Wǒ dzwótyan yèli dzwòle yige mèng, mèngjyan tā
    szǐle.

437. kě   BF: prefixed to verb with much the
                        meaning of the English -able, -ible
437.1 kěsyàu   SV: be laughable
437.2 kěpà   SV: be productive of fear
437.3 kěnéng   SV/A/N: possible/possibly/possibility
437.4 kěchyùde dìfang   places one can go to
437.5 méi shémma
      kěshwōde   nothing that can be said

a. Nèige rén jēn kěpà.

438. syà   V: startle, frighten
438.1 syàhwàile   RV: scared to pieces
438.2 syàszǐle   RV: scared to death
438.3 syà yítyàu   startled

a. Tā láile, syàle wǒ yítyàu.

439. hàn   N: sweat
439.1 chūhàn   VO: sweat, perspire

a. Tā chūle yìtóu hàn.

440. jyǎnchá   V: examine
440.1 jyǎnchá bìng   be examined (for a disease)
440.2 jyǎnchá
      syíngli   inspect baggage

a. Nǐ děi jǎu dàifu, gěi nǐ jyǎnchájyǎnchá.

441. kě   SV: be thirsty

442. jàu syàng   VO: take a picture, be photographed
442.1 syàngpyār   N: photograph
442.2 jàusyàngjī   N: camera

a. Wǒ gěi nín jàu yijāng syàng ba?
b. Tā jàude jèijāng syàng bútswò.
c. Nín syǐhwan jàu syàng ma?

443. gwāng   N: light, ray

443.1 àikèsƶ-gwāng   N: X-ray
443.2 jàu àikèsƶ-
        gwāng   VO: take an X-ray
443.3 jàu àikèsƶ-
        gwāng syàng VO: take an X-ray picture

444. jùywàn   VO: stay in the hospital
444.1 jù yīywàn   VO: stay in the hospital
444.2 jùywànde
        bìngrén   N: in-patient

445. yàufāngr   N: prescription (M: -jāng)
445.1 kāi yàufāngr   VO: to prescribe

    a. Chǐng nín gěi wǒ kāi yige yàufāngr.

446. yàufáng   N: drugstore (cf. yàupù)

447. ānmyányàu   N: sleeping pills

III. Jyùdz Gòudzàu

1. Ambiguity of Languages:

In the Chinese language, there is no inflection of nouns
for number or case, no inflection of verbs for person,
number, tense, mood or voice. Hence the Chinese lan-
guage is simple in form, but this very virtue of sim-
plicity is accompanied by the evil of ambiguity.

1.1 English is simpler than French and is therefore more
    ambiguous than the latter. Civilization has trained
    us to assume friendly intent on the part of a friend
    when he asks, "May I have you for supper?" and not
    even to suspect him of cannibal intention. Never-
    theless, there is ambiguity inherent in the question.

1.2 Four ambiguous expressions have been chosen from
    what we have learned for further clarification.
    Where there is a choice of expressions the student
    should use the clearest forms, although he should
    be able to understand the ambiguous ones from their
    context because people do use them.

1.21 <u>Dzū fáng</u>:

"Wǒ dzūle yiswǒr fáng" may mean
(I rented a house)--as a tenant, or
(I rented out a house)--as a landlord.

This sentence usually means renting a house by
a tenant. For a landlord planning to rent out
a house, it is best to say:

Wǒ dzūchu yiswǒr fáng chyu; or
Wǒ bǎ yiswǒr fáng dzūchuchyule; or
Wǒ dzūgei (so and so) yiswǒr fáng.

1.22 <u>Jàu syàng</u>:

"Wǒ jàule yijāng syàng" may mean
(I took a picture) or
(I had my picture taken.)

It is much clearer to add a few words and say:

Wǒ gěi ta jàule yijāng syàng.
(I took a picture for him.)

Wǒ chǐng ta géi wǒ jàule yijāng syàng.
(I asked him to take a picture for me.)

1.23 <u>Kàn bìng</u>:

<u>Kàn bìng</u> is ambiguous. When the actor is the
doctor, it means to diagnose a disease, to
attend a patient or to practice medicine. When
the actor is the patient, it means to see a
doctor:

"Wǒ míngtyan yàu chyù kàn bìng" may mean
(Tomorrow I am going out to see a patient.) or
(Tomorrow I am going out to see a doctor.)

In order to avoid ambiguity, it is best to say
"chǐng dàifu géi wo kàn bìng" for seeing a
doctor, thus limiting the actor of <u>kàn bìng</u> to
be the doctor only.

1.24 <u>Jywān chyán</u>:

This VO may mean to contribute money or to ask somebody else to contribute money:

"Wǒ jywānle yìbǎikwai chyán" may mean
(I contributed $100) or
(I got a $100 contribution--for some organization.)

To express the idea of contributing, it is best to say jywāngei such and such organization for how much:

Wǒ jywāngei jyàuhwèi yìbǎikwai chyán.

To express the idea of collecting contributions, it is best to use the following forms:

Wǒ gěi jyàuhwèi jywānle yìbǎikwai chyán.
Wǒ tì jyàuhwèi jywānle yìbǎikwai chyán.

1.3 **Exercise I** - Translate into English:

1.31 Dzwótyan wǒ jàule yijāng syàng, yě bùjŕdau jàude hǎu buhǎu. Tāmen shwō jīntyan jyàu wǒ chyu kàn yàngdz. Yàushr wǒ bùsyǐhwan, tāmen dzài géi wo jàu.

1.32 Nǐde fángdz dzūhǎule meiyou? Yàushr tāmen hái méigěi dìngchyan ne, wǒ yǒu yige péngyou syǎng chyu kànkan, bùjŕdau syíng busyíng?

1.33 Nǐ syǎng jywān dwōsyau chyán ne? Wǒ jywéde jèijǔng shrching nǐ děi dzjǐ jywédìng. Byéren méi fádz tì ni chū júyi. Yàushr nǐ ywànyi dwō jywān, jyou dwō jywān dyǎr.

1.34 Jèi jityān dzǔng tóuteng. Yě bùjŕdau shr shémma bìng. Swóyi wǒ syǎng dzwèihau shr dzǎu yìdyǎr kànkan chyu.

1.35 Dzwótyan dzài gūngywánli, syǎuháidz yèu jàusyàng. Wǒ búràng ta jàu; tā jyou kūle. Wǒde syīn jàusyàngjī, wǒ pà ta géi wo nùnghwàile.

1.36 Syàndzài wǒmen yǐjing yǒule sānwàn-chīchyāndwo-kwài chyán le. Nǐ shwō wǒ hái děi dzài jywān

dwōshau? Dāngrán dzwèihǎu néng yǒu wǔwànkwài
chyán. Kěshr dzài jywān yíwàndwō, kǔngpà
bùrúngyi ba.

1.37 Nín jiwèi syān dzai jèr dzwò yihwěr ba. Wǒ děi
kàn bìng chyule. Jēn chígwài, Měitsż dōu shr
jèyàngr. Jyāli yìyǒu kèren, jyou you bìngren
dǎ dyànhwà.

1.38 Dzūfáng jēn bùrúngyi. Dzwèi yàujǐn jyoushr děi
héshr. Yǒurén shwō nǐ gwǎn ta héshr bùhéshr ne,
fǎnjèng tā děi géi ni fángchyan. Wǒ syǎng
bùsyíng. Yàushr buhéshr, yǐhòu yídìng máfan.

1.39 Wǒ dzwótyan kàn bìng chyule, dàifu shwō děi kàn
wǒde X-gwāngde syàng. Tā yau géi wo jàu. Wǒ
shwō wǒ yǒu yige péngyou, tā jàu pyányi. Wǒ
dau tā ner géi ni jàu yijang chyu, syíng busyíng?
Tā shwō bùsyíng. Tā pà ta jàubuhǎu.

1.40 Tā dzwèi syǐhwan jywān chyán. Chyántyan wǒ
kànjyan ta jàndzai jyēshang jyǎngyǎn, jyǎngwánle
jyou gēn rén yàu chyán. Jīntyan yòu dàu jèr
lai jywānlaile.

1.4 **Exercise II** - Make sentences with dzū fáng, jàu syàng,
kàn bìng and jywān chyán, trying to avoid the possi-
bility of ambiguity.

2. Some More Bǎ Construction:

The bǎ construction has been discussed in Lesson 12. Two
more points are worthy of note.

2.1 It has been said (Lesson 12, Part III, 1.4) that in a
bǎ construction, the main verb must be followed by a
complement of some sort. In addition to the five
types mentioned, the complement may be the descriptive
type with de added after the main verb, (discussed in
Lesson 15). The subject of a descriptive complement
may be moved to a position in front of the main verb
by means of a bǎ:

Descriptive complement: Shwōde wǒmen lèijíle.

The bǎ construction: Bǎ wǒmen shwōde lèijíle.

2.2 In Lesson 12 we learned that in a sentence using the
bǎ construction an RVE may follow the main verb as a
complement. When the RVE is an RV itself like
shànglai, syàchyu, it is possible to insert a place
between the double-syllable RVE:

Bǎ jwōdz bānshang lóu chyu.

2.3 Exercise - Translate into Chinese:

2.31 I was so tired that I could not speak a word.
2.32 He stared at me and made me feel embarrassed.
2.33 Please take this book back home.
2.34 He rowed my boat to the other side of the river.
2.35 He talked so long that I almost fell asleep.
2.36 May I drive your car up to the top of the
       mountain?
2.37 Look! He is flying the plane into that cloud.
2.38 I read so much that my eyes hurt.
2.39 The weather is so hot that everybody is too
       lazy to work.
2.40 They moved the table into the room.

IV. Fāyīn Lyànsyí

1. "Nèige yīywàn shémma kē dzwèi hǎu?" "Wǒ syǎng wàikē
   dzwèi hǎu. Yǎnkē yě bútswò."

2. "Dzài jèr kàn bìng yǒu shémma shǒusyu?" "Nǐ děi dau
   gwàhàuchù syān tyán yìjang byǎu."

3. "Tā shŕdzai hwèi shwō hwà." "Jèi shr tāde chángchu, yě
   shr tāde dwǎnchu."

4. "Wǒ jìnlái cháng syīntyàu, bùjŕdau shr shémma ywángu?"
   "Chǐng dàifu géi ni jyànchajyàncha ba."

5. "Shŕdzai bùdzǎule. Wǒmen gāi dzǒule?" "Tsái shŕdyan
   jūng. Máng shémma?"

6. "Gwà tèbyéhàu shr dzai jèr gwà ma?" "Jèr jyou gwǎn gwà
   pǔtūnghàu. Gwà tèbyéhàu dzài wǔtséng lóu."

7. "Wǒ dzwótyan wǎnshang dzwòle yíge mèng. Nǐ jŕdau wo

mèngjyan <u>shémma</u> le ma?" "Nǐ yídìng <u>mèng</u>jyan mǎile yíge
jàusyàng<u>jī</u>."

8. "Nǐ dzěmma jŕdau ta <u>bìng</u>le?" "Lǎu <u>Lǐ</u> gàusung wo de.
   Tā yìshwō, syàle wo <u>yí</u>tyàu."

9. "Wǒ jīntyan děi chyu jàu <u>syàng</u> chyu." Shr gěi <u>byé</u> rén
   jàu, shr ràng byéren gěi <u>nǐ</u> jàu."

10. "Mǎi ānmyányàu <u>dzěmma</u> mǎi?" "Ní dei yǎu <u>dàifu</u> géi ni
    kāi yige yàu<u>fāng</u>r."

                         V. Wèntí

1. Sz̄ Ss. wèi shémma yau dau yīwàn chyu? Tā dàule yīwàn
   ménkǒur jŕdau bujŕdau nǎr shr gwàhàuchù?

2. Tā gēn rén dǎting gwàhàuchù dzai nǎr nèige rén dzěmma
   gàusung ta? Shwō shémma?

3. Sz̄ Ss. děngje gwàhàude shŕhou, pèngjyan shéi le? Nèige
   rén you shémma bìng? Nèige rén dàu nèige yīwàn
   chyùgwo jǐtsz̀ le?

4. Nèige rén shwō nèige yīwàn hǎu bùhǎu? Shémma kē dzwèi
   hǎu? Kànbìngde shǒusyu máfan bùmáfan? Wèi shémma
   dānwu gūngfu?

5. Gwàhàuchùlide rén wèn Sz̄ Ss. shémma hwà? Sz̄ Ss. gēn ta
   shwō shémma?

6. Dzài nèige yīwànli, gwà pǔtūnghàu gen gwà tèbyéhàu
   yǒu shémma fēnbyé?

7. Gwàhàude shŕhou you shémma shǒusyu?

8. Sz̄ Ss. náde páidz shr dwōshauhàu? Tā děi dàu jǐtséng
   lóu chyu? Dwōshauhàude wūdz? Jyàn nèige dàifu?

9. Sz̄ Ss. kànjyan hùshr, gēn hùshr shwō shémma? Tā děngle
   dwó jyǒu?

10. Sz̄ Ss. gēn dàifu shwō tā jywéde dzěmma bùshūfu?
    Shwèijyàu shwèide dzěmmayàng? Hái dzěmma bùshūfu?

11. Tā wèi shémma yau chǐng dàifu gěi ta jyǎnchá?

12. Dàifu tīngdechūlái tīngbuchūlái tāde bìng shr shémma
    bìng? Gěi ta shr̀ wēndùbyǎu le meiyou?

13. Tā kě bùkě? Fāshāu méifāshāu?

14. Dàifu shwō děi dzěmma jyǎnchá? Sz̄ Ss. yau dzěmma
    jyǎnchá?

15. Dàifu gěi ta kāile yige yàufāngr, nèige yàu shr shémma
    yàu? Nèige yàu dzai shémma dìfang mǎi? Shémma shr̀hou
    chr̄?

16. Dàifu ràng Sz̄ Ss. dau shémma dìfang chyu jàusyàng?
    Ràng ta shémma shr̀hou dzài lái?

17. Nǐ shr̀ bushr̀ měinyán dōu dau yīywàn chyu jyǎnchá yítsz̀?
    Nǐ chyu jyǎncháde shr̀hou dàu něikē chyu jyǎnchá?

18. Dzài Měigwode yīywànli kànbìng shǒusyu máfan bumáfan?
    Yǒu meiyou pǔtūnghàu gen tèbyéhàu de fēnbyé?

19. Yīywànlide hùshr dou gwǎn shémma shr̀? Tāmen hwèi kàn-
    bìng buhwèi? Tāmen yě gwǎn kāi yàufāngr ma?

20. Nǐ dzwògwo meidzwògwo kěpàde mèng?

VI. Nǐ Shwō Shémma?

1. Yàushr nǐ dzài yíge yīywàn ménkóur syǎng wèn dzài nǎr
   gwàhàu, nǐ dzěmma wèn?

2. Yàushr nǐ syǎng jr̄dau, kànbìng yǒu shémma shǒusyu, nǐ
   dzěmma wèn?

3. Dàule gwàhàuchùde chwānghu chyántou, nǐ yàu gwàhàu, nǐ
   dzěmma wèn?

4. Yàushr nǐ syǎng jr̄dau, wèi shémma gwà tèbyéhàu bǐ gwà
   pǔtūnghàu gwèi, nǐ dzěmma shwō?

5. Yàushr nǐ yǒu yìdyǎr shāngfēng, yàu chǐng dàifu gěi ni
   kànkan, nǐ dzěmma gēn dàifu shwō?

VII. <u>Gùshr</u>

(on record)

VIII. <u>Fānyì</u>

1. Translate into Chinese:

   1.1 What is the benefit in doing that?

   1.2 What are his bad points? Can you name any?

   1.3 What is the procedure for getting a job in that
   hospital?

   1.4 I wrote it as soon as you told me to; I didn't waste
   any time.

   1.5 It's my turn to fill in the form, not yours

   1.6 Ordinarily he doesn't like to take picures.

   1.7 If you see her too often, I am sure you will dream
   of her.

   1.8 That's impossible; that was just a dream.

   1.9 When he heard this he was scared.

   1.10 The weather is terribly hot; everybody is
   perspiring.

   1.11 How did Dr. Ma examine you?

   1.12 I haven't had my picture taken for years. I am
   going to ask him to take one.

   1.13 May I have my picture taken with you?

   1.14 The nurse said that I might need to have an X-ray
   taken, but the doctor said that it wasn't necessary.

   1.15 The drugstore wouldn't let me have sleeping pills
   without a prescription.

2. Translate back into Chinese:

(422) a. There is much benefit in studying.

(424) a. He is a very honest fellow.
      b. This word is really too difficult.

(426) a. We wasted a lot of time waiting at the bus
         station.

(427) a. It's your turn to go today. Whose turn is it
         tomorrow?

(428) a. We don't ordinarily say it this way.

(431) a. This building is three stories high.
      b. He lives on the third floor.

(433) a. Have you seen him recently?

(436) a. I had a dream last night and dreamt that he had
         died.

(437) a. That man is certainly to be feared.

(438) a. He came and startled me.

(439) a. He broke into a heavy sweat.

(440) a. You must go to a doctor and get a physical
         examination.

(442) a. Let me take a picture of you.
      b. This picture he took is not bad.
      c. Do you like to take pictures? (or) Do you
         like to have your picture taken?

(445) a. Please write a prescription for me.

DISHRJYŎUKE - CHŪCHYU WÁR

I. Dwèihwà

    Yŏu yige syīngchīlyòude dzǎushang,
chíngtyān, tyānchi hěn hǎu. Jàu Ss.
gen Jàu Tt. shānglyang dàije háidz
chūchyu wár. Tāmen lyǎngge rénde
5   yìsz syān bùyíyàng. Hòulai Jàu Tt.
ywè shwō, dzjǐ jywéde ywè yǒulǐ.
Jàu Ss. méi bànfǎ, jřhǎu tàitai shwō
shemma, tīng shemma.

Jàu Tt: Jīntyan tyānchi jèmma hǎu. Wǒmen dài háidz dau
10   nǎr wárwar chyu? Ēi! Wǒ syángchilaile. Wǒmen
dau gūngywán chyu sànsanbù, hǎu buhǎu? Hěn jyǒu
méichūchyule, wǒ jēn syǎng dau wàitou chyu
dzóudzou.
Jàu Ss: Gūngywán yǒu shémma yìsz? Hái bùrú chyu tīng
15   syì hwòshr kàn dyànyǐngr ne.

Jàu Tt: Tīng syì, kàn dyànyǐngr, wǒ búchyù. Tàiyang
hǎude shŕhou, wǒ ywànyi dau wàitou chyu. Wǒ
syǎng syàndzài gūngywánlide hwār dōu kāile.
Jèmma nwǎnhwo, dàije háidz chyu kànkan hwār, kàn-
20   kan dùngwu, tāmen yídìng hěn gāusyìng. Nǐ shwō
ne?

Jàu Ss: Dǎu něige gūngywán chyù ne?

Jàu Tt: Jūngyāng Gūngywán jyou hěn hǎu. Yóuchíshŕ nèige
húbyārshang, hwánjing fēicháng ānjing. Yòu yǒu
25   shŕtou, yòu yǒu shù, hái yǒu yíkwài tsǎudì.
Dzài nèr dzwòdzwo, dwóma shūfu.

Jàu Ss: Hái you shémma dìfang kěchyù? Yàuburán, wǒmen
dài háidz dau bwówùgwán chyu kànkan ba. Dzài
bwówùgwánli háidz kéyi dé hǎusyē jřshr. Nǐ
30   yǐwei dzěmmayàng?

Jàu Tt: Nǐ dzǔng syǎng dau wūdzli chyu, shŕ shémma
ywángu? Nǐ kàn, tàiyang dzèmma hǎu, wèi shémma
fēi dau wūdzli chyu bùkě. Ēi! Wǒ syángchi yíge
júyi lai. Wǒ kàn wǒmen chǐng Sz̄ Ss. gēn women
5   yíkwàr chyù. Dzài lìngwài chǐng jige byéren.
Dwèile, chǐng Jāng Ss., Jāng Tt. Chǐng tāmen
syān dau wǒmen jyā lái, dzwò yìdyǎr chŕde dūngsyi
dàije. Wǒmen jyou dzài nèige húbyārshang yětsān.
Nǐ búshr yau jàusyàng ma? Dàije nǐde jàusyàngjī.
10   Gěi háidzmen jàu jijang syàng. Byéren ne, shéi
ywànyi hwáchwán, shéi hwáchwán; shéi ywànyi chí
dzsyingchē, shéi chí dzsyingchē, shéi ywànyi dǎ
chyóu, shéi dǎ chyóu. Búdàn yǒuyìsz, érchyě
kéyi yùndungyùndung. Wǒ jywéde wǒmen yīngdāng
15   syǎng fádz dzài tyānchi hǎude shŕhou, dau wàitou
chyu dzóudzou, yùndung yùndung. Dwèiyu shēntǐ
gēn jīngshen dōu yǒu hǎuchu. Jyòu jèmma bàn ba.
Nǐ chyu gěi tāmen dǎ dyànhwà, chǐng tāmen lìkè
jyou lái.

20 Jàu Ss: Yùndungyùndung yě hǎu. Wǒ hěnjyǒu méiyùndungle.

Jàu Tt: Nǐ kànkan. Yíge rén dzǔng dzai wūdzli búyùndung,
nà dzěmma chéng ne?

Jàu Ss: Bùjŕdàu Sz̄ Ss. hǎule meiyou?

Jàu Tt: Sz̄ Ss. méiyou shémma dà bìng. Tā nà shr yīnwei
25   tyāntyān dzài wūdzli dzwòshŕ. Yìdyǎr yùndung
dou méiyǒu. Yàushr tā cháng chūchyu dzóudzou,
wǒ gǎn bǎusyǎn tāde bìng yídìng hěn kwàide jyou
hǎule. Nǐ kwài chyu dǎ dyànhwà chyu ba.

Jàu Ss: Hǎu. Wǒ wènwen tāmen yǒu gūngfu meiyou?

30 Jàu Tt: Bùgwǎn yǒu gūngfu meiyou, nǐ chǐng tāmen yídìng
lái. Gàusung tāmen, yǒu shémma shr̀ míngtyan
dzài bàn. Shéi gǎn shwō, míngtyan néng you
jèmma hǎude tyānchi? Tyānchi bùhǎu jyòushr
syǎng chyu wár, yě wárbulyǎu.

35 Jàu Ss: Nǐ lǎushr jèyang shwō hwà. Tāmen yàushr yǒu
yàujǐnde shr̀ching ne.

Jàu Tt: Syīngchīlyòu tāmen yǒu shémma yàujǐnde shr̀ching?
Nǐ syān chyu dǎ dyànhwà chyu ba. Tāmen búchyù,
dzài shwō.

       (Jàu Ss. yíjyu hwà yě méidzài shwō, jyou chyù
       dǎ dyànhwà chyule.)

Jàu: Wài, nín shr Sz̄ Ss. ma?

Sz̄:   Dwèile, nín shr Džān ma?

5 Jàu: Nín dzěmma jŕdau?

Sz̄:   Wǒ tīngdechūlái. Jèi lyangtyān dzěmmayàng?

Jàu: Hěn hǎu. Nín shēnti hǎu dyǎr le ba?

Sz̄:   Hǎu dyǎr le. Jàule yìjāng X-gwāng syàng, dàifu
        shwō méi shemma. Jyòushr jyàu wǒ dwō syōusyi-
10   syōusyi. Chŕ dūngsyi lyóu dyǎr shén. Wǒ syǎng
        búyàujǐn. Wǒ chyu jyancháde shŕhou yě búgwo shŕ
        pà yǒu shémma dà bìng.

Jàu: Jīntyan syàwǔ nín yǒu shŕ ma?

Sz̄:   Wǒ syàndzài hái bùjŕdàu. Wǒ děng yige dyànhwà.
15   Děi děng jyējau nèige dyànhwà, tsái néng
        jywédìng. Dzěmmale? Nín yǒu shŕ ma?

Jàu: Jīntyan tyānchi hěn hǎu. Wǒ nèiren gen wo yàu
        chǐng nín gēn wǒmen yíkwàr dàu gūngywán chyu
        yětsān. Bùjŕdau nín néng chyu bùnéng.

20 Sz̄:   Hǎujíle. Wǒ hěn syǎng chūchyu dzóudzou. Kěshr
        wǒ syàndzài bùgǎn jywédìng. Wǒ shŕèrdyǎn jūng
        gěi nín dà dyànhwà gàusung nín chéng buchéng?

Jàu: Hǎu ba. Wǒ děng nínde dyànhwà ba.

Sz̄:   Hǎu. Dzàijyàn.

25   (Jàu Ss. gěi Jāng Ss. dǎ dyànhwà.)

Jàu: Wài, nín shr Jāng Ss. ma?

Jāng: Dwèile. Nín něiwèi?

Jàu: Džān ne.

Jāng: Òu, Jàu Ss. Hǎu ba. Nín yǒu shémma shŕ ma?

Jàu: Wǒ gēn nín shwō. Jīntyan tyānchi hěn hǎu.
        Nèiren shwō chǐng nín gēn Jāng Tt. dàije háidz
        dàu gūngywán chyu yětsān. Bùjřdau nǐmen néng
        chyu bunéng.

5 Jāng: Hǎujíle. Nín děng yihwěr, byé gwà. Wǒ wènwen
        Lǐrúng yǒu shř meiyou.

        (Gwòle yihwěr -)

Jāng: Wài, chéng, wǒmen néng chyù. Dzài nǎr jyàn ne?

Jàu: Wǒ nèiren shwō, chǐng nǐmen syān dàu wǒmen jer
10   lái. Yíkwàr dzwò yìdyǎr dūngsyi, děng yìhwěr
        yíkwàr chyu. Chǐng nǐmen syàndzài jyou lái ba.
        Dàu wǒmen jèr chř wǔfàn lai.

Jāng: Hǎu ba. Wǒmen lìkè jyou chyù. Yìhwěr jyàn.

                    II. Shēngdż Yùngfǎ

448. gūngywán   N: park
  448.1 ywándz   N: garden (M: -ge); theater (M: -jyā)
  448.2 Jūngyāng
        Gūngywán   N: Central Park
  448.3 hwāywándz
        (hwāywár)   N: garden
  448.4 tsàiywándz   N: vegetable garden
  448.5 syìywándz   N: opera house, theater
  448.6 dyànyǐngr-
        ywándz   N: Movie theater
  448.7 dùngwùywán   N: Zoo

449. yǒulǐ   VO/SV: logical, reasonable

    a. Tā shwōde hěn yǒulǐ.

450. jřhǎu   A: the best thing is to...,
                       the only thing to do is...

    a. Tā bújyàu wǒ chyù, wǒ jřhǎu jyòu búchyùle.

451. bùrú   V: is not up to, is not as good as
  451.1 A bùrú B = B bǐ A hǎu = A méiyou B hǎu.
  451.2 A bùrú B dà = B bǐ A dà = A méiyou B dà.

   a. Kàn dyànyǐngr bùrú tīng syì.

452. syì   N: play, opera
 452.1 tīng syì   VO: go to a play
 452.2 kàn syì   VO: go to a play
 452.3 chàng syì   VO: sing opera

453. dyànyǐngr   N: motion picture
 453.1 kàn
       dyànyǐngr   VO: go to the movies

454. tàiyang   N: sun, sunlight
 454.1 chū tàiyang   VO: sun comes out

455. dùngwù   N: animals

456. hú   N: lake

457. hwánjing   N: environment

458. shŕtou   N: rock, stone

459. tsǎudì   N: lawn

460. bwówùgwǎn   N: museum

461. dé   V: get
 461.1 dé chyán   VO: receive money (as a gift or prize)
 461.2 dé dūngsyi   VO: receive something (as a gift or
                            prize)
 461.3 dé bìng   VO: get sick
 461.4 dé érdz   VO: have a baby
 461.5 déjau   RV: got
 461.6 dé jīngyan   VO: gain experience
 461.7 dé sywéwen   VO: acquire learning

462. jŕshr   N: knowledge
 462.1 dé jŕshr   VO: gain knowledge
 462.2 yǒu jŕshr   VO: well informed; educated
 462.3 méi jŕshr   VO: uninitiated; uneducated

463. júyi   N: idea, way, plan
 463.1 syǎng júyi   VO: think of a way
 463.2 chū júyi   VO: suggest a plan

   a. Shéi chūde jèige júyi?

464. yětsān   V/N: picnic

465. hwá chwán   VO: row boat

466. dzsyíngchē   V: bicycle

467. chí   V: ride, straddle
467.1 chí mǎ   VO: ride horseback
467.2 chí dzsyíng
        chē   VO: ride a bicycle

468. dǎ chyóu   VO: play ball

469. búdàn... $\begin{cases} \text{érchyě (yě)} \\ \\ \text{bìngchyě (yě)} \end{cases}$ not only.....but

    a. Tā búdàn néng shwōhwà, bìngchyě hěn néng dzwòshr̀.
    b. Nèige dìfang búdàn hwánjing hǎu, érchyě dūngsyi
       yě pyányi.

470. dwèiyu   CV: with respect to, in relation to,
                         towards

    a. Wǒ dwèiyu jèijǔng shr̀ching, méi shémma jīngyan.

471. shēntǐ   N: body, health

    a. Tā shēntǐ hěn jyēshr.
    b. Nǐ děi lyóushén nǐde shēnti.

472. jīngshen   N: spirit
472.1 yǒujīngshen   VO: be energetic, spirited
472.2 jīngshénbìng   N: mental disorder

    a. Nèiwei lǎu syānsheng hěn yǒujīngshen.

                    III. Jyùdz Gòudzàu

1. Jyòu and Tsái Further Compared:

   The comparison of jyòu and tsái in Lesson 13 showed them
sometimes to be opposite in meaning. They differ also
in another respect. Jyòu or tsái is often used in a

sentence to contradict a previous statement, but the
sentence with <u>jyòu</u> stresses the contradiction by giving
an example, as in the following dialogue:

A: Dzài Měigwó méiyou rén hwèi shwō Jūnggwo hwà.
(Nobody in the United States speaks Chinese.)

B: Dzěmma méiyǒu? Wǒ <u>jyou</u> hwèi shwō.
(Who said so? I, for one, can speak it.)

And, the sentence with <u>tsái</u> indicates the contradiction
by stressing the subject that comes before <u>tsái</u>:

A: Wǒ géi ni mǎile yige; wǒ syǎng nǐ yěsyǔ ài chr̄.
(I bought one for you, thinking you might like to
eat it.)

B: Wǒ <u>tsai</u> bùchr̄ ne.
(Not I, I wouldn't eat it!)

1.1 <u>Exercise</u> - Translate into Chinese:

1.11 "I think nobody can understand what he said."
"Oh, I can."

1.12 "I think everybody wants to buy one, so you
must want to buy one too." "Oh, no, not I."

1.13 "Everybody here is a college graduate." "No,
I am not."

1.14 "I think our library must have this book." "No,
not <u>our</u> library."

1.15 "I have not yet had Chinese food." "Oh yes,
you have. The food you had last night was
Chinese food."

2. <u>The Translation of "More" into Chinese:</u>

The different uses of the word "more" call for different
translations into Chinese.

2.1 <u>More in amount</u>. Used alone or followed by a noun,
as in "Eat a little more" and "I need more money,"
"more" can be translated as:

$$\left.\begin{array}{l} \text{dwō} \\ \text{dzài} \\ \text{dzài dwō} \end{array}\right\} V \quad \text{yidyar}$$

Nǐ dwō chr yidyǎr.
Nǐ dzài chr̄ yidyǎr.
Nǐ dzài dwō chr̄ yidyǎr.

Sometimes it can be translated as hái, or in any one
of the three ways above with hái added:

Nǐ hái yàu dyǎr ma?
Nǐ hái dwō yàu dyǎr ma?
Nǐ hái dzài yàu dyǎr ma?
Nǐ hái dzai dwō yàu dyǎr ma?

2.2 <u>More in number</u>. When preceded by a number or other
word indicating a number, "more" is translated as
hái or dzài:

Hái yǒu lyǎngge sywésheng yàu lái.
(There are two more students coming.)

Chǐng dzài géi wo jige.
(Please give me a few more.)

2.3 "<u>No more</u>" or "<u>not...any more</u>" is best translated as
"búdzài..." or "byé dzài..." while "<u>never...any more</u>"
has the Chinese equivalent of "dzài yě bù...":

1.Byé dzài dàu Nyǒuywē chyùle.
  (Don't go to New York any more.)

3.Wǒ dzài ye bùhē jyǒu le.   2.Wǒ búdzài hē jyǒu le.
  (I will never drink any more.)(I will drink no more.)

Note that dzài before bù in the third illustration
indicates a much stronger stress on the negative
than when it follows bù as in the second illustration.

2.4 <u>In the comparative degree</u>, as we recall, the various
forms of "more...than" can be translated in the
following ways:

more...than: This is more difficult than that.
bǐ...SV: Jèige bǐ nèige nán.

a little more...than: This is a little more ex-
                         pensive (than that).
bǐ...SV yidyǎr: Jèige (bǐ nèige) gwèi yidyǎr.

much more...than:	This is much more expensive (than that).
bǐ...SV-dedwō:	Jèige (bǐ nèige) gwèidedwō.
even more...than:	This is even more expensive (than that).
bǐ...hái SV:	Jèige (bǐ nèige) hái gwèi.
bǐ...gèng SV:	Jèige (bǐ nèige) gèng gwèi.

2.5 Exercise - Translate into Chinese:

2.51 "Have you any more bread?" "I have no more."
2.52 It will not be ready for ten days more.
2.53 Don't do that any more.
2.54 I dislike her perhaps even more than you do.
2.55 One more word, and I will send you to the
     police station.
2.56 There are not many more of this kind of book.
2.57 I have known him for more than twenty years.
2.58 He's even more clever.
2.59 I gave him five dollars more than I should.
2.60 Doing a good job is much more important than
     finishing quickly.

IV. Fāyīn Lyànsyí

1. "Tā wèi shémma lǎu tīng tā tàitaide hwà?" "Yīnwei tā
dzǔng jywéde ta dzjǐ méilǐ, swóyi jyou jřhǎu tīng ta
tàitaide."

2. "Nǐ shwō shr tīng syì hǎu, shr kàn dyànyǐngr hǎu?" "Wǒ
jywéde shémma dou bùrú dǎ chyóu."

3. "Nèige gūngywánli húbyārshangde hwánjing dzěmmayàng?"
"Chū tàiyang de shŕhou dzwèi hǎu, ānjingjíle."

4. "Nǐ hwèi chí dzsyingchē buhwèi?" "Wǒ chí mǎ syíng, chí
dzsyichē chíbulyǎu."

5. "Tā dzěmma yǒu nèmma fēngfùde jřshr?" "Yīnwei tāde
jīngyan hěn dwō."

6. "Dzwótyan chyu yětsān de shŕhou, nǐmen dǎ chyóu le ma?"
"Búdàn dǎ chyóu le, hái hwále yihwěr chwán."

7. "Nǐ kàn ta jèige júyi dzěmmayàng?" "Yě bútswò, kěshr
   wǒ bùyídìng néng ānje tā shwōde bàn."

8. "Nǐ shwō wǒmen dzěmma bàn hǎu?" "Wǒ dwèiyu jèijyan shr̀
   yìdyǎr júyi yě méiyou."

9. "Tāde shēntǐ jēn hǎu, nǐkàn tā yǒu dwóma dàde jīngshen!"
   "Dwèile, ta yìdǎ chyóu, jīngshen jyou láile."

10. "Nèige bwówùgwǎnli dōu yǒu shémma dūngsyi?" "Yǒu hǎusyē
    shŕtou, kěshr wǒ bùjŕdau dou shr shémma shŕtou."

V. Wèntí

1. Jàu Ss., Jau Tt. yau dàije háidz chūchyu wár, tāmen shr
   dzěmma syángchilaide? Nèityan shr syīngchǐjǐ? Tāmen
   lyǎngge rénde yìsz yíyàng bùyíyàng? Shr̀ dzěmma jywé-
   dìngde?

2. Jàu Tt. shwō yau dàu shémma dìfang chyu? Jàu Ss. ywànyi
   dau shémma dìfang chyu?

3. Jàu Tt. syǐhwan tīng syì, kàn dyànyǐngr ma? Tyānchi
   hǎude shŕhou, tā ywànyi dau shémma dìfang chyu?

4. Jàu Tt. yau dau něige gūngywán chyu? Nèige húbyārshang-
   de hwánjing dzěmmayàng? Jàu Ss. shwō dau bwówùgwǎn chyu
   you shémma hǎuchu?

5. Jàu Tt. syángchi yige shémma júyi lai? Tā dou yàu chǐng
   shéi? Dàu gūngywán chyu dzwò shémma? Ràng Jàu Ss. dzwò
   shémma? Byéren ne? Jèiyàngr yǒu shémma hǎuchu?

6. Jàu Tt. jywéde Sz̄ Ss.de bìng dzěmmayàng?

7. Jàu Ss. yau chyu dǎ dyànhwà wènwen tāmen you gūngfu
   meiyou, tā tàitai shwō shémma? Wèi shémma Jàu Tt.
   jywéde tāmen méiyou yàujǐnde shr̀ching?

8. Jàu Ss. gei Sz̄ Ss. dǎ dyànhwà, Sz̄ Ss. shwō shémma? Sz̄
   Ss. dzěmma jŕdau shr Jàu Ss.de dyànhwà?

9. Sz̄ Ss.de bìng dzěmmayàng le?

10. Dǎ dyànhwà de shŕhou, Sz̄ Ss. shwō tā néng gen tāmen
    yíkwàr chyu yĕtsān ma?

11. Jàu Ss. gĕi Sz̄ Ss. dǎwánle dyànhwà, yòu gei shéi dǎ
    dyànhwà? Shŕ shéi jyēde dyànhwà?

12. Jàu Ss. dzai dyànhwàli shr dzĕmma gen ta shwōde? Tā
    shr dzĕmma hwéidáde?

13. Tāmen dǎswan shémma shŕhou dzai shémma dìfang jyàn?

14. Tyānchi hǎude shŕhou, nǐ ywànyi dzwò shémma?

15. Gūngywánli dōu yǒu shémma? Dàu gūngywán chyu dzwò
    shémma dzwèi yǒuyìsz?

16. Gūngywánli dōu you dùngwùywán ma? Dōu yǒu bwówùgwǎn
    ma? Bwówùgwǎnli dōu yǒu shémma?

17. Yĕtsān shr shémma yìsz? Nǐ shàngtsz̀ yĕtsān shr dzài
    shémma dìfang? Gēn shéi yíkwar chyùde?

18. Nǐ cháng yùndùng ma? Dzwèi syǐhwan dzwo shémma yùndùng?
    Yìtyān yùndùng jǐge jūngtóu?

19. Syīngchīlyòu rén dōu méiyou yàujǐnde shr ma? Nǐ jywéde
    Jàu Tt. shwōde hwà dōu yǒulǐ ma?

20. Nǐ jùde nèige chénglí you gūngywán meiyou? Nèige
    gūngywánlide hwànjing dzĕmmayàng? Chǐng nǐ bǎ nèige
    gūngywánlide chíngsying shwō yishwō.

VI. <u>Nǐ</u> <u>Shwō</u> <u>Shemma</u>?

1. Yàushŕ nǐ syángchi yíjyàn shŕching lai, syǎng shwō, nǐ
   syān shwō shémma?

2. Yàushŕ nǐ syǎng chǐng nǐde péngyou yíkwàr chyù tīng syì,
   nǐ dzĕmma gēn tā shwō?

3. Yàushŕ nǐ péngyou chǐng nǐ chyu kàn dyànyǐngr, nǐ bù-
   syǎng chyù, nǐ dzĕmma gēn ta shwō?

4. Nǐ chǐng nǐde péngyou dàu gūngywán chyu sànsan bù, tā

shwō ta búywànyi chyù, yàushr nǐ yídìng jyàu ta chyu, nǐ
dzěmma gēn ta shwō?

5. Yàushr nǐ syǎng gàusung nǐde péngyou dzài gūngywánli dōu
néng dzwò shémma, nǐ dzěmma shwō?

VII. Bèishū

A: Nín jèr yǒu fángdz chūdzū ma?

B: Dwèile. Yǒu yiswǒr. Kěshr syàndzài hái yǒu ren jùje ne.

A: Tāmen shémma shŕhou bāndzǒu?

B: Syàlǐbaiyī bāndzǒu. Kěshr wǒ hái děi shōushrshōushr.

A: Nín kéyi dài wo kànkan ma? Shŕ jǐjyan ne?

B: Yìjyān wòfáng, yìjyān kètīng.

A: Yǒu chúfáng dzǎufángr meiyou?

B: Dōu yǒu. Yígùng swàn sānjyān.

A: Fángdzū dwōshau chyan yíge ywè?

B: Lyòushr-lyòukwaibàn.

VIII. Fānyì

1. Translate into Chinese:

   1.1 Did you go to the opera last week?

   1.2 He has not only a vegetable garden, but a flower
       garden also. However his flowers are not as good
       as his vegetables.

   1.3 Going bicycling is not as good as going to the
       movies.

   1.4 To go boating is better than anything.

1.5 There is a lake in the zoo.

1.6 There isn't even a lawn in that park.

1.7 There is no museum in the vicinity. The only thing
we can do is ride a bicycle in the park.

1.8 What he said is very reasonable. He doesn't say
anything which is not reasonable.

1.9 I went to a play yesterday. It was a good play.
The name is something like....I forget it. I can
never remember names.

1.10 The environment of the opera house is very quiet.

1.11 He is well informed in the field of history. He's
a scholarly man.

1.12 He lost money in that business, but gained
experience.

1.13 You must think of a way to get some exercise, so
you will have a strong body.

1.14 I have no idea what I am going to do.

1.15 He said that I was crazy, I think maybe he is right.

2. Translate back into Chinese:

(449) a. What he said is very reasonable.

(450) a. He won't let me go so the only thing I can do
is not go.

(451) a. Going to the movies is not as good as going to
a play.

(463) a. Whose big idea is this?

(469) a. He can act as well as talk.
b. Not only is the environment good but the prices
are low.

(470) a. I've had no experience in this kind of thing.

(471) a. He has a strong physique.
      b. You ought to take care of yourself.

(472) a. That old gentlemen is full of vigor.

DÌÈRSHRKE - YĚTSĀN YǏHÒU

I. Dwèihwà

Jàu Ss., Jàu Tt. chǐngle jǐwèi
péngyou, dàije háidzmen dau gūngywán
chyu yětsān chyule. Tāmen yě chǐng
Sz̄ Ss. chyù, kěshr Sz̄ Ss. nèityan
5   yīnwei yǒu yìdyǎr yàujǐnde shrching,
méichyùlyǎu. Hòulai Jàu Ss. jyànjau
Sz̄ Ss., tāmen lyǎngge rén tán yětsānde
chíngsying.

Sz̄: Nèityān dàu gūngywán chyu yětsān, wárde hǎu ba. Wǒ
10   méinéng chyu, jēn dwèibuchǐ.

Jàu: Méishemma. Nèityan shr̀ wǒ tàitai yàu chūchyu wǎr.
Wǒ shr̀ yīnwei lǎn, búda ywànyi chyù, chíshr̀ chūshyu
dzóudzou yě shŕdzài bútswò. Nèityan Jāng Ss. Jāng
Tt. gēn tāmende háidz dōu chyùle. Dzài nèr yòu
15   pèngjyan Lǐ Ss.

Sz̄: Něiwei Lǐ Ss.?

Jàu: Lǐ Chyōutáng, Lǐ Ss., shr̀ wǒ yige túngshr̀, shàngtsz̀
wǒ dzài jyāli chǐng kè, yě yǒu tā. Wǒ gěi nín
jyèshaugwo, nín jìde bujìde?

20 Sz̄: Òu! wǒ syángchilaile. Jyòushr̀ nèiwei tǐng pyàulyangde
yǒu yìdyǎr syǎu húdz, dàije yǎnjìngrde nèiwei, shr̀
bushr̀?

Jàu: Dwèile. Hái you Fāng Sj. Wǒmen dzài yíkwàrde rén
hěn dwō, wárde hěn rènau.

25 Sz̄: Dōu dzwò shémma wárle?

Jàu: Yīnwei tyānchi bútswò, dàjyāde syìngchyu dōu hěn hǎu.
Tàitai, syáujyemen dzài nèr yùbei fàn. Lǎu Lǐ nyán-
chīng, ywànyi gen háidzmen wár. Tāmen dàu yùndung-

chǎng dǎ chyóu chyule. Jāng Ss. gēn wǒ chyù hwá
chwán, dzài chwánshang dyàule yihwěr yú.

SZ̄:   Dyàujaule ma?

Jàu: Hwō! Kě shŕdzài yǒu yìsz. Nèige hú litou, yǒu
5   yijǔng yú, yòu dà, yòu hǎuchŕ, jyòushr bùrúngyi
        dyàu. Dzwótyan, wǒmen bǎ chwán hwádau hú dāngjūng,
        dyàule méi dwódà gūngfu, wǒ jyou jywéde yǒu yityáu
        yú láile. Wǒ yìdyǎr dōu bùgǎn dùng, jyòu dzài nèr
        děngje. Děngle yìhwěr, wǒ jywéde chéngle, jyou
10   gǎnjǐn wàng shàng yìlā, yú tsúng shwéili chūlaile.
        Wǒ yíkan, hwō! jēn bùsyàu, jēn yǒu jèmma dà. (yùng
        shǒu bǐfangje) Wǒ jèng syǎng: "jīntyande yùnchi
        dzěmma dzèmma hǎu!" Méisyǎngdàu, Lǎu Jāng kànjyanle,
        yigāusyìng, tā hūrán yìtwēi wo, jyégwǒ nèityáu yú
15   yídùng, yòu dyàusyachyule. Nín shwō kěsyī bukěsyī.

SZ̄:   Hòulai yòu dyàujaule meiyou?

Jàu: Hòulai wǒ ywè syǎng ywè shēngchì, jyou bǎ chwán
        hwáhweichyule.

SZ̄:   Lǎu Jāng dyàule meiyou?

20 Jàu: Tā búhwèi dyàu. Yàushr ta hwèi dyàu, tá hái néng
        twēi wo ma? Nín syángsyang. Jēn dzāugāu!

SZ̄:   Dyàuyú shr̀ hěn yǒuyìsz. Kěshr bùnéng jāují. Wǒ
        yǐchyán yě yǒushŕhou dyàuje wár. Kěshr tsúnglái
        yě méidyàujaugwo. Nǐmen méi rén chyu yóuyǔng ma?

25 Jàu: Nèr yǒu yige yóuyǔngchŕ. Kěshr wǒmen méiyou rén
        chyù. Nín syǐhwan yóuyǔng ma?

SZ̄:   Yóuyǔng, wǒ dàushr syāngdāng yǒu syìngchyu. Nín ne?

Jàu: Bùchéng. Wǒ yìdyǎr dou búhwèi. Sywégwo, kěshr
        méisywéhǎu. Yísyàchyu, jyou hē shwěi. Yǒu yìnyán
30   gēn péngyou dàu hǎibyār chyu. Péngyoumen dou shwō
        jyàu wo syàchyu. Tāmen shwō tāmen bāngje wǒ. Hǎu.
        Wǒ yísyàchyu, tāmen dōu pǎule. Méi fádz, wǒ dzjǐ
        shr̀le shr̀, gāng yisyàchyu, jyoʋ shwāidàule. Hēle
        hǎusyē shwěi, syánjíle, tsúng nèitsz̀ chǐ, wǒ jyou
35   bùgǎn dzài syà shwěi le.

SŜ: Nà děi dwō lyànsyilyànsyi tsái syíng ne. Yóuyǔng
     hěn yǒuyùng. Nín tīngshwōgwo jèige gùshr meiyou?
     Yǒu yige dàifu dàu yige rén jyāli gěi rén kànbìng.
     Kāile yijāng yàufāngr. Nèi bìngren chīle tāde yàu,
5   jyou sžle. Kěshr tā bùjŕdàu. Dìèrtyān tā yòu chyu
     kànbìng. Nèige bìngrén jyālide rén, jyou yau dǎ
     ta. Tā syàde gǎnjǐn jyou pǎu. Nèisyē rén jyou
     dzài hòutou jwēi ta. Tā pǎudau yige hé byàrshang,
     yīnwei ta hwèi yóuyǔng jyou tyàudzai héli, yóuyǔngje
10   hwéi jyā le. Dàule jyāli, kànjyan tā érdz dzài
     wūdzli nyàn shū ne. Tā wèn ta érdz, "Nǐ wèi shémma
     nyàn shū?" Tā érdz shwō, "Wǒ yàu sywé dàifu." Tā
     shwō: "Yàu sywé dàifu, nyàn shū bunyàn shū, búyàu-
     jǐn. Nǐ děi gǎnjǐn syān sywé yóujǔng." Nín kànkan
15   yóuyǔng dwóma yǒuyùng!

Jàu: Syìngkwēi wǒ búshŕ dàifu. Yěsyǔ búhwèi yóuyǔng, méi
      shemma dà gwānsyi.

SŜ: Yě yǒulǐ. Nǐmen yětsān chīle shémma tèbyé hǎude
      dūngsyi le?

20 Jàu: Chyù yětsānde rén, dàgài dōu búdà dzàihu chī. Jyòu
       wèideshŕ dàjyā dzai wàitou wárwar, bùjŕdau nín
       jywéde dwèi budwèi? Búgwò nèityan wǒmen chīde
       syāngdāng fēngfù. Chúle dyǎnsyin, bǐnggān,
       shwěigwǒ bīngjilíng, kěkǒukělè yǐwài, hái yǒu
25   chǎumyàn gēn jájyǎudz.

SŜ: Jèi yídìng shr nín tàitaide júyi ba?

Jàu: Shéi shwō búshŕ ne? Wǒ tàitai dzwèi hwèi chū júyi.
      Tāde júyi dwōjíle. Kěshr chàbudwō dōushr Jāng Tt.
      dzwòde. Dzwòde fēicháng hǎu. Yóuchíshr nèige
30   chǎumyàn, wèr jyǎnjŕde hǎujíle. Nín chīgwo chǎumyàn
      meiyou?

SŜ: Dzài Měigwó cháng chī. Měigwóde Jūnggwo fàngwǎr
      dōu yǒu chǎumyàn.

Jàu: Tāmen dzwò chǎumyàn, gen Jūnggworén píngcháng
35   dzwòde búdà yíyàng. Shémma shŕhou you gūngfu, dàu
      wǒmen jyā chyu chī yìdyǎr chángchang.

SŜ: Wǒ nèige chúdz néng dzwò bunéng?

Jàu: Néng. Tā dzwòde yě bútswò.

Sz̄: Shwōde wǒ dou èle. Syàndzài yě chàbudwō shr
    chr̄fànde shŕhou le. Dàu wo jyā chyu jyàu chúdz
    dzwò yìdyǎr chr̄, hǎu buhǎu?

Jàu: Jyàu chúdz dzwò kǔngpà láibujíle. Wǒmen yíkwàr
5   dau fàngwǎr chyu chr̄, hǎu buhǎu?

Sz̄: Yě hǎu.

II. Shēngdz̀ Yùngfǎ

473. lǎn   SV: be lazy

    a. Jè shŕhou hái bùchǐlai, nǐ shwō ta lǎn bulǎn?

474. chíshŕ   A: in fact, as a matter of fact

    a. Jèike shū, tā shwō hěn rúngyi. Chíshŕ wǒ kàn
       jyǎnjŕde nánjíle.

475. túngshr̀   N/VO: co-worker, colleague
475.1 túngsywé   N/VO: schoolmate, fellow students
475.2 túngbān   N/VO: classmate
475.3 gēn...túng-... VO: work or study together with....

    a. Tā gēn wǒ túngshr̀.
    b. Tā shr̀ wǒde túngsywé.

476. húdz   N: **beard, mustache**
476.1 lyóu húdz   VO: grow a beard or mustache
476.2 gwā húdz   VO: shave (interchangeable with
                          gwā lyǎn)

477. rènau   SV: be noisy and bustling

    a. Nyǒuywē Sz̀shrèrjyē hěn rènau.

478. syìngchyu   N: interest (cf. yǒuyìsz)
478.1 yǒu syìngchyu   SV/VO: be interested in, show
                             interest in
478.2 dwèi...yǒu syìngchyu   be enthusiastic about

    a. Tā dwèi kāi chìchē syìngchyu hěn gāu.

479. nyánchīng   SV: be young
479.1 nyánchīng ren N: young person
479.2 nyánchīngde   N: young person
479.3 chīngnyán(ren) N: young person

    a. Nèige rén hěn nyánchīng.

480. dyàu yú   VO: fish (with hook and line)

    a. Nǐ syǐhwan dyàu yú ma?

481. dùng   V: move, touch
                      RVE: (indicates capacity for moving or
                           being moved)
481.1 byé dùng   don't move, don't touch
481.2 bùsyǔ dùng   hands off, don't move
481.3 dzǒubudùng   RV: too tired to walk any farther
481.4 dùngbulyǎu   RV: cannot move

    a. Nèige mén dàgài swǒje ne. Wǒ twēile bàntyān,
       méitwēidùng.

482. hūrán   MA: suddenly

    a. Jīntyan ta hūran gēn wǒ shwō, ta yàu jyéhwūn le.

483. twēi   V: push
483.1 twēikai   RV: push open
483.2 twēishangchyu   RV: push up
483.3 twēisyalai   RV: push down
483.4 wàng shàng
      twēi   push upwards

    a. Nèige men méiswǒje, yitwēi jyou kāile.

484. jyégwǒ   A: as a result, finally
                      N: result, solution

    a. Tā shwō ta lái, shwōle bàntyān, jyégwǒ méilái.

485. dyàu   V: drop, fall
                      RVE: come off
485.1 dyàusyachyu   RV: drop, fall
485.2 dyàusyalai   RV: drop, fall
485.3 syǐdedyàu   RV: can wash off

a. Tā yíbulyóushén, tsúng lóushang dyàusyalaile.
b. Jèijyan yīshang dzāngle yíkwài, syǐle bàntyān
   méisyǐdyàu.

486. kěsyī   SV: be pitiful, be regretful (cf. dzāugāu)

a. Kěsyī wǒ méinéng chyù.
b. Dzèmma hǎude jwōdz, dzěmma hwàile ne. Jēn kěsyī.

487. yóuyǔng   V: swim
  487.1 yóuyǔngchŕ   N: swimming pool

a. Tā yóuyǔng yóude hěn hǎu.

488. syāngdāng   A: fairly

a. Tā shwōde syāngdāng kwài.

489. shwāi   V: fall (of a person); throw (some-
                        thing) down
  489.1 shwāijau   RV: fell down and got hurt
  489.2 shwāihwàile RV: it fell down and broke; it was
                        thrown and broken
  489.3 shwāidǎule RV: fell down
  489.4 shwāitǎng-
        syale   RV: fell flat
  489.5 shwāisžle   RV: fell down and died

a. Lyóu dyǎr shén, byé shwāisyàlai.
b. Tā shwāitǎngsyale, kěshr méishwāijáu.

490. jwēi   V: chase after, catch up with
  490.1 jwēishang   RV: catch up with
  490.2 jwēibushàng RV: cannot catch up with
  490.3 jwēideshàng RV: can catch up with

a. Tā pǎude tai kwài, wǒ jwēile bàntyān, jyǎnjŕde
   jwēibushàng.

491. dzàihu   V: be of concern to, care about
  491.1 búdzàihu   it doesn't matter, don't care,
                        it makes no difference to

a. Nǐ ài chyu buchyù, wǒ yìdyǎr dōu búdzàihu.

492. wèi(de)shr   A: in order to, in order that

a. Wǒ géi ni chyán, wèi(de)shr̀ jyàu ni chūchyu wárwar.

493. bǐnggān   N: cookies or crackers (M: -kwài, -hé)

494. bīngjilíng   N: icecream
  494.1 bīng   N: ice

495. kěkǒukělè   N: coca cola

496. chǎumyàn   N: "chow mein" (fried noodles)

497. já jyǎudz   N/VO: fried meat-dumplings
  497.1 jyǎudz   N: meat-dumplings

498. láibují   RV: there isn't enough time to do (it)
                            can't make it
  498.1 láidejí   RV: there is time, can make it

    a. "Wǒ dzwò jyóudyan jūngde chē, láidejíma?"
       "Láibují."

               III. Jyùdz Gòudzàu

1. Shwāi and Dyàu Compared:

   These two verbs are so easily confused that a comparative
   study is needed to clarify their use.

   1.1 Shwāi may have one of three meanings:

       1.11 It means to drop and break:

             Wǎn shwāile.
             (The bowl has been dropped and broken.)

       1.12 It refers to the action of falling down. The
            actor may be a person or an animal but not an
            inanimate object.

             Tā tsúng chwángshang shwāisyalaile.
             (He fell down from the bed.)

       1.13 In the sense of "to crash" something, it refers
            to the harsh action of throwing something

against something (like throwing a book on the
table), or banging the door, etc.:

Tā chìde bǎ mén yishwāi jyou chūchyule.
(He was so angry that he banged the door and
went out.)

1.2 <u>Dyàu</u> also has two common meanings:

1.21 It means to fall off or drop off (both animate
and inanimate things):

Nèiben shū wǒ méinájù, dyàudzai dìshang le.
(I didn't get hold of that book and it dropped
on the floor.)

1.22 It means to become detached from something, both
as a verb or as an RVE:

Tā dyàule yige ěrdwo.
(One of his ears came off.)

Wǒ syǐle bàntyān méisyǐdyàu.
(I washed for a long time, but it didn't come
off.)

1.3 <u>Exercise</u> - Translate into Chinese:

1.31 The child fell from the window but wasn't hurt.

1.32 I was careless and dropped the pen on the floor.

1.33 He jumped from the plane, he didn't fall off.

1.34 He threw his books rudely on the table and
walked out.

1.35 As soon as that tumbler fell on the floor, it
broke.

1.36 This is very sturdy. No matter how you drop it,
it won't break.

1.37 This color is fast.

1.38 The wind blew all the flowers off the tree.

1.39 As that bird was flying, it bumped into the
    building and dropped dead.

1.40 I dropped my key on the chair.

2. The Translation of "Enjoy" and "Send":

There are certain English words which can be translated
into Chinese in many different ways and sometimes cause
confusion. In this lesson, we discuss translations of
"enjoy" and translations of "send".

2.1 The verb "to enjoy" finds no simple equivalent in
    the Chinese language. When one wants to express
    the idea of enjoyment, one has to more or less beat
    around the bush by saying wárde hěn hǎu, jywéde
    yǒuyìsz, ài, syǐhwan, etc.:

    We enjoyed the party very much at his house.
    (Wǒmen dzai ta jyā wárde hěn hǎu.)

    Did you enjoy his speech?
    (Nǐ jywéde tāde yǎnjyǎng yǒuyìsz ma?)

    He enjoys eating good food.
    (Tā ài chī hǎu dūngsyi. or Tā syǐhwan chī hǎu
      dūngsyi.)

    2.11 Exercise - Translate into Chinese:

        2.111 I enjoy writing Chinese characters very
            much.

        2.112 I didn't enjoy the food at all.

        2.113 We went to the park yesterday. I enjoyed
            it very much.

        2.114 I don't think there are many people who
            enjoyed his speech last night.

        2.115 How do you enjoy yourself every evening?

2.2 The verb "to send" has several Chinese equivalents:

    2.21 It is translated as jì when it means to send

by mail:

He sent me a letter last week.
(Shànglǐbài tā gei wo jìlaile yifēng syìn.)

2.22 To send to...is translated as sùngdau:

Send this book to Miss Wang.
(Bǎ jèiben shū sùngdau Wáng Sj. ner chyu.)

2.23 To send for... is translated as pài rén chyu
chyǔ, ná, mǎi, etc.

Don't bother to send it over. I'll send for
it.
(Byé sùnglai. Wǒ pài ren chyu chyǔ ba.)

2.24 Exercise - Translate into Chinese:

2.241 I have sent my cook for some fruits.
2.242 He sent me fifty dollars to buy a table.
2.243 By whom shall I send this letter?
2.244 I sent him over to England.
2.245 If you wish to see this book, I'll send
for a copy.

IV. Fāyīn Lyànsyí

1. "Dzěmmale? Nǐ lyóu húdz le?" "Méiyou. Wǒ jyoushr lǎn,
sāntyan méigwā húdz le."

2. "Dzwótyan nǐmen wárde dzěmmayàng?" "Dàjyāde syìngchyu
hěn hǎu, wárde hěn rènau."

3. "Dyàu yú dzěmma dyàu?" "Dyàude shŕhou bùnéng dùng,
yàushr yú láile, nǐ yídùng, yú jyou pǎule."

4. "Nèige nyánchīngde yě shr nǐde túngshr ma?" "Dwèile.
Wǒde túngshr dōu hěn nyánchīng."

5. "Tā shř dzěmma tsúng fángshang dyàusyalaide?" "Nèige rén
hūrán yìtwēi ta, tā jyou dyàusyalaile."

6. "Tā tsúng fángshang dyàusyalai, shwāijaule meiyou?"

"Shwāijau dàushr méishwāijau, kěshr syà yítyàu."

7. "Tā nyánchīngde shŕhou yóuyǔng yóude dzěmmayàng?"
   "Yóude syāngdāng hǎu, kěsyī syàndzài lǎule."

8. "Dwèibuchǐ wǒ méimǎijáu bǐnggān." "Búyàujǐn, yǒu
   bǐngjilíng jyou syíngle, bǐnggān yǒu meiyou, wǒ yìdyǎr
   dou búdzàihu."

9. "Tā kāi chē kāide jēn kwài, wǒ jyǎnjŕde jwēibushàng."
   "Nǐ hébì jwēi ta ne?"

10. "Nǐ wèi shémma yídìng yau sywé Jūngwén ne?" "Wèideshŕ
    dàu Jūnggwo chyu dzwò mǎimai."

V. Wèntí

1. Jàu Ss. tāmen chyu jĕtsān, Sż Ss. wèi shémma méichyù?
   Hòulai Sż Ss. jyànjau Jàu Ss. shwō shémma?

2. Nèityan chyu yětsān, Sż Ss. wèi shémma búywànyi chyù?
   Jàu Ss. shwō dōu you shéi chyùle? Yòu pèngjyan shéi?

3. Lǐ Ss. jyàu shémma? Jàu Ss. dzěmma rènshr ta? Sż Ss.
   jyàngwo ta meiyou? Lǐ Ss. shémma yàngr?

4. Nèityande tyānchi dzěmmayàng? Tāmen dōu dzwò shémma
   wár le?

5. Tāmen dyàu yú dyàujaule meiyou? Nèige hú lǐtoude yú
   dzěmmayàng? Tā dyàu yú de shŕhou dzěmma dyàu? Wèi
   shémma nèiyau yú yòu dyàusyachyule?

6. Jāng Ss. hwèi dyàu yú buhwèi? Wèi shémma Jàu Ss. shwō
   tā búhwèi? Sż Ss. hwèi dyàu yú buhwèi?

7. Jàu Ss. hwèi yóuyǔng buhwèi? Tā sywé yóuyǔng shr
   dzěmma sywéde?

8. Wèi shémma Sż Ss. shwō yóuyǔng hěn yǒuyùng? Tā nèige
   gùshr shr dzěmma shwōde?

9. Tāmen chyù yětsān de shŕhou dōu chŕle shémma dūngsyi
   le?

10. Tāmen chr̄de dūngsyi dōu shr shéi dzwòde? Shr̀ shéi
    chūde júyi?

11. Tāmen nèityan chr̄de dūngsyi shémma dzwèi hǎuchr̄?

12. Sz̄ Ss. chr̄gwo chǎumyàn meiyou? Měigwóde Jūnggwó
    fàngwǎr dōu yǒu chǎumyàn ma?

13. Jūnggwó rén píngcháng jyāli chr̄de chǎumyàn, gen Měigwo
    fàngwǎrlide chǎumyàn yíyàng buyíyàng? Sz̄ Ss.de chúdz
    hwèi dzwò chǎumyàn buhwèi?

14. Tāmen dau shémma dìfang chyu chr̄ dūngsyi chyule? Wéi
    shémma méidàu Sz̄ Ss. jyā chyu?

15. Nǐ syǐhwan yětsān ma? Dzwèi syǐhwan dàu shémma dìfang
    chyu yětsān? Shr̀ shānshang, shr̀ hǎibyārshang, háishr
    gūngywánli?

16. Yětsānde shr̄hou chr̄de dūngsyi dōu chàbudwō yíyàng ma?
    Dōu chr̄ shémma?

17. Yětsānde shr̄hou jyou wèideshr̄ chr̄ dūngsyi ma? Chúle
    chr̄ dūngsyi hái néng dzwò shémma shr̀?

18. Nǐ hwèi dyàu yú buhwèi? Nǐ tīngjyangwo dyàu yú de gùshr
    meiyou? Nǐ shwō yige dyàu yú de gùshr.

19. Nǐ hwèi yóuyǔng buhwèi? Shr̀ dzai shémma dìfang sywéde?
    Lyànsyíle dwōshau tsz̀ jyou hwèile?

20. Chǐng ni bǎ nǐ shàngtsz̀ yětsānde chíngsying shwō yishwō.

VI. <u>Nǐ Shwō Shémma</u>?

1. Yàushr̄ nǐ syǎng wèn yíge péngyou, tā dzwótyan chǐng kè
   de chíngsying, nǐ dzěmma wèn?

2. Yàushr̄ nǐ yàu gàusung nǐde péngyou dàu gūngywán chyu
   yětsānde chíngsying, nǐ dzěmma shwō?

3. Nǐ shwō yishwō Jàu Ss. dyàu yú de shr̀ching.

4. Nǐ shwō yishwō yětsān dzwèihǎu chr̄ shémma dūngsyi?

5. Yàushr̀ dàule chr̄fànde shŕhou nǐ syǎng chǐng nǐde péngyou,
   swéibyàn chyù chr̄ yìdyǎr dūngsyi, nǐ dzěmma shwō?

VII. <u>Gùshr</u>

(on record)

VIII. <u>Fānyì</u>

1. Translate into Chinese:

1.1 The child says that he isn't lazy, but too tired. I
    think that while he may be tired, he is also lazy.
    But his mother thinks he merely says he is tired
    while actually he is just lazy.

1.2 The one who has a mustache and wears glasses is my
    colleague.

1.3 Everyone was interested in playing ball. They had
    an exciting time.

1.4 He told me that he was interested in fishing. But
    as a matter of fact I don't think he likes it,
    because I have asked him to go several times, and
    he hasn't gone with me even once.

1.5 He told me that Mr. Chen had suddenly passed away.
    I was so surprised.

1.6 This table is too heavy; I don't think I can move it
    by myself.

1.7 He said that the door wasn't locked, but I couldn't
    push it open.

1.8 I told him not to go by air, but he wouln't listen
    to me. Now, look. The result is that he crashed
    and was killed.

1.9 He wasn't careful and fell into the lake.

1.10 There is a beautiful swimming pool, but unfortunately none of us can swim.

1.11 All of the food he bought, such as cookies, ice cream, Coca Cola, etc., is fairly good, but the prices are high.

1.12 If he hadn't chased me, how could I have fallen down!

1.13 It isn't the price I am concerned about; it's the style I don't like.

1.14 I came all the way from China so that I could see you.

1.15 I want to take the eleven o'clock train. Do you think I can make it?

2. Translate back into Chinese:

(473) a. As late as this and he isn't up yet! Wouldn't you say he's lazy?

(474) a. He said this lesson was very easy, but as a matter of fact, I think it is extremely difficult.

(475) a. He and I work together.
b. He is my schoolmate.

(477) a. 42nd Street in New York is a very exciting place.

(478) a. He is very much interested in driving.

(479) a. That person is very young.

(480) a. Do you enjoy fishing?

(481) a. That door probably is locked. I pushed for a long time and it didn't move.

(482) a. He suddenly told me today that he was going to get married.

(483) a. That door wasn't locked. As soon as I pushed,
         it opened.

(484) a. He said he would come. He talked a long while
         about it, but in the end he didn't show up.

(485) a. He wasn't careful and fell downstairs.
      b. This garment has a soiled spot. I washed and
         washed but didn't get it out.

(486) a. Too bad I couldn't go.
      b. What a shame for so fine a table to get broken.

(487) a. He swims well.

(488) a. He speaks fairly fast.

(489) a. Take care, don't fall off.
      b. He fell down flat, but was not hurt.

(490) a. He ran too fast. I ran after him for a long
         while but couldn't catch up with him.

(491) a. Whether you (want to) go or not makes no
         difference to me.

(492) a. I am giving you money so you may go out and
         have some fun.

(498) a. "Can I make the nine o'clock train?" "No, you
         can't."

DÌÈRSHRYÍKE - SYĪHÚ LYǓSYÍNG

I. Dwèihwà

   Yǒu yityān Szmǐdz Ss. gēn Jàu Džān
Ss., Jàu Tt. shānglyang gwānyu dàu
Hángjou chyu lyǔsyíngde shr`ching.

Jàu Tt: Sz̄ Ss., nín dau Jūnggwo láile jèmma jyǒule,
5   lǎushr hěn máng, búshr̀ tsāngwān, jyòushr
            jyǎngyǎn. Dzǔng yě méidé gūngfu dau Shànghǎi
            fùjìn chyu wárwar, shr̀ bushr̀?

Sz̄:   Shéi shwō búshr̀ ne! Jèi jige ywè jēnshr
            mángde bùdélyǎu. Bǐ wǒ dzài Měigwó de shŕhou
10   hái máng. Yìjŕ yě méidé jīhwei dau gèchù
            chyu kànkan.

Jàu Tt: Jèige ywèdǐ, Džān yǒu gūngshr̀ yàu dàu Hángjou
            chyu. Tā jyàu wo péi ta chyù, wǒ yě syǎng
            shwùnbyàn chyu kàn yige péngyou. Wǒ gāngtsái
15   syǎngdau nín. Yàushr nín yǒu syìngchyu, yě
            yíkwàr chyu wár jityan, wǒmen ye kéyi péije
            nín kànkan Syīhú. Nín shwō dzěmmayàng?

Sz̄:   Nà jēn hǎu. Wǒ jèng yau gēn nín dǎting
            Syīhúde fēngjǐng dzěmmayàng ne. Jèi lyangtyān,
20   gūngshrfángli jiwei túngshr̀, jèng dzài jìhwa,
            yàu dzújr yige Chwūnjyà-lyǔsyíngtwán, shwō
            yàu dau Hángjou chyu. Wǒ yǐwei chūchyu wár,
            yídìng děi yǒu shú péngyou dzai yíkwàr, tsái
            yǒuyìsz. Wǒ gen neisyēwèi túngshr̀ hái yǒu-
25   yidyǎr shēng, swóyi hái méijywédìng tsānjyā
            butsānjyā. Yàushr wǒ néng gen nǐmen yíkwàr
            chyu, nà kě jēn tài hǎule. Nǐmen jywédìng
            něityan dùngshēn le ma? Dǎswan jù jǐtyan ne?

Jàu Ss: Wǒ shr sānshryíhàu dzài nèr kāihwèi. Sānshr-
30   yíhàu shr̀ syīngchīsz̀, wǒ syǎng yàushr dzài
            ner jùdau syīngchīr̀, wǒmen yǒu sāntyandwōde

gūngfu, kéyi kànkan chéng litou gen Syīhú
fùjìnde fēngjǐng, yě jyou chàbudwōle. Yàushr
wǒmen syīngchīr syàwǔ hwéilai, syōusyisyōusyi,
syīngchīyī dzǎushang shàngbān, jèng hǎu. Nín
5   syǎng dzěmmayàng?

SZ: Hǎujíle. Jèige jìhwà dwèi wo hěn héshr̀. Nín
             shwō wǒmen dzwò shémma chē chyù ne?

Jàu Ss: Dzwò hwǒchē chyù, búdàu sżge jūngtóu jyou
             dàule. Mínghòutyān, wǒ dau chējàn chyu
10   dǎtingdǎting, shémma shŕhou yǒu chē. Yě děi
             syě fēng syìn chyu, dìng yige lyǘgwǎn. Děng
             wǒ dōu nùnghǎule, dzài dǎ dyànhwà gàusung
             nín ba.

Dàule sānshryíhàu, SZ Ss. dàule Jàujya, tāmen yíkwàr
15 dùngshēn dàu chējàn chyu. Dàule chējàn,

Jàu: Jyǎuháng, jyǎuháng.

Jàu Tt: Wǒmende syíngli hěn shǎu, nǐmen dżjǐ ná, hái
             bùsyíng ma? Búbì jyàu jyǎuháng le.

Jàu Ss: Yě syíng. Chǐng nǐmen dzài jer kānje syíngli,
20   wǒ chyù mǎi pyàu.

SZ: Hǎu. Wǒmen kānje, nín chyù ba. (Dzài pyàu-
             fángr chwānghu chyántou.)

Jàu Ss: Wǒ yau mǎi sānjang dàu Hángjou chyùde
             láihwéipyàu.

25 Màipyàude: Hǎu, gěi nín pyàu. Yígùng shr sānshrlyòukwai-
             lyòumáu chyán.

Jàu: Jèige pyàu, dzwò shémma chē dōu néng yùng ma?

Màipyàude: Yàushr yùng jèige pyàu dzwò tèbyé-kwàichē,
             děi jyā yìdyǎr chyán. Dzài chēshang jyāugei
30   chápyàude jyou syíngle.

Jàu Ss: (dzwèi Jàu Tt. gēn SZ Ss.) Pyàu mǎilaile,
             wǒmen shàng chē ba. Wǒmende syíngli yau gwà
             páidz búyàu? Gwàle páidz shěngde náshàng-
             násyàde.

Jàu Tt: Jyòushr dzèmma sānge syǎu syāngdz, dzjǐ náje
           yě búfèishr, hébì hái gwà páidz? Búbì gwà
           páidz le, shěngde syàle chē yǐhòu, hái děi
           děngje chyǔ. Nǐmen shwō ne?

5 Jàu Ss: Hǎu, jyou tīng nǐde ba. Wǒmen shàng chē
           chyu ba. Shěngde jǎubujáu dzwòr.

           (Tāmen jìnle jàntái, shàngle chē)

Sz: Jèr yǒu jige kūng dzwòr. Wǒmen jyou dzwòdzai
           jèr ba.

10 Jàu Ss: Wǒ shàngsyīngchī gěi Syīhú Fàndyàn syěle
           yifeng syìn, chǐng tāmen gei lyóu lyǎngjyan
           wūdz, tāmen yìjř yě méihwéisyìn. Wǒ syīwang
           tāmen yǒu fángdz, yàuburán, jyou hái děi jǎu
           byéde lyǔgwǎn.

15 Jàu Tt: Wǒ syǎng dzài jèige ywè yǐnèi syě syìn chyu
           dìngde, yídìng yǒu fángdz. Yàushr dzai gwò
           jige syīngchī, tyānchi yìnwǎnhwo, dàu Hángjou
           chyùde rén yìdwō, lyǔgwǎn kǔngpà jyou bùhau-
           jǎule. Sz Ss., tīngshwō gwèigwó rén dōu
20   syīhwan lyǔsyíng, shr jēnde ma?

Sz: Kě búshr ma. Dzwòshrde rén, yìnyán dōu yǒu
           lyǎngge syīngchīde jyà. Chàbudwōde ren,
           píngcháng dōu shěngsya yidyǎr chyán lai, děng
           fàngjyà de shŕhou hǎu chūchyu lyǔsyíng.
25   Kěshr lyǔsyíngde rén yìdwō, nèisyě fēngjǐng
           hǎu yidyǎr de dìfang, jyou dzǔngshr yǒu hěn
           dwō rén, fēicháng rènau. Syīhwan chīngjing
           de rén, dàu búywànyi chyùle. Hángjou jèige
           dìfang, chyùde rén dwō budwō?

30 Jàu Tt: Hángjou hěn yǒumíng. Syīhú fùjìnde fēngjǐng
           yòu hǎu. Swóyi chyu wárde rén bùshǎu. Búgwò
           nàlide dìfang hěn dà, yòu shr shān, yòu shr
           hú, rén swéiran dwō, kěshr hái búswàn tài
           lwàn.

35 Sz: Wǒmen syàle chē, dǎswan syān dzwò shémma ne?
           Syàndzai syān shānglyangshānglyang, shěngde
           dàulede shŕhou, bùjŕdau dzwò shémma hǎu.

Jàu Tt: Syàchē yǐhòu, dìyī, syāndàu Syīhú Fàndyàn.
             Yàushr yǒu fángdz, dāngrán hěn hǎu. Wǒmen
             jyou dōu syān syōusyi yihwěr. Chīrle wǔfàn,
             Džān děi chyu kāihwèi. Tā sànle hwèi jyou
5   méi shr le. Tā chyù kāihwèi de shŕhou, wǒ
             kéyi péi nín dau húbyārshang chyu kànkan.
             Wǒmen gen ta ywēhǎu yige shŕhou, dzài yíkwàr
             chr wǎnfàn. Chīrwán fàn, wǒmen kéyi gù yige
             chwán hwáhwa. Jèilyangtyān, ywèlyang jèng
10   hǎu. Míngtyan, hòutyan dzwò shémma ne, děng
             dàule yǐhòu, kànkan dzài jìhwà ba.

   Sž: Hǎujíle. Yàushr yǒu gūngfu, hái syǎng chǐng
             nín dàije wǒ mǎi yìdyǎr běndìde chūchǎn. Wǒ
             syǎng jìhwéi Měigwo chyu, sùng rén.

15 Jàu Tt: Dāngrán kéyi. Wǒmen džjǐ yě yàu mǎi dyǎr
             dūngsyi. Jèng hǎu yíkwàr chyù.

                    II. Shēngdž Yùngfǎ

499. Syīhú   PW: West Lake (of Hangchow)

500. gwānyu   CV: about, concerning, in relation to

   a. Jèige gùshr shr gwānyu dzai Měigwo de Jūnggwo rén
      de shrching.

501. lyǔsyíng   V/N: travel/travel, trip (M: tsž)

   a. Fàngjyàde shŕhou nǐ yau dàu shemma dìfang chyu
      lyǔshíng ma?
   b. Jèitsž lyǔsyíng yòu yǒu yìsz, yòu méiyùng dwōshau
      chyán.

502. gè-   SP: each, every
  502.1 gèchù   N: everywhere
  502.2 gèjǔng   N: different kinds
  502.3 gèyàngr   N: different kinds

503. ywèdǐ   TW: end of the month
  503.1 nyándǐ   TW: end of the year
  503.2 syàywè(ywè)dǐ TW: end of the next month
  503.3 chyùnyan
        nyándǐ   TW: end of last year

504. gūngshr̀   N: official or public business, in
                        contrast to sz̄shr̀, personal or
                        private matters
  504.1 bàngūng   VO: to conduct official business
  504.2 gūngshrfángr N: office

     a. Nín dzài shémma dìfang bàngūng?

505. Hángjōu   PW: Hangchow

506. péi   V: accompany, escort, keep someone
                       company
  506.1 péi kè   VO: help entertain a guest, keep a
                        guest company
  506.2 péike   N: guest who is not the guest of honor
  506.3 péi(je) ta   to keep him company
  506.4 péi(je) ta
        dzwò yìhwěr   sit with him for a while
  506.5 péi(je) ta chyù go along with him and keep him
                         company

     a. Nǐ yàushr chyù, wǒ jyou péi ni chyù.

507. shwùnbyàn   A: when convenient, at your convenience

     a. Nǐ chūchyude shŕhou, shwùnbyàn gěi wǒ mǎi yìdyǎr
        dūngsyi.

508. jìhwà   V/N: plan

     a. Wǒmen děi syān jyìhwàjyìhwà, míngtyan dzěmma chyù.

509. dzǔjr   V/N: organize/organization

     a. Wǒmen syǎng dzǔjr yige lyǔsyíngtwán.

510. Chwūnjyà-
     lyǔsyíngtwán   N: Spring Vacation Travel Club

511. yǐwéi   V: suppose, think that, consider

     a. Wǒ yǐwei ta bùlái(ne), kěshr ta láile.
     b. Jèijyan shr̀, wǒ yǐwei děi dzěmma bàn.

512. shú (or shóu)..SV: be well acquainted with; ripe,
                        be cooked, done
  512.1 shú ren   N: acquaintance

512.2 nyànshúle   RV: read (a book) until familiar with it
512.3 dzǒushúle   RV: go over (a piece of road) until
                         familiar with it
512.4 dzwòshúle   RV: do (something) until familiar with
                         it

   a. Wǒ gen ta hěn shú.
   b. Jèiben shū ta nyànde búgòu shú.
   c. Jèityáu lù, nǐ swànshr dzǒushúle.

513. shēng   SV: be unfamiliar, raw, fresh
 513.1 shēng dz̀   new word
 513.2 shēng ròu   uncooked meat
 513.3 shēng tsài   raw vegetables
 513.4 shēng rén   stranger, new comer

   a. Tā shwō ta gēn Lǐ Ss. tài shēng, bùhǎuyìsz shwō
      nèijyu hwà.
   b. Dzwótyan wǎnshang wǒ tàitai dzwòde ròu, méidzwòshú,
      hái shēngje ne. Wǒ búdàn méigǎn gàusung ta, bìng-
      chyě wǒ hái děi shwō, "Jēn hǎuchr̄".

514. tsānjyā   V: participate in, join

   a. Wǒ méitsānjyā tāmen nèige dzǔjr.

515. dùngshēn   VO: start on a journey

   a. Dzwótyan nǐmen shr̀ shémma shŕhou dùngde shēn?

516. mínghòutyān   TW: tomorrow or day after tomorrow

517. kān   V: watch
 517.1 kān háidz   VO: take care of a child
 517.2 kān dūngsyi   VO: take care of things
 517.3 kān fáng   VO: take care of a house

   a. Láujyà, nín géi wo kānje dyar dūngsyi.

518. jyā   V: add, increase, raise
 518.1 jyā chyán   VO: increase money; get a raise
 518.2 jyā yìdyǎr
     syǎusyin   VO: be a little more careful
 518.3 jyāchilai   RV: add up, add together
 518.4 jyāshang
     jèige   add this in
 518.5 jyādzai yíkwàr   add together

a. Èr jyā èr shr̀ sz̀.

b. Jyāshang ta, wǒmen yígùng shr̀ wǔge rén.

519. shěngde   A: lest, avoid, in order to prevent
(some one from doing something)

a. Wǒ děi shěng yìdyǎr chyán, shěngde yǐhòu méi chyán
yùng.

b. Nèiben shū wǒ yǒu. Nǐ yàushr yàu kàn, wǒ jyègei ni
ba. Shěngde ní mǎile.

520. fàndyàn   N: hotel
520.1 Syīhú Fàndyàn   West Lake Hotel

521. hǎu   A: in order to, so that
521.1 wèi(de)shr hǎu   in order to, so that

a. Wǒ bǎ jèi lyangjāng jř lyóuchilai, míngtyan hǎu
yǒude yùng.

522. ....yǐnèi   MA: within....

a. Sānshrkwai chyán yǐnèi, wǒ jyou mǎi.

523. chīngjing   SV: be quiet

a. Wǒ jùde nèige dìfang hěn chīngjing.

524. ywē   V: invite
524.1 ywēhǎu   RV: reach an agreement with
(someone to do something)

a. Tā dzwótyan lái ywē wǒ chūchyu chřfàn, kěshr wǒ
méinéng chyù.

b. Wǒ yǐjing gēn ta ywēhǎule, míngtyan lyòudyǎn
jūng jyàn.

525. běndì   N: local place, indigenous, native
525.1 běndì rén   N: natives (of a place)

a. Nèige màibàude, búdàn mài běndì bàu, yě mài byéde
dìfangde bàu.

III. Jyùdz Gòudzàu

1. **The Difference Between Gwānyu and Dwèiyu:**

Gwānyu and dwèiyu as coverbs with the meanings "concern-
ing", "in regard to" and "as to", are usually inter-
changeable.

Gwānyu (or dwèiyu) jèngjŕde shū, wǒ dōu syǐhwan kàn.
(I like to read all books on politics.)

But after the equative verb shŕ, gwānyu may be used,
while dwèiyu may not.

Jèige gùshr (shŕ) gwānyu yige dzai Měigwo de Jūnggwo-
rende shēnghwó.
(This story is about life of the Chinese people in the
U.S.)

1.1 **Exercise** - Translate into Chinese:

1.11 I have nothing to say about that matter.
1.12 As far as history is concerned, I know practical-
ly nothing about it.
1.13 He has no interest at all in doing this kind of
work.
1.14 This book is about an accident to an airplane.
1.15 He is experienced in repairing this kind of
radio.

2. **The Translation of Yǐchyán and Yǐhòu:**

Yǐchyán and yǐhòu vary in translation with the way in
which they are used.

2.1 **Yǐchyán** can be translated as "formerly", "before...",
and "ago":

2.11 It means "formerly" when it is used as an MA
and in this sense is interchangable with
tsúngchyán.

Yǐchyán (or tsúngchyán) wǒ jùdzai Jūnggwo.
(Formerly I lived in China.)

2.12 It means "before..." when it follows a timeclause other than a number-measure time expression:

> Chr̄ wǎnfàn yǐchyán, byé nyànshū.
> (Don't study before supper.)

2.13 It means "ago" when it follows a number-measure time expression:

> Sānnyán yǐchyán wǒ méidzài jèr.
> (I wasn't here three years ago.)

2.2 <u>Yǐhòu</u> can be translated as "afterwards" and "after":

2.21 As an MA it means "afterwards":

> Wǒ yǐhòu jyou shémma dou bujr̄dàule.
> (Afterwards, I blacked out completely.)

2.22 When it follows a time expression, it means "after":

> Chr̄fàn yǐhòu wǒ bùhē shwěi.
> (I don't drink after eating.)

> Sānnyan yǐhòu wǒ jyou bìyè le.
> (I will graduate after three years.)

> Míngtyan yǐhòu wǒ jyou búchyùle.
> (I will not go any more after tomorrow.)

2.3 <u>Exercise</u> - Translate into English:

2.31 Nèige rén dzǔjrle yige lyǔsyíngtwán. Ta dzǔjr yǐchyán, syān wèn wo tsānjyā bùtsānjyā.

2.32 Yǐchyán wǒ genta bùshú, hòulai dzài yige gūngshr̄fángrli dzwò shr̄, dzwòle jige ywè jyou shúle.

2.33 Sānnyán yǐchyán, wǒ yǐwei tā nèige jìhwa hěn hǎu, syàndzài bùjr̄dàu wèi shémma, jywéde bùsyíngle.

2.34 Yàushr nǐ kěn dzwò fēijī, jīntyan dùngshēn, lyǎngtyan yǐhòu yídìng dàu.

2.35 Yǐchyán tā měitsż jyè chyán wǒ dou jyègèi ta.
Tsúng chyùnyan nyándǐ wǒ méi shřching yǐhòu
jyou méi fádz dzai jyègei ta chyán le.

3. Other Yǐ- Compounds:

Besides yǐchyán and yǐhòu, there are a number of other
compounds with the yǐ prefix. The meaning of yǐ itself
varies. It may mean "by", "with", "where", etc. It is
more important to the student to remember what each
compound means as a whole.

3.1 YǏ is often joined with expressions of place:

yǐdūng	to the east of
yǐsyī	to the west of
yǐnán	to the south of
yǐběi	to the north of
yǐshàng	above
yǐsyà	below, beneath
yǐlǐ (or yǐnèi)	within
yǐwài	outside, beyond

3.2 The directional compounds (yǐdūng, yǐsyī, etc.) often
stand after a place word:

Jèige dìfang yǐdūng dōu shr hǎi.
(It is all sea to the east of here.)

3.3 The shàng, syà, lǐ, nèi and wài compounds often
appear after a number-measure:

Yàushr sānshrkwai chyán yǐshàng wǒ jyou bùmǎile.
(I won't buy it if it's over thirty dollars.)

Yíge lǐbài yǐnèi wǒ yàushr bùhwéilai, nǐ jyou yíge
rén chyù ba.
(If I don't come back within one week, please go
without me.)

3.4 Like yǐchyán and yǐhòu, yǐshàng and yǐsyà may some-
times be used as movable adverbs:

Wǒ yǐshàng swǒshwōde dōu shr tā gàusung wǒ de.
(All that I said above was what he told me.)

Yǐsyà wǒ jyou dōu bùdǔngle.
(From here on, it's beyond my comprehension.)

3.5 <u>Exercise</u> - Translate into Chinese:

3.51 They fought to the north of the Yellow River.
3.52 I will not leave this country before the end of March.
3.53 All the trees inside this wall are ours.
3.54 There are more than 300 pages in that book.
3.55 I enjoyed the book up to page 200; from there on I didn't like it very much.
3.56 The railroad station is east of our school.
3.57 The wall is built of rock up to here, from here on up, it is made of dirt.
3.58 I have to finish it within three days.
3.59 I have learned the first half of that song. From the fifth line on, I haven't yet learned it.
3.60 I think a house like this for less than twenty-thousand dollars is very reasonable.

IV. Fāyīn Lyànsyí

1. "Gāngtsái dzài gūngshrfángrli, nǐmen tánde shr <u>shémma</u>?"
   "Women <u>tánde</u> shr gwānyu lyǔsyíngde <u>jìhwa</u>."

2. "Gwānyu dzǔjr lyǔsyíngtwán de <u>jìhwa</u> nǐ yǐwei yīngdāng <u>dzěmma</u> bàn?" "Wǒ méiyou shemma <u>júyi</u>."

3. "Nǐ dzwótyan dzwò <u>shémma</u> le?" "Dzwótyan wǒ péije yiwei <u>shēng</u> <u>péng</u>you dàu gèchù tsāngwanle tsāngwan."

4. "Yàushr nǐ dau Nyóuywē lái, kéyi shwùnbyàn dau wǒ jyā dzwòdzwo." "Wǒ yídìng <u>kàn</u> nín chyù."

5. "Wǒ ywēle yige <u>shú</u> rén yíkwàr chyu chr wǎnfàn, nǐ yě tsānjyā hǎu buhǎu? "Hǎujíle. <u>Shémma</u> shŕhou? Dzài shémma dìfang <u>jyàn</u>?"

6. "Nǐmen chyu lyǔsyíng, dǎswan shémma shŕhou dùngshēn?"
   "Dàgài mínghòu<u>tyān</u> jyou yau dùngshēn le."

7. "Jīntyan lěng, nǐ dwō chwān yijyan <u>yī</u>shang ba." "Dwèile.

Děi dwō jyā yìdyǎr <u>syǎu</u>syin. Shěngde jāu<u>lyáng</u>."

8. "Nǐ dǎswan jùdzai <u>nǎr</u> ne?" "Wǒ děi jǎu yige <u>chīng</u>jing
   dìfang, hǎu nyànshū."

9. "Nǐ jèitsz̀ dau jèr lái yǒu shémma <u>gūng</u>shr̀ ma?" "Méiyou.
   Jyou wèideshr̀ lai <u>kàn</u>kan nimen."

10. "Tā <u>shwō</u>de búshr gwānyu lyǔsyíngde <u>jì</u>hwa ma?" "Òu! Wǒ
    yǐwei ta hái shwō <u>syàu</u>hwa ne."

V. <u>Wèntí</u>

1. Sz̄ Ss. dàule Jūnggwo yǐhòu, wèi shémma méidau Shànghǎi
   fùjìn chyu wárwar?

2. Jàu Ss. wèi shémma yau dau Hángjou chyu? Tā shémma
   shŕhou chyù? Jàu Tt. wèi shémma chyù?

3. Jàu Tt. wèi shémma yau chǐng Sz̄ Ss. yíkwàr chyù?

4. Sz̄ Ss. wèi shémma méijywédìng tsānjyā bùtsānjyā nèige
   Chwūnjyà-lyǔsyíngtwán? Nèige Chwūnjyà-lyǔsyíngtwán yàu
   dàu shémma dìfang chyu? Shr̀ shéi dzǔjr de?

5. Tāmen shémma shŕhou dùngshēn? Dǎswan dzai Hángjou jù
   jǐtyan? Něityan chyu, něityan hwéilai?

6. Jàu Ss. něityan kāihwèi? Tā jìhwa dzai ner dzwò shémma?
   Tāde jìhwa Sz̄ Ss. jywéde dzěmmayàng?

7. Tāmen dzwò hwǒchē chyu dzài lùshang děi dzǒu dwōshau
   jūngtóu? Tā shwō ta yau dzěmma yùbei?

8. Tāmen tsúng shémma dìfang dùngde shēn? Tāmende syíngli
   shr dz̀jǐ ná de háishr jyàuháng gěi tamen ná de? Jàu Ss.
   mǎide pyàu shr láihwéipyàu ma? Dwōshau chyán? Tā mǎide
   pyàu kéyi dzwò tèbyé-kwàichē ma?

9. Tāmende syíngli gwà páidz le meiyou? Wèi shémma? Jàu
   Ss.de yìsz dzěmmayàng?

10. Jàu Ss. wèi shémma gěi Syīhú Fàndyàn syě syìn? Tā
    jyḗjau hwéisyìn meiyou?

11. Syīhú Fàndyàn yàushr méi fángdz, tāmen dzěmma bàn? Wèi shémma Jàu Tt. syǎng Syīhú Fàndyàn yǒu fángdz?

12. Sz̄ Ss. shwō Měigwo rén dou syǐhwan lyǔsyíng ma?

13. Syīhú jèige dìfang, chyùde rén dwō budwō? Lwàn búlwàn?

14. Syàle chē yǐhòu tāmen dǎswan syān dzwò shémma? Chr̄wánle wǔfàn tāmen dzwò shémma? Chr̄wánle wǎnfàn tāmen dzwò shémma?

15. Sz̄ Ss. hái yau dzwò shémma?

16. Nǐ syǐhwan lyǔsyíng ma? Syǐhwan dzwò shémma chē lyǔsyíng? Dàu shémma dìfang chyu lyǔsyíng?

17. Lyǔsyíng yǐchyán yīngdāng dzěmma yùbei?

18. Dzwò hwǒchē de shŕhou, syíngli shr̀ dz̀jǐ dài hǎu, shr̀ gwà páidz hǎu? Yǒu shémma hǎuchu?

19. Nǐ jywéde Měigwo ren dou syǐhwan lyǔsyíng ma? Tāmen syǐhwan shémma shŕhou lyǔsyíng? Dàu shémma dìfang chyù?

20. Chíng ni bǎ nǐ shàngtsz̀ lyǔsyíngde chíngsying shwō yishwō?

VI. Nǐ Shwō Shémma?

1. Yàushr nǐ syǎng dàu yige dìfang chyu lyǔsying, nǐ syǎng ywē nǐde péngyou yíkwàr chyù, nǐ dzěmma gēn ta shwō?

2. Yàushr nǐde péngyou ywē nǐ gēn ta yíkwàr chyu lyǔsyíng, nǐ syǎng wèn ta shémma wèntí?

3. Yàushr nǐ ywànyi gen ta yíkwàr chyù, nǐ dzěmma shwō? Yàushr nǐ búywànyi gen ta yíkwàr chyù, nǐ dzěmma shwō?

4. Nǐ syǎng yige lyǔsyíngde jìhwà, gen wǒmen shwō yishwō. Bǐfang, dàu shémma dìfang chyù? Chyù dwōshau r̀dz? Shémma shŕhou dùngshēn? Shémma shŕhou hwéilai? Dzwò shémma chē chyù? Dàu nèr yǐhòu jùdzai nǎr shémmáde.

5. Nǐ shwō yishwō nǐ lyǔsyíngde jīngyàn.

VII. Bèishū

A: Jīntyan jēn rè a.

B: Kě búshr̀ ma!

A: Jèr syàtyan jēn bùshūfu. Chūhàn chūde tài dwō.

B: Nín wèi shémma búdàu hǎibyār chyu lyángkwailyángkwai?

A: Wǒ búhwèi yóuyǔng.

B: Búhwèi yóuyǔng, méi gwānsì. Nín yàushr méi shr̀, wǒmen syàndzài chyu hǎu buhǎu?

A: Kéyi. Kěshr wǒ méiyou yóuyǔngyī.

B: Búyàujǐn. Wǒ yǒu lyǎngjyàn. Děng wǒ bǎ yóuyǔngyī nálai, wǒmen jyòu dzǒu.

VIII. Fānyì

1. Translate into Chinese:

1.1 This story is about his trip to Japan.

1.2 I want to know something about the situation in China.

1.3 How long a trip was it?

1.4 Where are you planning to travel on your spring vacation?

1.5 They sell all sorts of native products.

1.6 You cannot join several kinds of organization at the same time.

1.7 I will be in Italy by the end of next month.

1.8 If you are going to town, will you please show him around at your convenience.

1.9 If you are going to make coffee, please make one more cup. Thanks.

1.10 This plan suits me perfectly.

1.11 As far as I'm concerned, I don't think his speech is well organized.

1.12 I thought he was an American, but actually he was a Frenchman.

1.13 I am acquainted with this town.

1.14 I don't feel at home when I meet strangers.

1.15 We have to start off a little earlier tomorrow.

1.16 This fish isn't salty enough. I'll have to add a little more salt.

1.17 I have to study hard, to avoid being embarrassed tomorrow, when the teacher calls on me.

1.18 If you can give me some, that will save my buying it.

1.19 I will buy another pen, so that in case I lose this one I will have something to use.

1.20 I must remember these Cantonese sentences so that when I go to a Chinese restaurant I can order a meal.

2. Translate back into Chinese:

(500) a. This story is about Chinese people in America.

(501) a. Are you going to travel some where during the vacation?
      b. It was an interesting trip and didn't cost much.

(504) a. Where do you work?

(506) a. If you are going, I will go along to keep you company.

(507) a. When you go out, buy some things for me at your convenience.

(508) a. We have to plan beforehand how we are going tomorrow.

(509) a. We want to organize a travel club.

(511) a. I thought he wasn't coming, but he showed up.
      b. I think this matter should be done this way.

(512) a. I am very well acquainted with him.
      b. He's not familair enough with this book.
      c. You can be considered familiar with this road.

(513) a. He said he doesn't know Mr. Lee well enough to
         say that.
      b. Yesterday the meat my wife cooked was not done.
         I not only did not dare tell her, but also had
         to say: "It's very delicious."

(514) a. I did not join their organization.

(515) a. When did you start yesterday?

(517) a. Please watch these things for me.

(518) a. Two and two is four.
      b. Counting him in, there are five of us.

(519) a. I have to save some money lest I should have
         nothing to spend in the future.
      b. I have that book. If you want to read it I
         will lend it to you, to save your buying it.

(521) a. I'll keep these two sheets of paper, so that I
         will have some paper to use tomorrow.

(522) a. If it is within thirty dollars, I will buy it.

(523) a. I live in a quiet neighborhood.

(524) a. He came and asked me to eat out with him, but I
         couldn't make it.
      b. I have arranged with him to meet at six o'clock
         tomorrow.

(525) a. That newspaper man sells not only local papers,
         but also papers from other places.

DÌERSHRÈRKE - KÀN SHŪ, KÀN BÀU

I. Dwèihwà

Yǒu yityān, Jàu Ss. syàle bān, méi
shř, jyou dau Sž Ss. nèr chyu kànkan,
tán yitán.

Jàu: Sž Ss., méichūchyu a?

5 Sž: Āi! Džān. Tsúng nǎr lái?

Jàu: Wǒ syàle bān, méi shř, lái kànkan nín.

Sž: Hǎujíle. Wǒ jèng syīwang yǒu yige rén lai tántan
ne. Dzěmmayàng? Yǒu shémma syīnwén?

Jàu: Wǒ mǎile yifèr wǎnbàu, jyòu kànle kan dà tímu, hái
10   méidžsyì kàn ne. Yòu yǒu fēijī chūshř le. Sžle
        shŕjigè rén. Jěn dzāugāu.

Sž: Kě búshř ma. Wǒ gāngtsái tīngle tīng wúsyàndyàn.
    Wǒ yě tīngjyanle. Bujŕdau shr shémma ywángu,
    jìnlái fēijī dzǔng chūshř.

15 Jàu: Wǒ syǎng shř yīnwei syàndzàide fēijī bǐ yǐchyán
       dwōle, fēijī dwō, dāngrán chūshřde jīhwei yě dwō.
       Dzàishwō, kǔngpà tāmen jyǎnchá jīchi, jyǎncháde
       búgòu džsyi. Hái yǒu hěn dwō byéde ywángu, syàng,
       tyānchi bùhǎu, kāi fēijī de bùlyóushén, dōu néng
20   chūshř.

Sž: Nín shwōde hěn dwèi. Jèisyē řdz Ōujoude chíngsying
    dzěmmayàng?

Jàu: Hài! Dàgài hái shř nèmma lwàn ba. Wǒ dwèiyu
     shřjyè-dàshř jyǎnjŕde méitài jùyì. Píngcháng kàn
25   bàu, búgwò kànkan datímu, dzai tīngting wúsyàndyàn,
     jyou wánle. Jřdaude tài shǎu. Syàndzài, jèngjř,
     jīngjì, dzūngjyàu, jyàuyù, gè jǔngde wèntí dōu tài

fúdzà. Shŕdzài méi fádz wàng shēnli yánjyou. Búgwò
wǒ jywéde shr̀jyeshang kělyánde rén tài dwō. Hěn
dwōde rén dōu hěn kǔ. Jēn bùjŕdau yīngdāng dzěmma
bàn.

SZ̄: Wǒmen syìnjyàude rén syǎng, jŕyǒu dzūngjyàu néng
5   jyějywé yíchyède wèntí. Yàushr rénren dou yǒu
      àisyīn, ài rén de syīn, shr̀jyèshangde wèntí, jyou
      jyǎndandwōle. Bùjŕdau nín yǐwei dzěmmayàng?

Jàu: Nín shwōde bútswò. Búgwò wǒ dwéiyu dzūngjyàude
      dàuli, jŕdaude tài shǎu, yǐhòu děi hǎuhāurde yánjyou-
10   yánjyou. (Jàu Ss. kànjyan SZ̄ Ss. jwōdzshang fàngje
      yiběn shū.) Nín kàn shémma shū ne?

SZ̄: Shr̀ yiběn gwānyu gùngchǎnjǔyì de shū. Wǒ syǎng dwō
      jŕdau yìdyǎr gùngchǎnjǔyìde dàuli. Nín yě syǐhwan
      kàn shū ma?

15 Jàu: Hěn syǐhwan. Méi shr̀de shŕhou, kàn shū shr̀ dzwèi
      yǒuyìszde shr̀ching.

SZ̄: Nín cháng kàn shémma shū?

Jàu: Wǒ shémma dou kàn. Syǎushwōr, dzájr̀, hwàbàu, dōu
      kàn, wǒ shr̀ kànje wár. Kànde shŕhou jywéde yǒuyìsz,
20   kànwánle, jyou wàngle. Nín yě yǒushŕhou kàn
      Jūngwén shū ma?

SZ̄: Yě kàn. Jyòushr kànde màn yìdyǎr. Wǒ syǎng shr̀
      yīnwei lyànsyi búgòu. Dàgài cháng kànkan jyou
      syíngle.

25 Jàu: Nà yídìng. Wényánde shū nín yě néng kàn ma?

SZ̄: Néng kàndǔng yìdyǎr. Yǒushŕhou děi chá dz̀dyǎn.
      Báihwàrde shū, bàu, dzájr̀, kànje dau búswàn tài nán.
      Kěshr yě bùneng shwō yìdyǎr wèntí dōu méiyǒu. Yǒu-
      shŕhou yǒu kànbùdǔngde dìfang, dàgài yě kéyi
30   tsāichulai. Bǎ Jūngwén jēn sywéhǎule, yě shŕdzài
      bùrúngyi.

Jàu: Kě búshr̀ ma. Wǒmen Jūnggwo rén sywé Yīngwén, yě
      shr̀ yíyàngde nán. Dzwèi yàujǐnde jyòushr děi cháng
      yùng, cháng wēnsyi, yàushr búyùng, gwòbulyǎu dwōshau
35   r̀dz, jyou wàngle. Wúlwùn sywé shémma wàigwowén, dōu-
      shr jeyàngr.

Sz̄: Búgwò wǒmen Měigwo rén, jywéde Déwén, Fàwén, méiyou
      Jùngwén dzèmma nán shŕde.

Jàu: Nàshr yīnwei, Yīngwén džde syěfǎ, gēn Déwén, Fàwén,
      hěn syàng. Bìngchyě, yǒu hěn dwō dž, jyǎnjŕde
5   yíyàng. Jūnggwo dž búdàn bùrúngyi jìju fāyīn yě
      yǒu hěn dwōde nánchu.

Sz̄: Shéi shwō bushŕ ne! Wǒ shwō hwà, szshēng jyou
      dzǔngshr bùjwǔn.

Jàu: Nín shwōde hěn hǎu. Tswòde shŕhou hěn shǎu. Búgwò
10   szshēng dzài Jūnggwo hwà hěn yàujǐn. Yǒushŕhou
      yàushr shwōde chà yìdyǎr, yìsz jyou chàdwōle.
      Bǐfang ba, "hwàr" gen "hwār", "shù" gen "shū", nín
      kàn yìsz chà dwōshau!

Sz̄: Shŕ a. Wǒmen wàigwo rén yīnwei shwōde szshéng
15   búdwèi, bujŕdau chūle dwōshau syàuhwar.

Jàu: Jūnggwo rén shwō Yīngwén shwōbuhǎu, yě yíyàngde
      chángcháng chū syàuhwàr. Nín shwō dwèi budwèi?

Sz̄: Yě dwèi.

Jàu: Nín tīngjyangwo jèige gùshr ba. Yǒu yige Jūnggwo
20   sywéshēng, tīngjyan yǒude rén dzai jyèshàuwánle
      yǐhòu, shwō, "I'm charmed." Kěshr ta méitīngchīng-
      chu. Yǒu yitsz̀ byéren gěi tā jyèshàu yiwei syáujye,
      nèige rén shwō, "Jèiwei shr̀ Lǐ Sj." Tā gǎnjǐn shwō,
      "I'm charming."

25 Sz̄: Jèige hěn syàng nèige gùshr. Yíge wàigwo rén, syǎng
      shwō, "jyǒuyǎng, jyǒuyǎng." Tā shwōtswòle. Tā shwō,
      "jyàngyóu, jyàngyóu". Nín shwō kěsyàu bukěsyàu?

Jàu: Jēn youyìsz. (Kànkan byǎu) Hwō! Yǐjing lyòudyǎn
      le. Wǒ děi dzǒule.

30 Sz̄: Máng shemma?

Jàu: Wǒ jīntyan wǎnshang yǒu yige ywēhwei.

Sz̄: Jǐdyǎn ne?

Jàu: Chīdyǎn. Wǒ hái děi syān hwéi jyā.

S̄z̄: Hái kéyi dzài dzwò shŕfen jūng.

Jàu: Bùle. Gwò lyǎngtyan jyàn ba.

S̄z̄: Hǎu, nèmma dzàijyàn.

II. Shēngdz̀ Yùngfǎ

526. syīnwén   N: news

527. -fèr   M: issue, number (of something
                          published periodically)

    a. Tā tyāntyān dzǎushang mǎi yifèr bàu.

528. tímù   N: topic, theme
   528.1 bàushangde
         dàtímu   headlines

529. dž̌syì   SV/A: be careful/carefully (cf. lyóushén;
                          syǎusyin)

    a. Tā nèige rén hěn dž̌syì.
    b. Chǐng nǐ dzài dž̌syìde kàn yitsz̀.

530. wúsyàndyàn   N: radio

531. jīchi   N: machine

532. jùyì   VO: pay attention (cf. lyóushén)
                       AV/V: pay attention to/pay attention

    a. Shàng kè de shŕhou chǐng ni jù yidyǎr yì.
    b. Chǐng nǐ jùyì nèige rén.
    c. Tā hěn jùyì nyànshū.

533. jèngjr̀   N: politics

534. jīngjì   N/SV: economy/be economical

535. dzūngjyàu   N: religion
   535.1 syìn
         dzūngjyàu   VO: believe in religion

536. jyàuyù   N: education

537. fǔdzá   SV: be complicated (opposite of jyǎndān)

   a. Jèijyan shŕching hěn fǔdzá.

538. kělyán   SV: be pitiful (cf. kěsyī)

   a. Nèige chyúng rén jēn kělyán.

539. jyějywé   V: solve, settle

   a. Jèige wèntí, méi fádz jyějywé.

540. jǔyì   N: principle (-ism)
  540.1 gùngchǎnjǔyì N: communism

541. syǎushwōr   N: novel

542. dzájř   N: magazine

543. hwàbàu   N: pictorial magazine

544. wényán   N: literary language, classical style

   a. Nèiběn shū shr yùng wényán syěde.

545. chá   V: investigate, inspect, look up
  545.1 cháchulai   RV: find out about
  545.2 chá dż   VO: look up words

546. dżdyǎn   N: dictionary
  546.1 chá dżsyǎn   VO: consult the dictionary

   a. Chǐng ni géi wo cháchá jèige dż.

547. tsāi   V: guess
  547.1 tsāijáule   RV: guessed it

   a. Nǐ tsāitsai shŕshr.
   b. Wǒ tsāile bàntyān, méitsāijáu.

548. báihwà(r)   N: colloquial language, vernacular style
  548.1 báihwàr
        syǎushwōr   novel in the vernacular

   a. Wényán, báihwà tā dōu kàndedǔng.

549. syěfǎ   N: the way of writing
 549.1 shwōfǎ   N: the way of speaking
 549.2 kànfǎ   N: point of view, way of looking at
                           things

550. szshēng   N: four tones (of the Chinese Mandarin
                           language)

551. jwǔn   SV/A: be accurate/certainly
 551.1 jwǔn shŕhou   on time

    a. Wǒde byǎu bùjwǔn.
    b. Chíng ni jwǔn shŕhou lái.
    c. Wǒ míngtyan jwǔn lái.

III. Jyùdz Gòudzàu

1. Syǎusyin, Lyóushén, Jùyì and Džsyì Compared:

   These four expressions are interchangable in the sense
   of being careful. In addition, jùyì carries the meaning
   of being attentive or concentrating one's attention on
   something; džsyì means to be meticulous. The following
   chart clarifies their parts of speech in usage:

	syǎusyin	lyóushén	jùyì	džsyì
SV	X			X
A	X	X	X	X
V	X	X	X	
VO		X	X	
AV		X	X	

1.1 Exercise - Translate into Chinese:

    1.11 Be careful in your work.
    1.12 Spend your money carefully.
    1.13 He is careful about his clothes.
    1.14 Please be very careful about your diet.
    1.15 Pay attention to what I say.
    1.16 He takes no care of his things.

     1.17 Look out, the train is coming.

     1.18 Be careful, don't drop it.

     1.19 Give this matter your careful attention.

     1.20 Accidents occur when people are not careful.

2. The Translation of "Care":

Although this English word is not as bad as "make" in
its wide varieties of meaning, it is bad enough to
warrant special attention to its many uses. Listed in
the following are its most common uses:

2.1 It may be translated as gwǎn or dzàihu, meaning "mind"
    or "pay a damn":

      Wǒ bùgwǎn (or búdzàihu) ni chyù buchyù?
      (I don't care whether you go or not?)

2.2 It may be translated as gwǎn in the sense of taking
    care of:

      Jèijyan shr̀, shéi gwǎn?
      (Who takes care of this matter?)

      Wǒ dzwèi bùsyǐhwan gwǎn jyālide shr̀ching.
      (I hate to take care of household chores.)

2.3 It may be translated as jùyì, lyóushén, d�žsyì or
    syǎusyin in the sense of being careful. (See 1.
    above)

2.4 It means syǐhwan or ài in the sense of caring for:

      Wǒ bùsyǐhwan chr̄ yú.
      (I don't care for fish.)

2.5 When used in the pattern "leave in...care", it may
    be translated as jyāu...gwǎn:

      Bǎ jèijyan shr̀ jyāu(gei) ta gwǎn ba.
      (Let's leave this matter in his care.)

2.6 Exercise - Translate into Chinese:

     2.61 The child is ill for lack of care.

     2.62 He doesn't take care of his money.

2.63 I confided my property to his care.
2.64 This matter demands special care.
2.65 Too much care cannot be exercised in writing letters.
2.66 He takes great care in the use of words.
2.67 I don't care a bit for what he says.
2.68 I do not care much for swimming.
2.69 He may go anywhere he likes for all I care.
2.70 The children were left in the care of their grandfather.

3. <u>Kělyán and Kěsyī Compared</u>:

We should not be confused about the meaning and usage of these two words. <u>Kělyán</u> means to pity, be pitiful or pitiable while <u>kěsyī</u> means "too bad", "what a pity" or "unfortunately". The former can serve as a verb or a stative verb while the latter is most often used as a movable adverb. The former is used in a situation that deserves pity and sympathy while the latter is used in one that creates disappointment.

Kěsyī dzwótyan tā méilái.
(Too bad he didn't come yesterday.)

Nèige chyúngren dwóma kělyán ne! Wǒ hěn kělyan ta.
(How pitiful that poor man is! I really pity him.)

(Note that when <u>kělyan</u> is used as a verb, the second syllable usually becomes unaccented.)

3.1 Because of the specific differences in meaning between these words, <u>kělyán</u> only refers to people and other living things that arouse human sympathy while <u>kěsyī</u> may refer to both animate and inanimate things:

Tā jēn kělyán, chyúngde lyán chr̄fànde chyán dōu méiyǒule.
(He is truly pitiable. He is too poor to know where his next meal will come from.)

Kěsyī nèige jwōdz hwàile.
(Too bad that table is broken.)

3.2 <u>Exercise</u> - Translate into Chinese:

3.21 She is very intelligent. Too bad she isn't very pretty.

3.22 God pities those who pity others.

3.23 Unfortunately it rained yesterday; otherwise we would have had a grand time.

3.24 People who have wives are pitiful; people who don't are pitiful too.

3.25 Look what a pity it is!

IV. Fāyīn Lyànsyí

1. "Jīntyan wǎnbàushang yǒu shémma syīnwén?" "Wǒ lyán dà tímu hái méikàn ne."

2. "Wúsyàndyànlide gwǎnggàu nǐ jùyìle meiyou?" "Wǒ tsúnglái bùtīng gwǎnggàu."

3. "Jèige chìchēde jīchi, chǐng ni géi wo džsyì jyǎncha-jyǎncha, hǎu bùhǎu?" "Míngtyan syíng busyíng? Jīntyan wǒ méi gūngfu."

4. "Tā búshr yánjyou jyàuyù ma?" "Wǒ yǐwei tā shr sywé jèngjr jīngji de ne."

5. "Jèige wèntí nǐ shwō dzémma jyějywé?" "Jèige wèntí tài fúdzá, wǒ kàn wǒmen lyǎngge rén jyějywébulyǎu."

6. "Nǐ jywéde shémma rén dzwèi kělyán?" "Wǒ syǎng búsyìn dzūngjyàu de rén dzwèi kělyán"

7. "Jèige dzájr̀shangde syǎushwōr nǐ kàngwo meiyou?" "Tīngshwō nèige dzájr̀ cháng jyǎng gùngchǎn-jǔyì, wǒ búkàn."

8. "Nǐ hwèi chá dz̀dyǎn búhwèi?" "Wǒ bùchá dz̀dyǎn. Yǒu búrènshrde dz̀, wǒ kéyi tsāi."

9. "Tā fānde nèige syǎushwōr, shr̀ yùng wényán fānde, shr̀ yùng báihwà fānde?" "Dàgài swànshr báihwà."

10. "Shwō Jūnggwo hwà, yàushr sz̀shēng bùjwǔn, byéren néng dǔng ma?" "Yěsyǔ kéyi dǔng yidyǎr."

V. Wèntí

1. Nèityan Jàu Ss. wèi shémma dau Sz̄ Ss. nèr chyu? Sz̄ Ss.
   ywànyi ta chyù ma? Sz̄ Ss. wèn ta shémma?

2. Jàu Ss. kàn bàu le meiyou? Tā kànde shr shémma bàu?
   Tā dž syì kànle meiyou? Bàushang yǒu shémma syīnwén?
   Nèige syīnwén Sz̄ Ss. shr dzěmma jr̄daude?

3. Jàu Ss. shwō wèi shémma fēijī cháng chūshr̄? Nǐ yǐwei
   tā shwōde dwèi búdwèi?

4. Jàu Ss. shwō Ōujoude chíngsying dzěmmayàng? Tā dwèiyu
   shr̄ jyè-dàshr̄ hěn yǒuyánjyou ma?

5. Sz̄ Ss. yǐwei shr̄ jyeshangde wèntí yīngdāng dzěmma jyějywé?
   Jàu Ss. dwèiyu dzūngjyàu yǒuyánjyou ma?

6. Sz̄ Ss.de jwōdzshang fàngje yiben shémma shū? Tā wèi
   shémma yau kàn nèiben shū?

7. Jàu Ss. yě syǐhwan kàn shū ma? Tā kàn shémma shū? Tā
   jywéde kàn shū yǒuyìsz ma? Tā kànde shū, ta jìdejù ma?

8. Sz̄ Ss. néng kàn Jūngwén shū bùnéng? Tā shr kàn wényánde
   háishr kàn báihwàde?

9. Sz̄ Ss. kàn shū kànde kwài bukwài? Yùng chá dždyǎn
   buyùng? Tā kàn shū shr̄ bushr̄ yidyǎr wèntí dou méiyǒu?
   Tā kànbudǔngde dìfang dzěmma bàn?

10. Sz̄ Ss. yǐwei Jūngwén nán ma? Jàu Ss. yǐwei sywé
    wàigwowén yīngdāng dzěmma lyànsyi?

11. Měigwó rén sywé Jūngwén wèi shémma méiyou sywé Déwén
    Fàwén nèmma rúngyi?

12. Shwō Jūnggwo hwà, Sz̀shēng hěn yàujǐn ma? Yàushr sz̀shēng
    bùjwǔn, yǒu shémma hwàichu?

13. Jūnggwo rén sywé Yīngwén yǒu shémma nánchu? Nǐ bǎ Jàu
    Ss. shwōde nèige syàuhwar shwō yishwō.

14. Sz̄ Ss. shwōde nèige syàuhwar nǐ tīngjyangwo ma? Chǐng
    ni shwō yitsz̀.

15. Jàu Ss. wèi shémma yàu dzǒu? Tā děi syān dau shémma dìfang chyu?

16. Jīntyan yǒu shémma syīnwén? Nǐ měityan kàn bàu ma? Měityan tīng wúsyàndyàn ma?

17. Nǐ yǐwéi shr̀jyèshangde wèntí yīngdāng dzěmma jyějywé?

18. Nǐ yǐwei fēijī cháng chūshr̀ shr shémma ywángu?

19. Nǐ syǐhwan kàn shū ma? Dōu kàn shémma shū? Nǐ dǔng gùngchǎnjǔyì bùdǔng?

20. Nǐ sywé Jūngwén you shémma nánchu?

VI. Nǐ Shwō Shémma?

1. Yàushr nǐde péngyou lái kàn ni, nǐ kànjyan ta, nǐ shwō shémma?

2. Chǐng ni bǎ jīntyan bàushangde dà tímu shwō yishwō.

3. Yàushr yǒu rén wèn ni, Jūnggwo shū, nǐ kàndedǔng ma? Nǐ shwō shémma?

4. Chǐng ni bǎ Měigwo rén sywé Jūngwén de nánchu shwō yishwō.

5. Yàushr nǐ chyu kàn nǐde péngyou, tánle yìhwěr, nǐ yau dzǒu, nǐ dzěmma gēn nǐde péngyou shwō?

VII. Gùshr

(on record)

VIII. Fānyì

1. Translate into Chinese:

   1.1 Have you bought an evening newspaper? What does it say?

1.2 I only get the political news from the headlines.
     I never read the details.

1.3 You have to read this book carefully.

1.4 He is a meticulous person.

1.5 Please turn off the radio

1.6 She uses a machine for laundering.

1.7 Will this machine work?

1.8 I can't get anyone to take notice of what I wear.

1.9 Pay attention to what he said.

1.10 Did you notice the radio news this morning?

1.11 He said he is not interested in religion.

1.12 The relationship is fairly complicated.

1.13 Not only has that old lady lost her son, but she is
     terribly poor. She is such a pitiful case.

1.14 I think both the people who haven't any religion,
     and those who have a religion but don't live it,
     are to be pitied.

1.15 Could you help me to solve this problem?

1.16 Some people believe that communism can solve the
     problems of this world.

1.17 That novel is written in vernacular style.

1.18 When I read a book which is written in classical
     style, I have to look up words in a dictionary.

1.19 I don't like to look up words in a dictionary.
     It's too much trouble. Whenever I run into words
     I don't know I just guess at them. Sometimes I
     guess right.

1.20 I don't think there is any way of making my tones
     accurate.

2. Translate back into Chinese:

(527) a. Every morning he buys an issue of newspaper.

(529) a. He is a very careful man.
      b. Please read it through carefully once more.

(532) a. Please pay a little attention when you are in
         class.
      b. Please watch that man.
      c. He pays attention to study very much.

(537) a. This matter is very complicated.

(538) a. That poor man is very pitiful.

(539) a. There is no way to solve this problem.

(544) a. That book is written in classical style.

(546) a. Please look up this word for me.

(547) a. Try to guess it.
      b. After trying for a long time, I still didn't
         guess it.

(548) a. He can read both classical and vernacular styles.

(551) a. My watch is inaccurate.
      b. Please come on time.
      c. I will certainly come tomorrow.

DÌERSHRSĀNKE - TÁN FÀNGJYÀ

I. Dwèihwà

Yǒu yityān, Sz̄ Ss., Jàu Ss., Jàu
Tt. dzai yíkwàr hē chá.

Jàu Ss: Kwài fàngjyà le. Sz̄ Ss., nín yǒu shémma jìhwà?

Sz̄:   Wǒ hái méijywédìng. Wǒmen yǒu dwōshau r̀dz jyà,
5   wǒ hai bùjr̀dàu ne. Nín ne?

Jàu Ss: Yě méidìng. Yàushr kěnéng, syǎng dau běifang,
          Běipíng gēn Tyānjing kànkan chyu.

Sz̄:   Ōu, dwèile. Jàu Tt.de fùchin mǔchin dōu dzai
          Běipíng, shr̀ bushr̀?

10 Jàu Tt: Bù. Dōu dzai Tyānjing. Kěshr wǒmen ye dǎswan
          dau Běipíng chyu wár jityān.

Sz̄:   Nà tài hǎule. Jyānglái yǒu jīhwei de shŕhou,
          wǒ yídìng děi dàu Běipíng chyu kànkan.

Jàu Tt: Nín yíkwàr chyù, hǎu buhǎu?

15 Sz̄:   Hǎu shr̀ hǎu, kěshr wǒ chyùbulyǎu. Wǒmen dǐng
          dwō jyou yǒu yíge syīngchīde jyà.

Jàu Ss: Yíge syīngchī shr dwǎn yidyǎr. Dzwèihǎu néng
          dzai nèr jù yìlyǎngge ywè. Shwùnbyàn yě dáu
          fùjìnde dìfang, syàng shémma Syīshān ne,
20   Wànlǐ-chángchéng a, Mínglíng a, shènjr̀yú,
          Běidaihé, dōu chyu kànkan, tsái hǎu.

Sz̄:   Kě búshr̀ ma! Wǒ tīngshwōgwo Běidaihé. Nín
          chyùgwo ma? Nèige dìfang dàudǐ dzěmma yàng?

Jàu Ss: Chyùgwo. Kěshr wǒ jywéde bùrú Chīngdǎu hǎu.

Jàu Tt: Tā shr Shāndung rén, dāngrán shwō Chīngdǎu hǎule.

Jàu Ss: Nà yě bùyídìng. Nǐ kàn, Chīngdǎu búdàn fēngjìng,
chìhòu, dōu fēicháng hǎu, túngshŕ, nèige chéng
5   lǐtou, kūngchì syīnsyan, gēn byéde chéng wán-
chywán bùtúng. Běidaihé wǒ jyòu chyùgwo yítsż.
Nèige hǎibyār yě bútswò, dzwèi dà de hǎuchu,
jyou shr lyángkwai. Byéde, wǒ dou bújìdele.

Jàu Tt: Nǐ shwōhwà syànglái jyou shr jèyàngr. Bújìdele,
hái shwō. Nǐ bújìdele, dzěmma jŕdau Chīngdǎu
10   bǐ Běidaihé hǎu ne? Wǒ swéirán méidau Chīngdǎu
chyùgwo, tīng nǐ dzěmma yishwō, wǒ jyou gǎnshwō
nǐ shwōde búdwèi.

Sž: Yige dìfang gen lìngwài yige dìfang bǐ, běnlái
shr hěn nán. Wǒ syǎng lyǎngge dìfang yídìng shr
15   "gè yǒu swǒ cháng". Jàu Tt., nín dzai Běipíng
jùle jǐnyán?

Jàu Tt: Chyánhòu yǒu chībānyán. Syān dzài nèr shàng
syǎusywé, hòulai jyā bānhwei Tyānjing chyule,
jyou dzai Tyānjing shàng jūngsywé. Děng jūng-
20   sywé bìyè le, yòu hwéidau Běipíng shàng dàsywé.
Wǒ swéirán shr Tyānjing rén, kěshr wó syǐhwan
Běipíng. Dzài Běipíng, chrfàn, tīng syì, bǐ nǎr
dou hǎu. Shēnghwó yě pyányi. Pùdzlide hwǒji,
tèbyé héchi. Nín dau pùdzli chyu mǎi dūngsyi,
25   gāng yíjìnchyu, tāmen jyou chǐng nín dzwòsya,
yòu dàu chá, yòu dyǎn yān. Tāmen péije nín tán
jège, tán nàge. Tánle bàntyān, jè tsái wèn nin,
"Nín yàu yùng dyǎr shémma?" Nín yìshwō nín yàu
mǎi shémma, tāmen lìkè jyou bǎ swǒyǒude dūngsyi
30   dōu náchulai gěi nín kàn. Yìdyǎr dōu búpà máfan.
Nín tyāuhǎule. Tāmen gěi nín sùngdau jyā chyu.
Yàushr shú pùdz, hái búyùng lìkè gěi chyán. Kéyi
jì jàng. Jēn fāngbyan.

Jàu Ss: Běipíng jèige dìfang, dàgài shr rénren syǐhwan.
35   Dàudǐ shr dzwòle dwōshau nyán de shǒudū, hòulai
yòu yǒu hěn dwōde sywésyàu, jēn kéyi shwō shr
yíge wénhwà chéng. Swóyi yíchyède fēngsu syígwàn
yě dōu gēn byéde dìfang bùyíyàng.

Jàu Tt: Nà dàu bújyàndé. Fēngsu syígwàn bùyíyàng,
40   bùyídìng shr yīnwei shǒudūde gwānsyi. Gèchùde

fēngsu, syígwàn dōu bùyíyàng. Bǐfang ba,
Shànghǎide fēngsu syígwàn, gēn Hángjou yíyàng
ma? Jè shr yīnwei jyāutūng bùfāngbyande
ywángu. Sz̄ Ss. nín shwō dwèi budwèi?

5 S̱z̄:   Bútzwò. Yàushr jyāutūng fāngbyan, gèchùde rén
dōu cháng lyǔsyíng, yǒu hǎusyē fēngsu syígwàn,
dzrán jyou dōu chàbudwōle.

Jàu Ss: Yàushr nèmma shwō, jyāutūng bùfāngbyan yě yǒu
jyāutūng bufāngbyan de hǎuchu. Gèchù you gèchù
10   tèbyéde kūngchi, tèbyéde yàngdz hǎusyàng gèng
yǒuyìsz. Yàushr nǎr dou yíyàng, nà lyǔsyíng
hái yǒu shémma yìsz?

Jàu Tt: Nǐ kàn, nǐ jèige rén dwóma dz̀sz̄. Jyòu wèideshr
nǐ jywéde yǒuyìsz, nǐ ywànyi jyāutūng bùfāngbyan.
15   Nǐ yě bùsyǎngsyang, jyāutūng dwèiyu rénde shēng-
hwó, shr dwóma yàujǐn? Yàushr fēijī, chwán,
hwǒchē, chìchē, dyànbàu, dyànhwà, syìn, dōu
bùtūngle, nǐ syǎngsyang jèige shr̀jye hái chéng
shémma yàngdz?

20 Jàu Ss: Déle, déle. Fǎnjèng wǒ shwō shémma dou búdwèi.

Jàu Tt: Nà dau bújyàndé. Yàushr nǐ shwōde yǒulǐ, wo
jyou bùnéng shwō nǐ búdwèi.

S̱z̄:   Nǐmen dàgài shémma shŕhou dùngshēn ne?

Jàu Ss: Hái méiyídìng. Nín fàngjyàde shŕhou dǎswan
25   dzwò shémma?

S̱z̄:   Yěsyǔdàu fùjìn syāngsya chyu jù jityān. Yǒu
yíge péngyou, dzài Shànghǎi fùjìnde syāngsya jù.
Tā chíng wo dau tāmen jya jù jityān. Wǒ yě
syǎng chyu hwànhwan hwánjing, túngshŕ yě
30   syōusyisyōusyi.

Jàu Tt: Nín jèige jìhwa yě bútswò. Syāngsya shēnghwó
lìngwài yǒu yijǔng kěàide dìfang. Yóuchíshr̀
wǒmen dzai chéng lǐtou jùjyǒulede rén, dàu
nèijǔng dzránde hwánjingli jù jityan, yídìng
35   jywéde fēicháng yǒuyìsz.

S̱z̄:   Wǒ syǎng yě shr̀. (Kànkan byǎu) wǒ gāi dzǒule.

Jàu Ss: Byé máng. Dzài jèr chr̄ wǎnfàn ba.

Sz̄:   Bùchéng. Wǒ yǒu yige ywēhwèr. Nín hái yǒu sye
        r̀dz tsái dzǒu ne. Dzài nín dzǒu yǐchyán wǒmen
        hái yǒu jīhwei jyàn ne.

Jàu Tt: Nèmma nín lǐbailyòu lái chr̄ wǎnfàn, wǒmen dzài
        tántan, hǎu buhǎu?

Sz̄:   Hǎujíle. Wǒ lǐbailyòu lái.

Jàu Ss. gen Jàu Tt: Dzàijyàn.

II. S̠hēngdz̀ Yùngfǎ

552. jyānglái   MA: in the future, hereafter, later

    a. Jyānglái nǐ jǎngdàle syǎng dzwò shémma shr̀?

553. dǐng   A: most
  553.1 dǐng hǎu   excellent
  553.2 dǐng kwài   fastest
  553.3 dǐng yǒuchyán   richest

554. shènjr̀yú   A: even, to the point of
  554.1 búdàn...
        shènjr̀yú...   not only...but even...

    a. Tā lèijíle, lèide shènjr̀yú dzǒuje jyou shwèijáule.
    b. Tā búdàn bùgēn nǐ yàu chyán, shènjr̀yú nǐ gěi ta
       chyán, tā dou búyàu.

555. dàudǐ   A: after all, at bottom; (what) in the
                        world?
  555.1 swéirán...
        dàudǐ...   although...after all...

    a. Tā dàudǐ yàu dzwò shémma?
    b. Jāng Ss. swéirán dzài Měigwo jùle hěn jyǒu, dàudǐ
       tā shr Jūnggwo rén, yǒu hěn dwō Měigwode shr̀ching,
       háishr bútài dǔng.

556. chìhou   N: climate

557. túngshŕ   A: at the same time

a. Nèige rén tsūngming, túngshŕ yě kěn yùnggūng.

558. kūngchì   N: atmosphere, air

559. syīnsyan   SV: fresh; new
 559.1 syīnsyan
         nyóunǎi   fresh milk
 559.2 syīnsyan jīdàn   fresh egg

     a. Nyóunǎi bùsyīnsyanle, byé hēle.

560. wánchywán   SV/A: be complete/completely

     a. Tā wánchywán bùdǔng.

561. bùtúng   SV: be different (more literary than
                           bùyíyàng)

     a. Jèi lyǎngge bùtúng.

562. syànglái   A: Always and customarily, up to now

     a. Wǒ syànglái bùsyīhwan kàn tā syěde shū.

563. "gè yǒu swǒ
        cháng"   I.E.: each one has its own good points

     a. Tāmen lyǎngge ren shŕ "gè yǒu swǒ cháng".

564. chyánhòu   A: all told, altogether, (from
                           beginning to end)
 564.1 chyánhòu
         yígùng...   first and last, altogether

     a. Tā chyánhòu yùngle wǒ èrbǎikwai chyán.
     b. Wǒ dzài Jūnggwo chyánhòu yígùng jùle sānshr-
        dwōnyán.

565. shēnghwó   V/N: live/livelihood, living

     a. Tā jìnláide shēnghwó dzěmmayàng?
     b. Dūngsyi tài gwèi, dzěmma shēnghwó?

566. dàu   V: pour
 566.1 dàu chá   VO: pour tea
 566.2 dàu shwěi   VO: pour water

567. tyāu   V: choose; select

   a. Wǒ tyāule yige húngde.

568. jàng   N: account, bill
  568.1 jì jàng   VO: put on account, charge

    a. Jīntyan wǒ méidài chyán, jì jàng chéng buchéng?

569. shǒudū   N: capital

570. wénhwà   N: civilization, culture

571. fēngsú   N: custom

572. syígwàn   N: habits

573. bújyàndé   I.E.: not necessarily (so)

   a. Tā swéirán dzwò chìchē, kěshr yě bújyàndé yǒuchyán.

574. jyāutūng   N: communication and transportation.

575. dzsz̄   SV: be selfish

   a. Nèige rén tài dzsz̄, nǐ shwō dwèi budwèi?

576. tūng   V/RVE: pass through/get through
  576.1 tūng chē   to be open to traffic, be accessible
                      by train or bus
  576.2 tūng syìn   to correspond by mail
  576.3 tūng dyànhwà   to put through a phone call
  576.4 dǎ dyànhwà
     dǎbutūng   cannot put through a phone call

   a. Nèige dìfang tūng hwǒchē ma?
   b. Dzwótyan wǎnshang fēng tài dàle, swóyi jīntyan
     dyànhwà dōu bùtūngle.

III. Jyùdz Gòudzàu

1. The Translation of "Make":

In the English language there are certain words which,
due to usage through the years, have come to mean so

many different things that careful discrimination is
needed in translation. The verb "to make" is one of the
most troublesome. Here are some of the most common uses
of the verb "to make", translated into idiomatic Chinese:

1) He made a table for his wife.
   (Tā gěi ta tàitai dzwòle yige jwōdz.)

2) That car can make eighty miles an hour.
   (Nèige chē yíge jūngtóu néng dzǒu--or pǎu--bāshrlǐ.)

3) I will make this wall blue.
   (Wǒ yau bǎ jèige chyáng nùngchéng lánde.)

4) Don't make me buy something I don't like.
   (Byé jyàu wo mǎi wǒ bùsyǐhwande dūngsyi.)

5) The train will make New York within two hours.
   (Hwǒchē dzai lyǎngge jūngtóu yǐnèi jyou kéyi dàu
   Nyǒuywē.)

6) Can you make a fire in this wind?
   (Nǐ néng dzai fēngli shēng hwǒ ma?)

7) Does this make sense to you?
   (Nǐ jywéde jèige yǒu dàuli ma?)

8) We can make better time if we take this road.
   (Wǒmen yàushr dzǒu jèityáu lù jyou kéyi shěng
   shŕhou.)

9) I will make out a list tomorrow.
   (Wǒ míngtyan kāi yige dāndz.)

10) She had her old coat made over.
    (Tā bǎ yijyàn jyòu yīshang gǎile.)

11) My mind is made up.
    (Wǒ yǐjing jywédìngle.)

12) Can you make out what he means?
    (Nǐ jŕdau tā shr shémma yìsz ma?)

1.1 Exercise - Translate into Chinese:

1.11 This is made by hand.
1.12 He made fifty miles that day.
1.13 I cannot make anything out of that book.
1.14 The train makes fast time.
1.15 That makes me very glad.
1.16 He just cannot make up his mind.
1.17 I think what he said doesn't make sense even to himself.
1.18 We will make home by two thirty.
1.19 I'll make you like me.
1.20 It's too cold here. Let's make a fire.
1.21 He has made his car red, but I don't like it.
1.22 Will you make out a list of the things you want.
1.23 I had this fur coat made over for her, but she still doesn't like it.
1.24 This cloth will make me a good coat.
1.25 He was made a teacher.

2. The Translation of "Take":

This word is probably only next to "make" in its complexity in meaning. Here are some of the most common uses of the word:

1) Which room will you take?
   (Nǐ yàu něijyan wūdz?)

2) Let's take a house in the country for the summer.
   (Women syàtyan dzai syāngsya dzū yiswǒr fáng jù ba.)

3) Let me take your suitcase.
   (Wǒ gei ni ná jèige syāngdz.)

4) Will you let me take your car?
   (Wǒ kéyi yùng nǐde chìchē ma?)

5) It took me a long time to get here.
   (Wǒ yùngle hěn dwōde gūngfu tsai dàude jèr.)

6) We ought to take it easy in this kind of weather.
   (Jèmma rède tyānchi, wǒmen dzwèihǎu mànmārde dzwò.)

7) I took for granted that he wouldn't come.
   (Wǒ yǐwei tā bùláile ne.)

8) The speech was taken down.
   (Nèige jyǎngyǎn yǐjing syěsyalaile.)

9) Let's take this road.
    (Wǒmen dzǒu jèityau lù ba.)

10) Where will this road take us?
    (Jèityau lù tūng shémma dìfang?)

2.1 Exercise - Translate into Chinese:

2.11 I'll take this article with me.
2.12 It took me two weeks to finish that book.
2.13 He was taken for dead.
2.14 I have taken a house which is very close to
     yours.
2.15 What do you generally take for breakfast?
2.16 I took down what he said.
2.17 Which train are you going to take?
2.18 This river will take us to his house.
2.19 I wish I could take it easy as you do.
2.20 Which car will you take?
2.21 How long does it take to go there?
2.22 He took a room at my friend's house.
2.23 I offered him five hundred dollars but he
     wouldn't take it.
2.24 He took me home afterwards.
2.25 I took it for gold, but it was only made of
     copper.

IV. Fāyīn Lyànsyí

1. "Nǐ jyānglái dàudǐ dǎswàn dzwò shémma?" "Wǒ syànglái
   bùsyǎng jyāngláide shrching."

2. "Jīnnyande chīhou hǎusyǎng gen měinyán bùtúng, nǐ shwō
   ne?" "Wǒ kàn bújyàndé ba?"

3. "Hwáshèngdwùnde jyāutūng fāngbyan bùfāngbyan?" "Měigwóde
   shǒudū, nǐ syǎng jyāutūng hái néng bùfāngbyan ma!"

4. "Jèi lyǎngge dìfangde fēngsu syígwàn, něige dìfang hǎu?"
   "Wǒ syǎng shr gè yǒu swǒ cháng."

5. "Jèi chēlide kūngchì wèi shémma dzèmma hwài?" "Chōu yān
   de rén tài dwō."

6. "Jèi jinyán Lǎu Jāngde shēnghwó dzěmmayàng?" "Hěn chyúng. Shènjřyú chyúngde méi fàn chř."

7. "Láujyà, chíng ni gei wo dàu yiwǎn chá, shwěi yě syíng." "Nǐ dàudǐ yàu shémma?"

8. "Nǐ mǎi yú de shŕhou, wèi shémma tyāu nèmma dâ gūngfu?" "Wǒ děi tyāu yìtyáu syīnsyande."

9. "Nǐ dzwótyan wèi shémma méigéiwo dǎ dyànhwà?" "Dǎle sāntsž dou méidǎtūng."

10. "Nǐ shwō dzěmmayàngr rén jyou búdzsžle?" "Wǒ kàn wénhwà yàushr gāu, rén jyou búdzsžle."

V. Wèntí

1. Sž Ss. gen Jàu Ss. Jàu Tt. yíkwàr hē chá de shŕhou, tāmen tán shémma wèntí?

2. Fàngjyàde shŕhou Sž Ss. yǒu shémma jìhwà? Tā jŕdau bùjŕdau tā you dwōshautyan jyà?

3. Jàu Ss. Jàu Tt. dǎswan dàu nǎr chyu? Tāmen jywédìngle meiyou?

4. Sž Ss. wèi shémma bùnéng gen Jàu Ss. Jàu Tt. yíkwàr chyu?

5. Dàu Pěipíng chyu lyǔsyíng dzwèihǎu děi jù dwó jyǒu? Dōu yīngdāng dàu fùjìn shémma dìfang chyù?

6. Jàu Ss. dau Běidaihé chyùgwo meiyou? Tā shwō Běidaihé dzěmmayàng?

7. Jàu Ss. jywéde Chīngdǎu dzěmmayàng?

8. Jàu Tt. dàu Chīngdǎu chyùgwo meiyou? Tā shwō Jàu Ss. shwōde hwà dwèi búdwei?

9. Jàu Tt. dzai Běipíng chyánhòu jùgwo dwōshau shŕhou? Tā shr dzai Běipíng shàngde jūngsywé ma?

10. Jàu Tt. shwō Běipíng yǒu shémma hǎuchu? Běipíngde shēnghwó dzěmmayàng?

11. Dzài Běipíng pùdzli mǎi dūngsyi de chíngsyìng dzěmma-
    yàng?

12. Jàu Ss. shwō Běipíngde fēngsu syígwàn wèi shémma gen
    byéchu bùtúng? Jàu Tt.de yìsz dzěmmayàng?

13. Jǎu Ss. shwō jyāutūng bùfāngbyan yǒu shémma hǎuchu?
    Jàu Tt. shwō jyāutūng bufāngbyan you shémma hwàichu?
    Sż Ss.de yìsz dzěmmayàng?

14. Shr̀ bushr̀ Jàu Ss. shwō shémma Jàu Tt. dou jywéde búdwèi?

15. Fàngjyàde shŕhou Sż Ss. dǎswan dzwò shémma?

16. Fàngjyàde shŕhou nǐ dǎswan dzwò shémma? Dàu shémma
    dìfang chyu lyǔsyíng?

17. Nǐ jywéde fàngjyàde shŕhou chyu lyǔsyíng yǒu shémma
    hǎuchu?

18. Dzài chéng lǐtou jùde rén, dàu syāngsya chyu jù jityān
    yǒu shémma hǎuchu?

19. "Gè yǒu swǒ cháng" jèijyu hwà shr̀ shémma yìsz? Dzěmma
    yùng? Dzài shémma shŕhou yùng?

20. Chǐng nǐ yùng Jūnggwo hwà jyǎng yijyǎng dzsż jèige dz̀.

VI. Nǐ Shwō Shémma?

1. Yàushr yǒu rén ywē nǐ yíkwàr chyu lyǔsyíng, kěshr nǐ
   chyùbulyǎu, nǐ dzěmma gēn ta shwō?

2. Yàushr byérén shwōde hwà, nǐ tīngje búdwèi, nǐ dzěmma
   bàn?

3. Yàushr yǒu rén lǎu jywéde nǐde hwà búdwèi, nǐ dzěmma bàn?

4. Yàushr yǒu rén wèn ni, shr̀ tāde Jūnggwo hwà shwōde hǎu,
   háishr tā tàitaide Jūnggwo hwà hǎu, nǐ dzěmma shwō?

5. Yàushr nǐde péngyou dzài nǐ jyāli dzwòle yìhwěr yàu
   dzǒu, nǐ shwō shémma?

VII. Bèishū

A: Nínde Jūnggwó hwà shr dzài năr sywéde?

B: Wŏ méisywégwo. Wŏ shēngdzai Jūnggwó.

A: Wŏ tsāi nín jyou shēngdzai Jūnggwó. Yàuburán fāyīn bùnéng dzèmma jwŭn.

B: Yĕ cháng tswò. Jūnggwó hwàde szshēng jēn nán.

A: Nínde Jūngwén shŕ dzai sywésyàu sywéde ma?

B: Dwèile. Wŏ dzai Jūnggwó shànggwo jūngsywé.

A: Nín Jūnggwó shū dōu néng kàn ma?

B: Báihwàde syíng. Wényánde dĕi chá dzdyăn.

A: Nín kàn dzájř de shŕhou yŏu wèntí meiyou?

B: Yĕ yŏu búrènshrde dz. Kĕshr yìsz chàbudwō kéyi dŭng.

VIII. Fānyì

1. Translate into Chinese:

   1.1 I not only find it hard to know future events, but I don't even know what's going on now.

   1.2 The most I can do is to give all the money I have.

   1.3 He said he hadn't even heard of him.

   1.4 Why in the world don't you want to charge it to his account?

   1.5 The food there is not always tasty, but after all, it is fresh.

   1.6 If the climate is so bad, how is it possible for people to live there?

   1.7 At the sea shore, not only is the scenery beautiful, but the air is fresh, too.

1.8   You don't like that fellow, and yet (at the same time) you say he's OK!

1.9   The atmosphere of the meeting was excellent.

1.10 I know the story, but not completely; after all I didn't see it myself.

1.11 These two methods differ somewhat, but each has its good points.

1.12 He has borrowed fifty dollars from me all told.

1.13 How is life over there?

1.14 Will you please pour me a cup of tea?

1.15 It is difficult to choose. The more you try to make a choice the less you succeed.

1.16 Do you have a charge account in this store?

1.17 This is the capital. You probably notice that the customs and habits differ from other places.

1.18 People who have culture are not necessarily unselfish.

1.19 All communications such as train, boat, plane, mail, telephone, telegraph are cut off.

1.20 Even if you try to call him, you won't necessarily get through.

2. Translate back into Chinese:

(552) a. Later when you grow up, what do you want to do?

(554) a. He was terribly tired, so tired that he went to sleep walking.
      b. He not only isn't asking money from you, but even if you give it to him, he won't accept it.

(555) a. What in the world does he want to do?
      b. Although Mr. Chang has been living in America for a long time, yet he's a Chinese after all

and there are still quite a few American ways
he doesn't understand too well.

(557) a. That person is clever, and at the same time he
is willing to study hard.

(559) a. The milk is spoiled. Don't drink it.

(560) a. He doesn't understand a thing.

(561) a. These two are not alike.

(562) a. I have never liked to read his books.

(563) a. Each of those two men has his own talents.

(564) a. He used two hundred dollars of mine altogether.
b. I lived in China for more than thirty years all
told.

(565) a. How is he lately?
b. Things are too high; how can we live?

(567) a. I have chosen a red one.

(568) a. I didn't bring any money today. Could you
charge it?

(573) a. Although he has a car, he isn't necessarily
wealthy.

(575) a. That fellow is too selfish. Don't you think so?

(576) a. Is that place reached by train?
b. The wind was very strong last night, so all the
telephones are out of order today.

DIÈRSHRSZ̀KE - KÈCHIHWÀ GEN SÚHWÀ

I. Dwèihwà

Yǒu yìtyān Sz̄ Ss. gen Jàu Ss.
tánchi Jūnggwóde kèchìhwà laile.

Sz̄:   Nín kàn, cháng yùngde Jūnggwo hwà wǒ chàbudwō kéyi
shwō jijyù, kěshr gwèigwóde kèchihwà, wǒ dzǔngshr
5   búdà hwèi yùng.

Jàu: Nín tài kèchi. Nín hwèide bùshǎu. Bǐfang, "syèsye",
"dwèibuchǐ", "láujyà", "jyègwāng" shémmade, búyùng
shwō nín dzǎujyou shwōde hěn shúle, jyòushr shémma
"gwòjyǎng" a, "jyǒuyǎng" a, "bùgǎndāng" a, nín
10   búshr yě cháng shwō ma?

Sz̄:   Dwèile. Jèi jijyù dàushr shwōtswòlede shŕhou shǎu.
Kěshr syàng "fùshàng", "nèirén", jèi yílèide dz̀,
dwèi wǒmen Měigwo rén shŕdzài tài nán.

Jàu: Bútswò. Jèilèide dz̀ shr nán yìdyǎr. Búgwò jèisyē
15   nyán, jèilèide dz̀ yǐjing yùngde bǐ yǐchyán shǎule.
Bǐfang shwō, nín búwànyi yùng "nèirén", nín shwō
"wǒ tàitai", nyánchīngde rén tīngje, yě bùnéng shwō
nín méiyou lǐmàu. Dzàishwō, swéirán shr "lǐ dwō
rén búgwài", kèchihwà yùngde tài dwōlede shŕhou,
20   yǒu shŕhou dàu hǎusyàng jyǎ shŕde. Búgwò yǒu syē
hwà gen fēngsu, syígwàn yǒu gwānsyi. Búyùng, búdà
hǎu. Yàushr Jūnggwo gen Měigwode fēngsu syígwàn
yíyàng, nà jyou bùnán sywé. Bǐfang ba, nínde péngyou
gwò shēngr̀, nín gen ta shwō "bàishòu bàishòu".
25   Yǒurén dé syǎuhár hwòshr jyéhwūn, nín gēn tāmen shwō,
"dàusyǐ dàusyǐ". Gwònyán, gwòjyéde shŕhou, shwō
"bàinyán" hwòshr "bàijyé". Yǒu kèren láide shŕhou
shwō: "hwānyíng hwānyíng". Jèisyēge dìfang, yīnwei
fēngsu, syígwàn chàbudwō, nèmma sywéchilai, bǐjyǎu
30   bútài nán. Yǒude fēngsu syígwàn bùtúng, hwòshr
shwōfǎr bùyíyàng, nà jyou nán yìdyǎr. Bǐfang, nín
dau nín péngyou jyāli chyu, nínde péngyou sùng nín
chūlai, nín yīnggāi shwō "búsùng búsùng", hwòshr

"byé sùng byé sùng", hwòshr "chǐnghwéi chǐnghwéi".
Nín yàushr sùng nínde péngyou dàu nínde ménkǒur,
nín kéyi shwō "màndzǒu màndzǒu, wǒ bùywǎnsùngle".
Hwòshr, "Wǒ bùywǎnsùngle, yǒu gūngfu chǐng dzài lái

5   tántan." Yàushr nín chǐng kè, chr̄fànde shŕhou
wǒmen cháng shwō, "Méi shémma tsài," hwòshr "jyǎndan-
de hěn". Kèren dzǒude shŕhou, wǒmen cháng shwō
"dàimàn dàimàn". Háiyǒu, yàushr nín syǎng wèn rén
yige wèntí, dzai wèn wèntí yǐchyán, nín dzwèihǎu

10   syān shwō, "Wǒ yǒu yìdyǎr shr̀, gēn nín lǐngjyàu
lǐngjyau." Hwòshr "wǒ gēn nín lǐngjyàu dyǎr shr̀".
Jèilèide hwà, dōu hǎusyàng nán yidyǎr.

Sz̄: Jèisyē hwà dōu fēicháng yǒuyùng. Děng yìhwěr wǒ děi
syěsyalai. Wǒ chàbudwō dōu tīngjyangwo, kěshr

15   jìbujù. Hái yǒu yilèide hwà wǒ syǎng sywé, syàng
nín gāngtsái shwōde "lǐ dwō rén búgwài", syàng
shémma "gwèide búgwèi, jyànde bújyàn". Jèiyàngrde
hwà, nǐmen jyàu súhwà, shr̀ bushr?

Jàu: Dwèile. Jèiyàngrde hwà kě dwōle. Nín dàgài yě
20   hwèi bùshǎu ba?

Sz̄: Bùdwō. Tīng rén shwōgwo bùshǎu. Yǒu yijyù, nǐmen
Jūnggwo rén bújèmma shwō, kěshr wǒ gǎile. Nín
tīngting syíng busyíng? "Tyān búpà, dì búpà, jyòu
pà yánggwěidz shwō Jūnggwo hwà."

25 Jàu: Āiyā. Jēn hǎujíle. Kěshr nín jèige yánggwěidz,
yǐjing bùnéng swàn yánggwěidz le. Nínde Jūnggwo hwà
lyán kāi wánsyàu, shwō syàuhwar, dōu méi wèntí. Nà
dzěmma hái néng swàn yánggwěidz ne.

Sz̄: Déle. Wǒ jè shr swéibyàn lwàn shwō, mámahūhū, dūng
30   yijyù, syī yijyù. Nǐmen cháng shwō "shwō hwà
rúngyi, dzwò shr̀ nán." Wǒ kàn shwō hwà yě bújyàndé
rúngyi. Sywé shwō hwà jēn shr "hwódau lǎu, sywédau
lǎu".

Jàu: Yìdyǎr bútswò. Jyou shwō "shwō hwà" jèi lyǎngge dz̀,
35   hái yàu kànshr shémma yìsz. Yàushr shwō, shwō hwà
jyòushr syīnli syǎng shémma jyou shwō shémma, bǎ
syīnlide yìsz shwōchūlai jyou dé, nà hái bǐjyǎu
rúngyi. Yàushr nín yòu děi syǎngje lǐmàu, yòu děi
gwǎn fēngsu syígwàn, shènjryú, dzai jyāshang pà
40   shwōchu hwà lai, rén búài tīng, nà kě jyou gèng
máfanle.

Sz̄: Kě búshr̀ ma! Wǒ jèige rén syànglái dwèiyu shwō hwà
    bùsyíng. Shú rén dàjyā dzai yíkwàr swéibyàn shwō-
    shwo, hái méi shémma, yíjyànjau shēng rén, búyung
    shwō shr shwō Jūnggwo hwà le, jyoushr shwō Yīngwén,
5   wǒ yě shr cháng bùjrdàu shwō shémma hǎu. Wǒ jywéde,
    Jūnggwode jèijyu súhwà shwōde bútswò, "hwèide
    bùnán, nánde búhwèi." Wǒ jywéde nán, shr yīnwei wǒ
    búhwèi.

Jàu: Nín jè shr kèchi. Wǒ jywéde Měigworén dzài shwō-
10 hwàshang dōu hěn jùyì. Dzài sywésyàuli, yě yǒu
    jyāu jyǎngyǎnde gūngkè. Píngcháng lyànsyíde jīhwei
    yě dwō. Jige rén dzài yíkwàr dzǔngshr tánde hěn
    rènau. Jyǎngyǎnde shŕhou, yě néng shwōde hěn
    chīngchu.

15 Sz̄: Swéiránshr̀ dzèmma shwō, kěshr shwō hwà shwōde
    húlihúdūde rén, yě bùshǎu. Yě děi kàn shr̀ shémma
    rén.

Jàu: Nà yěsyǔ. Dàudǐ wǒ jyàngwode Měigworén méiyou nín
    jyàngwode dwō. Jūnggwode súhwà yǒu bùshǎu gēn
20 Měigwode súhwà chàbudwō. Bùjrdàu nín jùyìle meiyou?

Sz̄: Òu! Dwèile. Bǐfang syàng, "Shwō Tsáu Tsau, Tsáu
    Tsau jyòu dàu," jyòu shr̀. Dwèi budwèi?

Jàu: Dwèile. Jèilèide hwà yàushr dōu syěsyalai, hěn
    yǒuyìsz.

25 Sz̄: Bùjrdàu yǒu jèiyàngrde shū meiyou?

Jàu: Yǒu Jūnggwo súhwà de shū. Yě yǒu Yīngwén súhwà de
    shū. Jūngwén Yīngwén dzài yíkwàr de, hái méi-
    kànjyangwo.

Sz̄: Nín syě yìběn ba.

30 Jàu: Wǒ bùsyíng. Jŕdaude tài shǎu. Nín hǎuhǎurde-
    yánjyou, nín syě ba.

Sz̄: Hǎu! Nà děi dwōshau nyán?

Jàu: "Búpà màn, jyòu pà jàn." Mànmārde lái. Yìdyǎr-
    yìdyǎrde syě. Dzǎuwǎn kéyi syěchulai.

35 Sz̄: Yě yǒulǐ. "Pàngdz búshr yìkǒu chŕde." Dwèi budwèi?

II. Shēngdž Yùngfǎ

577. súhwà   N: proverb, common saying (M: -jyù)
 577.1 súyǔ(r)   N: (interchangable with súhwà)

    a. Súyǔ(r) (or súhwà) shwō: "Hwèide bùnán, nánde
      búhwèi."

578. lèi   M: kind, class, category

    a. Wǒ buywànyi gen jèilèi rén shwō hwà.

579. lǐmàu   N: manners, courtesy
 579.1 yǒulǐmàu   SV: be polite, have manners

    a. Nèige háidz hěn yǒulǐmàu.
    b. Lāshǒu dzai wàigwo shr yijǔng lǐmàu.

580. lǐ   N: courtesy, ceremony; gift, present
 580.1 sùng lǐ   VO: give gifts

581. gwài   V/SV: blame, be offended at/be strange,
                     queer, odd
 581.1 gwàibude   A: no wonder that
 581.2 nángwài   A: no wonder that

    a. Wǒ shwōde búdwèi, nín byé gwài wo.
    b. Nèige rén jēn gwài.
    c. "Lǐ dwō rén búgwài."

582. jyǎ   SV: be false

    a. Tāde húdz shr jyǎde.

583. shēngr̀   N: birthday

584. jyé   N: festival

585. gwò   V: celebrate
 585.1 gwò shēngr̀   VO: celebrate a birthday
 585.2 gwò nyán   VO: celebrate the new year
 585.3 gwò jyé   VO: celebrate a festival

586. bàishòu   I.E.: birthday best wishes
 586.1 bàinyán   I.E.: New Year congratulations
 586.2 bàijyé   I.E.: seasonal greetings

587. dàusyǐ   I.E.: congratulations

588. hwānyíng   V: welcome

589. bǐjyǎu   V/A: compare/comparatively

    a. Nǐ bǎ jèi lyǎngge bǐjyaubǐjyau.
    b. Nèige bǐjyǎu dà yìdyǎr.

590. búsùng   IE: Don't accompany me further (by guest);
                  I won't accompany you further (by
                  host)
 590.1 byé sùng   IE: Don't accompany me further (by guest
                  only)

591. chǐnghwéi   IE: Please return (by guest)

592. màndzǒu   IE: Depart slowly, be careful (said to
                  a friend who has been visiting
                  and is leaving)

593. dàimàn   IE: I have treated you shabbily (said
                  to a friend at the close of a
                  party)

594 lǐngjyàu   IE: May I receive your instruction?
                  (used to introduce a query)

    a. Wǒ yǒu yige wèntí gen nín lǐngjyaulǐngjyau.

595. yánggwěidz   N: "foreign devil," foreigner

    a. Tyān búpà, dì púpà, jyǒu pà yánggwěidz shwō
       Jūnggwo hwà

596. kāi wánsyàu   VO: make fun of, to crack a joke

    a. Nín byé gēn wo kāi wánsyàu.

597. mǎhū   SV: be careless, not serious minded
 597.1 mǎmǎhūhū
     (mámahūhū) SV: be careless, not serious minded

    a. Tā syànglái shr mǎmǎhūhū.

598. húdu or (hútu) SV: be muddled, mixed up, stupid

598.1 húlihúdū (or
        húlihútū)   SV: be muddled, mixed up, stupid

    a. Tā tài húdule. Shémma dōu nùngbuchīngchu.

599. Tsáu Tsāu   N: A hero of the Three Kingdom's
                            period.

    a. "Shwō Tsáu Tsau, Tsáu Tsau jyou dàu."

600. dzǎuwǎn   A: sooner or later

    a. Tā dzǎuwǎn yàu dàu Jūnggwo chyu.

601. pàngdz   N: fat person

602. -kǒu   M: mouthful, measure for person
  602.1 yìkǒu fàn   a mouthful of rice
  602.2 jǐkǒu(r) rén?   how many persons (in a family)?

    a. "Pàngdz búshr yìkǒu chīde."

III. Jyùdz Gòudzàu

1. Translation of Conventional Courtesy Remarks:

    Polite usages and small talk are things which cannot
satisfactorily be translated word by word, or even
sentence by sentence, from one language to another.
The question is not so much "How do you say this in
Chinese?" as "What would a Chinese say in this situation?"

    The following rambling patter which might be recorded at
a social gathering cannot be matched phrase for phrase
in Chinese. In some spots the remark is better omitted--
it simply wouldn't be said in a similar Chinese situa-
tion. In some cases the appropriate phrase isn't a
translation at all, merely what a Chinese would likely
say.

    These passages should be studied in parallel as a lesson
in Chinese social usage. Of course other variants are
quite possible. Different people have a different
repertoire of set phrases and habits of speech. This is
just one sample.

A Sample of Polite Conversation

Chén: Mr. Wèi, I'd like you to meet my friend, Mr. Lyóu.

Chén: Wèi Ss., wǒ gěi nín jyèshau yige péngyou. Jèiwei shr Lyóu Ss.

Wèi: How do you do, Mr. Lyóu. I have heard about you for a long time.

Wèi: Lyóu Ss., jyǒuyǎng, jyǒuyǎng.

Lyóu: Same here, Mr. Wèi.

Lyóu: Wèi Ss., bǐtsž, bǐtsž. (lit: mutually)

Wèi: Please come in and make yourself at home. This is a(n informal) birthday party in honor of Mr. Chén here. It's very nice to have you join us. I'm sure you will find plenty of people whom you know here.

Wèi: Chǐng jìnlai swéibyàn dzwò. Jīntyan wǒmen dzai jèr gěi Chén Ss. gwò shēngr. Nín lái tsānjyā, wǒmen fēicháng hwānyíng. Jèr yídìng yǒu nín bùshǎu shú péngyou.

Chén: Mr. Wèi, you really shouldn't have done this. You have put yourself to a great deal of trouble.

Chén: Jēnshr bùgǎndāng, Wèi Ss. Tài máfan nǐmen le.

Wèi: (That's all right.) You deserve it. Happy birthday to you. And now will you be so good as to take Mr. Lyóu in and introduce him to the people inside. I must get back to the door and greet the people who have just arrived.

Wèi: Jè shr yīngdāngde. Gěi nín bàishòu. Chǐng nín péi Lyóu Ss. dau lǐtou chyu, gěi ta jyèshau-jyèshau. Wǒ dau ménkǒur chyu kànkan yòu yǒu shéi láile.

(Later in the reception hall)

Mrs. Wèi: (to a servant) Serve the drinks now, please. (to the guests) Will you all help yourselves please. (to Mr. Syè) Won't you have some more?

Wèi Tt: (dwèi yùngren) Ná jyǒu lai ba. (dwèi kèren) Chǐng swéibyàn, dzjǐ lái, byé kèchi. (dwèi Syè Ss.) Nín dzài lái dyǎr.

Syè: After you please. This drink is delicious. May I ask what brand it is?

Syè: Nín syān lái. Jèi jyǒu jēn hǎu. Shr shémma páidz de?

Mrs. Wèi: Mr. Wèi brought it from France. I'm glad you like it.

Wèi Tt: Shr Wèi Ss. tsúng Fàgwo dàilaide. Nín syǐhwan, chǐng dwō hē dyǎr.

Servant: Dinner is served, Madam.

Yùngren: Tàitai, fàn hǎule.

Mrs. Wèi: Shall we all go out to the dining room?

Wèi Tt: Chǐng dōu dau fàntīng dzwò ba.

(After all seated in the dining room)

(Dzai fàntīngli dōu dzwòhǎule yǐhòu)

Mrs. Syè, which kind of meat would you prefer, or would you like some of each?

Syè Tt., nín syǐhwan něige tsài, háihsr yíyàngr yàu yidyǎr?

Mrs. Syè: I beg your pardon?

Syè Tt: Dwèibuchǐ, nín shwō shémma?

Mrs. Wèi: Which one do you prefer?

Wèi Tt: Nín yàu něige tsài?

Mrs. Syè: A little of the fried chicken, if you please.

Syè Tt: Chǐng nín géi wo dyǎr nèige jájī.

(Later, Mr. Lyóu turns to Mr. Wèi)

(Gwòle yihwěr, Lyóu Ss. gen Wèi Ss. shwō)

Lyóu: Mr. Wèi, may I ask a favor of you? Perhaps this isn't the proper time for such matters, but I want to take advantage of the opportunity.

Lyóu: Wèi Ss., wǒ syǎng chyóu nín dyǎr shr̀. Yèsyǔ wǒ bùyīnggāi jèige shŕhou shwō, kěshr wǒ pà gwò yihwěr wàngle.

Wèi: Go right ahead, Mr. Lyóu. What can I do for you?

Wèi: Nín shwō ba. Méi shemma.

Lyóu: .....I shall be everlastingly obliged to you if you can do this.

Lyóu: .....Yàushr nín néng bāng wǒ jèige máng, nà jēn tài hǎule.

Wèi: That's nothing at all. It will be a pleasure to do it for you.

Wèi: Méi shemma. Nín búyùng kèchi. Wǒ yídìng gěi nín bàn.

Lyóu: You are so obliging. I appreciate it very much.

Lyóu: Nín dzèmma kěn bāngmáng. Jēn syèsye nín.

Wèi: The pleasure is all mine.

Wèi: (Smiles appreciatively)

(Later)

(Yòu gwòle yihwěr)

Mrs. Wèi: Mrs. Lín, which kind of ice cream would you like? This is coffee and this is orange.

Wèi Tt: Lín Tt., nín yàu něiyàngrde bīngjilíng? Yǒu kāfēide gen jyúdzde.

Mrs. Lín: Thank you, Mrs. Wèi, but if you will pardon me I won't take any dessert. It has been so appetizing a meal that I have had more than enough already.

Lín Tt: Syèsye nín. Dwèibuchǐ, wǒ shémma dōu chr̄busyàchyùle. Fàn tài hǎuchr̄le. Wǒ chr̄de tài bǎule.

(Later)

(Yòu gwòle yihwěr)

Chén: Mr. Lyóu, I think we'd better be going, don't you?

Lyóu: Let's see. It's ten-thirty. Would it be polite for us to leave so soon?

Chén: Oh, this isn't a formal occasion. We can leave any time we like. Besides, Mr. and Mrs. Wèi will understand that we have a long way to go home.

Lyóu: Just as you say. (stepping up to Mrs. Wèi) Mrs. Wèi, this has been a delightful evening and it was every good of you to welcome a stranger to your party.

Mrs. Wèi: I'm so glad you could be with us, Mr. Lyóu. It's been a pleasure meeting you, and I trust you will come to see us again when there aren't so many people and we can get really acquainted. Good night, Mr. Lyóu.

Lyóu: Good night, Mrs. Wèi. I certainly shall. (to Mr. Wèi) Good night, Mr. Wèi.

Chén: Lyóu Ss., wǒ syáng wǒmen děi dzǒule ba?

Lyóu: Wǒ kànkan. Shŕdyǎnbàn. Dzèmma dzǎu dzǒu búdà hǎuyìsz ba?

Chén: Búyàujǐn. Dōu shr shú péngyou. Shémma shŕhou dzǒu dou syíng. Wǒmen jùde dìfang ywǎn, tāmen ye dōu jŕdau.

Lyóu: Hǎu, tīng nǐde ba. (Dzǒugwochyu gen Wèi Tt. shwō) Wèi Tt., dwōsyè, dwōsyè. Jīntyan wǎnshang-de tsài jēnshr hǎujíle. Nín kàn, méichǐng wo jyou láile, jēn bùhǎu-yìsz.

Wèi Tt: Nǎrde hwà! Nándé nín jīntyan wǎnshang yǒu gūngfu lái. Kěsyī rén tài dwō, méinéng gen nín hǎuhāurde tán. Yǒu gūng-fu chǐng nín yídìng dzai gwòlai tántan. Dzàijyàn, Lyóu Ss.

Lyóu: Hǎu, yídìng yídìng. Dzàijyàn, dzàijyàn. (dwèi Wèi Ss.) Wèi Ss., dzàijyàn.

Wèi: Good night, Mr. Lyóu.
I'm so glad Mr. Chén
brought you. We must
see more of each
other.

Wèi: Lyóu Ss., dzàijyàn.
Jīntyan nín néng gen
Chén Ss. yíkwàr lái,
jēnshr hǎujíle. Yǐhòu
hái yau dwō gen nín
chǐngjyàu ne.

Chén: Good night to both
of you. I've had an
awfully good time,
and thank you ever so
much for giving me
such a lovely party.

Chén: Jēnshr tài syèsye nǐmen
le, jīntyan wǎnshang
wèi wǒ jèmma fèi shr.
Dzàijyàn, dzàijyàn,
dwōsyè, dwōsyè. Nín
chǐnghwèi ba.

Mrs. Wèi: Do come and see
us. And thank you for
coming.

Wèi Tt: Yǒu gūngfu chǐng lái
wár. Màndzǒu, màndzǒu.

IV. Fāyīn Lyànsyí

1. Lǐ dwō rén búgwài.
2. Gwèide búgwèi, jyànde bújyàn.
3. Tyān búpà, dì búpà, jyòu pà yánggwěidz shwō Jūnggwo hwà.
4. Shwō hwà rúngyi, dzwò shr nán.
5. Hwódàu lǎu, sywédau lǎu.
6. Hwèide bùnán, nánde búhwèi.
7. Shwō Tsáu Tsau, Tsáu Tsau jyou dàu.
8. Búpà màn, jyòu pà jàn.
9. Pàngdz búshr yìkǒu chrde.
10. Bàishòu bàishòu.
11. Dàusyǐ dàusyǐ.
12. Hwānyíng hwānyíng.
13. Búsùng búsùng.
14. Wǒ bùwǎnsùngle. Yǒu gūngfu chǐng dzài lai wár.
15. Wǒ gēn nin lìngjyàu dyǎr shr.

V. Wèntí

1. Sz̄ Ss. gen Jàu Ss. tánchi shémma láile? Sz̄ Ss. hwèi
shwō Jūnggwóde kèchihwà ma? Tā dōu hwèi shémma?

2. Sz̄ Ss. jywéde shémma yàngrde kèchihwà dzwei nán? Jàu
   Ss. yǐwei něigàngrde kèchihwà kéyi búyùng? Něiyàngrde
   fēi yùng bùkě?

3. Jàu Ss. yǐwei shémma yàngrde kèchihwà rúngyi sywé?
   Shémma yàngrde kèchihwà nánsywé?

4. Shémma yàngrde fēngsu syígwàn Měigwo gen Jūnggwo yíyàng?
   Shémma yàngrde búyiyàng?

5. Dàu péngyou jyā chyu, péngyou sùng kèren chūlai, kèren
   yīnggāi shwō shémma? Yàushr nǐ sùng nǐde kèren dàu
   ménkǒur, nǐ shwō shémma?

6. Jūnggwo ren chǐng kè, chr̄fàn yǐchyán chàng shwō shémma?
   Kèren dzǒude shŕhou shwō shémma?

7. Sž̄ Ss. jywéde kèchihwà yǒuyùng meiyou? Tā hái syǎng
   sywé shémma hwà?

8. Sz̄ Ss. hwèi shwō něi jijyù súhwà? Nǐ hwèi shwō néi
   jijyù súhwà?

9. Wèi shémma Jàu Ss. shwō Sz̄ Ss. bùnéng swànshr yánggwěidz?
   Sz̄ Ss. jywéde ta dzjǐde Jūnggwo hwà dzěmmayàng?

10. Jàu Ss. jywéde shwō hwà nán bunán? Tā jywéde Měigwo
    rén dwèi shwō hwà dōu hěn jùyì, wèi shémma?

11. Sz̄ Ss. yǐwei Měigwo ren shwō hwà dōu hěn chīngchu ma?

12. Jūnggwode súhwà yǒu gēn Měigwode chàbudwōde ma? Nǐ
    jr̄dau jǐge?

13. Yǒu meiyou gwānyu Jūnggwo súhwàde shū? Yǒu meiyou
    gwānyu Měigwo súhwàde shū? Yǒu meiyou Jūngwén Yīngwén
    dzai yíkwàr de?

14. Jàu Ss. yàu syě nèiyàngrde shū ma? Sz̄ Ss. néng bunéng
    syě nèiyàngrde shū?

15. "Bàishòu", "bàinyán", "bàijyé", "dàusyǐ" dōushr dzai
    shémma shŕhou yùng?

16. "Lǐ dwō rén búgwài" shr shémma yìsz? "Lǐ dwō rén
    búgwài" de "lǐ" dz̀ shr shémma yìsz?

17. "Tyān búpà, dì búpà, jyòu pà yánggwĕidz shwō Jūnggwo
     hwà," shr shémma yìsz?

18. "Shwō hwà rúngyi, dzwò shr nán," gēn "hwódau lău,
     sywédau lău," dōu shr shémma yìsz?

19. "Hwèide bùnán, nánde búhwèi," shr shémma yìsz? "Pàngdz
     búshr yìkǒu chrde," shr shémma yìsz? Dzài shémma
     shŕhou yùng?

20. "Búpà màn, jyòu pà jàn," shr shémma yìsz? Nèige "pà"
     dž shr shémma yìsz? Jèijyu hwà shémma shŕhou yùng?

                    VI. NĬ Shwō Shémma?

1. Yǒu rén gwò shēngr, gwò nyán, hwòshr gwò jyé de shŕhou,
   nǐ gēn tāmen dōu shwō shémma?
                                    shwō
2. Yǒu rén jyéhwūnde shŕhou/shémma? Shēng syǎuhár ne?

3. Nǐ yàu wèn wèntí, dzài wèn yǐchyán, nǐ yīngdāng syān
   shwō shémma?

4. Yàushr yǒu rén shwō nǐ hěn yǒulǐmàu, nǐ shwō shémma?

5. Yàushr yǒu rén shwō nǐde Jūnggwo hwà shwōde hěn hǎu,
   nǐ shwō shémma?

                    VII. Gùshr

                    (on record)

                    VIII. Fānyì

1. Translate into Chinese:

   1.1 They are all the same kind of people.

   1.2 He has very good manners.

1.3 Tomorrow will be his birthday. What kind of gift
are you going to give him?

1.4 I gave him a generous present, because as the
Chinese saying goes: "People don't criticize you
for being over courteous."

1.5 He himself broke the glass but he blamed it on me.

1.6 What do you say! Is it genuine or a fake?

1.7 What do you say in Chinese on New Year's day?

1.8 When he came back, we had a big party to welcome
him.

1.9 Just compare them, you'll find out which is thick
and which is thin.

1.10 There is something I don't quite understand; I want
to ask you about it.

1.11 Some Chinese call foreigners foreign devils; I
don't know why. Maybe they just want to make fun
of them.

1.12 This is very important, don't be careless.

1.13 He is so old that he's getting muddled.

1.14 Don't worry. Sooner or later I will give you back
the five dollars.

1.15 Eat it. Just a mouthful won't hurt you.

2. Translate back into Chinese:

(577) a. As the saying goes: "To those who know how, it
is not difficult; those who find it difficult,
don't know how."

(578) a. I don't like to talk with this kind of people.

(579) a. That child has good manners.
b. In the West, hand shaking is a form of courtesy.

(581) a. If I say something wrong, please don't be
         offended.
      b. That person is very odd.
      c. "People don't criticize a person for being over
         courteous."

(582) a. His beard is false.

(589) a. Compare these two.
      b. That one is a little bigger.

(594) a. I have a question to ask you. (Please en-
         lighten me.)

(595) a. I fear neither heaven nor earth, but only the
         way a foreigner speaks Chinese.

(596) a. Don't make fun of me.

(597) a. He is always careless.

(598) a. He's too muddled. He doesn't get anything
         straight.

(599) a. Speak of the devil and he appears.

(600) a. Sooner or later he'll go to China.

(601) a. "A fat person doesn't become fat in one mouth-
         ful."

LIST OF NOTES ON SENTENCE STRUCTURE

(RUE)

CHINESE DIALOGUES

VOCABULARY

A

B

búdàn...{ bìngchyě(yě)
         érchyě(yě) }   not only....but   255

búdàn...shènjřyú...   not only... but even...   311

búdàu   V: less than, not quite (usually
                             followed by a numeral)   24

búdzàihu   it doesn't matter, I don't
                             care, it makes no idfference to   269

búgwò   A: but, only   165

bújyàndé   IE: not necessarily (so)   313

búlwùn (wúlwùn)   A: it doesn't matter, no
                             matter what   123

búsùng   IE: Don't accompany me further
                             (by guest); I won't accompany
                             you further (by host)   326

búswàn   doesn't count, not reckoned as,
                             not considered

bùdélyǎu   IE: extremely, very; terrific   135

bùgǎn shwō   IE: one doesn't dare say, uncertain   138

bùgwǎn   V: don't care whether, no matter
                             whether   4

bùhǎuyìsz   A/SV: be embarrassed, be shy   15

bùrú   V: is not up to, is not as good as   253

bùsyǔ dùng   hands off, don't move   268

bùtúng   SV: be different (more literary
                             than bùyíyàng)   312

bù   N: cotton cloth (M: -pǐ, bolt;
                             -mǎ, yard; -chř, foot; tswùn,
                             inch)   75

bù dzwòde   made of cloth   75

bùsyé   N: cotton shoes   75

bùyīshang   N: cotton garment   75

bwōli   N: glass, plastic   121

bwōlibēi   N: glass, tumbler   121

bwōlide   glass   121

bwōli dzwòde   made of glass or plastic   121

bwōli píbāu   plastic hand bag   121

bwówùgwǎn   N: museum   254

byǎu   N: chart, blank, form (M: -jāng)   239

byé sùng   IE: Don't accompany me further
                             (by guest only)   326

C

chí (continued)
  chí dzsyíngchē   VO: ride a bicycle   255
  chí mǎ   VO: ride horseback   255

chíshŕ   A: in fact, as a matter of fact   267

-chǐlai   RVE: start to, begin to; (also
                    indicates success in attaining
                    object of the action)   137
  chǐ míngdz   VO: give a name, to name   120

chìhou   N: climate   311

chínjin   SV: be diligent (referring to
                    physical work)   120

chīng   SV: light (in weight)   64

chīngjing   SV: be quiet   285

chīngnyán(ren)   N: young person   268
  chīngtsài   N: green vegetables   123

chíngsying   N: condition, situation   164

chíng tyān   N/VO: clear sky, day or weather   39

chǐng dàifu   VO: call a doctor   137
  chǐnghwéi   IE: Please return (by guest) 326
  chǐng jyà   VO: ask leave   213
  chǐng kè   VO: invite guests, give a party 121
  chǐngwèn   IE: may I inquire   135

chōu yān   VO: smoke   48

chŕ àszpǐlíng   VO: take aspirin   138
  chŕchūlai   RV: make out (tasting)   224
  chŕkǔ   VO: suffer bitterly   198

chū   V: produce (natural and
                   manufactured goods)   164
  chūchǎn   V/N: produce/product, produce
                   (natural)   164
  chūdzū   V: for rent   90
  chūhàn   VO: sweat, perspire   240
  chū júyi   VO: suggest a plan   254

chū (continued)
  -chūlai   RVE: make out, distinguish   224
  chūshr̀   VO: have something go wrong,
                          have an accident   151
  chū tàiyang   VO: sun comes out   254

chūjí-jūngsywé   N: junior high school   212
  chūjūng   N: junior high (abbr. of 378.1)   212
  chūjūngyī (nyánjí)   first year of junior high   212

chúle (chúchyu...yǐwài   in addition to..., besides   164

chù   BF: place, office, point feature   238
                        M: (for dìfang) specifies
                           localization
  chùchù   N: everywhere   238

chwán   V: pass, spread   196

chwán jyàu   VO: propagate religion,
                            to preach the gospel   196
  chwánlai chwánchyu   pass around   197

chwánjǎng   N: captain (of a boat)   211

chwáng   N: bed (M. -jāng)   14
  chwángdāndz   N: bed sheet (M: -chwáng, -gè)   151

chwūnjyà   N: spring vacation   213
  chwūnjyà-lyǔsyíngtwán Spring Vacation Travel Club   283
  chwūnsyàchyōudūng N: spring, summer, fall and winter   37
  chwūntyan   TW: spring   37

chyānwàn   A: by all means, without fail,
                           be sure   15

chyánhòu   A: all told, altogether,
                           (from beginning to end)   312
  chyánhòu yígùng   first and last, altogether   312

chyányàwàn(r)   N: frontyard   37

chyǎn   SV: be light (in color), shallow
                            (of water, thought)   76
  chyǎnhúng   N: light red   76
  chyǎnlán   N: light blue   76

chyáng	N: wall	91
chyōutyan	TW: fall	37
chyóu	V: ask, beg	211
chyóu rén	VO: ask for help, ask a favor	211
chyǔ	V: fetch, take out, call for (jyē and chyǔ both mean 'fetch', but jyē usually refers to people, chyǔ to things)	3
chyǔ bāugwǒ	VO: get parcel post	63
chyǔchulai	RV: take out, withdraw	4
chyǔ chyán	VO: fetch money, withdraw money	4
chyǔ dūngsyi	VO: fetch things	3
chyǔ syíngli	VO: get baggage	3
chyùnyan nyándǐ	TW: end of last year	282
chyù syìn	VO: send a letter (there)	50
chyúng	SV: be poor	198
chyúngrén	N: poor people	198

D

-dá	M: dozen	77
dǎbuchilái	RV: will not start to fight	137
dǎchilaile	RV: begin to fight	137
dǎ chyóu	VO: play ball	255
dǎdechilái	RV: will start to fight	137
dǎ dyànhwà dǎbutūng	cannot put through a phone call	313
dǎjēn	VO: innoculate	138
dǎkāi	RV: open up	196
dǎszle	RV: killed (by beating or a gun)	198
dǎting	V: to inquire or ask about	62
dàchyántyan	TW: three days ago	92
dàhòutyān	TW: three days from today	92
dàjyā	N: everybody	3
(dà) lǐtáng	N: auditorium	212
dàsyǎu	N: size	76
dàsywé	N: College, University	49
dàsywé yīnyánjí	freshman	49
dàyī	N: overcoat (M: -jyàn)	152

dàifu   N: medical doctor, physician   137

dài(je)   V: lead   224

dàimàn   IE: I have treated you shabbily
                               (said to a friend at the
                               close of a party)   326

dài yǎnjìng(r)   VO: wear glasses   211

dānchéngpyàu   N: one way ticket   178
  dāndz   N: list (M: -jāng, -gè)   151

dānwu   V: to delay, waste (cf. fèi)   239
  dānwu gūngfu   waste time, take time   239
  dānwu shŕhou   waste time, take time   239
  dānwu shŕching   delay a business affair   239

dāngjūng   PW: the center of, middle of   63

dāuchā   N: knife and form (M: -fèr, -tàu)   121

dǎuméi   SV: be unlucky   151

dàu   V: pour   312
  dàu chá   VO: pour tea   312
  dàu shwěi   VO: pour water   312
  dàu(shr)   A: and yet, on the contrary   63

dàudǐ   A: after all, at bottom; (what)
                              in the world?   311

dàuli   N: teaching, doctrine   197
  dàusyǐ   IE: congratulations   326

dé   V: be ready   135
                           RVE: ready, completed   135
  dé   V: get   254
  dé bìng   VO: get sick   254
  débulyàu   RV: cannot be ready on time   135
  dé chyán   VO: receive money (as a gift or
                               prize)   254
  dé dūngsyi   VO: receive something (as a
                               gift or prize)   254
  dé érdz   VO: have a baby   254
  déjau   RV: got   254

dé (continued)

dé jīngyan	VO:	gain experience	254
dé jŕshr	VO:	gain knowledge	254
dé sywéwen	VO:	acquire learning	254

dēng	N:	lamp, light	90

dēng	V:	insert (an advertisement, notice, etc.)	90
dēng bàu	VO:	put in the paper	90
dēng gwǎnggàu	VO:	put an advertisement in the paper, magazine, etc.	90
dēngsānlwúrde	VO:	pedicab - man (lit. one who pedals a pedicab)	179

-děng	M:	grade, class	178

dīsya	RC:	bow down	196
dītóu	VO:	bow the head, lower the head	196

dìbǎn	N:	floor	91
dìlǐ	N:	geography	213

dìwǔtséng		fifth floor	239
diyīye		the first page	224

dǐng	A:	most	311
dǐng hǎu		excellent	311
dǐng kwài		fastest	311
dǐng yǒuchyán		richest	311

dìng	V:	fix, order	92
dìngchyan	N:	deposit (on purchase or rent)	92
dìng dìfang	VO:	agree on a place, reserve a place	92
dìng dzwòr		to reserve a seat	180
dìnghǎule	RV:	settled	92
dìng shŕhou	VO:	make an appointment, set a time	92
dìng ywēhwei	VO:	make a date or an appointment	165

dūngtyan	TW:	winter	37

dūngywàn(r)	N:	east yard	37

dùng	V:	move, touch	268
dùngbulyǎu	RV:	cannot move	268
dùngshēn	VO:	start on a journey	284

dz̀láishwěi   N: running water   91
  dz̀láishwěibǐ   N: fountain pen   91
  dz̀rán   SV/A: be natural/of course, naturally   224
  dz̀syíngchē   V: bicycle   255
  dz̀sz̄   SV: be selfish   313

dzájr̀   N: magazine   299

dzài shwō   A-V: see about it, talk further,
                       consider it further
                    A: furthermore, moreover   50

dzàihu   V: be of concern to, care   269

dzànměi   V: praise   195
  dzànměishr̄   N: hymnal, hymn   195

dzāugāu   SV: what a mess! too bad   151

dzǎuwǎn   A: sooner or later   327

dzéi   N: thief   151

dzǒubudùng   RV: too tired to walk any farther   268
  dzǒulái dzǒuchyù   walk back and forth   197
  dzǒushúle   RV: go over (a piece of road)
                       until familiar with it   284

dzū   V: rent   90
  dzūchuchyu   RC: rent out   90
  dzūchyan   N: rental   90
  dzū fáng   VO: rent a house   90

dzǔjr   V/N: organize, organization   283

dzūngjyàu   N: religion   298

dzǔng(shr)   A: always   37

dzwěi   N: mouth   14

dzwòshúle   RV: do (something) until
                       familiar with it   284
  dzwòchéng   RV: accomplish   225
  dzwòdéle   RV: the job is completed   135
  dzwò lǐbài   VO: attend a religious service,
                       go to church   195

dzwòshúle (continued)
  dzwò lyànsyí   VO: do exercise   225
  dzwòmèng   VO: dream   239

dzwòbusyà   RV: will not seat   77
  dzwòmǎnle   RV: all seats are taken,
                       (the room) is full   195
  dzwò sānlwúr   VO: to ride a pedicab   179
  dzwòwèi (dzwòr)   N: seat (M: -gè)   180

E

èszǐle   RV: die of hunger, starve (to death) 198

ěrbíhóukē   N: ear, nose, throat department   238
  ěrdwo   N: ear (M: -jr̄, one of a pair)   14

èrděng   second class   178

F

fāshāu   VO: have a fever   138
  fāyīn   VO/N: pronounce/pronunciation   224

fāncheng Jūngwén RV-O: translate into Chinese   225
  fān(yì)   V/N: translate/translation;
                       translator   225
  fānyi shū   VO: translate books   225

fǎnjèng   MA: anyway, anyhow   63

fàndyàn   N: hotel   285

-fāng   BF: direction, a region   38

fángdūng   N: landlard, landlady   90
  fángdzū   N: house rent   90

fàng jyà   VO: close school for a vacation,
                       to have a vacation   213
  fàng sāntyān jyà   have three days vacation   213
  fàngsya   RV: put down   77

fēijīchǎng   N: air field   212

fèi	V: waste, use a lot	122
fèichyán/		
fèi chyán	SV/VO: expensive/cost money, take money	122
fèishŕhou/		
fèi shŕhou	SV/VO: time consuming/use time, take time	122
fèishŕ/fèi shŕ	SV/VO: laborious, troublesome/ take a lot of work	122

fēn	V: divide, separate, share	197
fēnbyé	N: difference	224
fēnbye dzai jèr	the difference is right here	224
fēnbye hěn dà	the difference is considerable	224
fēncheng sānkwài	RV-O: divided into three pieces	225
fēn dūngsyi	divide things	197
fēngei wǒ		
wǔkwai chyán	give me my five dollar share	197
-fēnjŕ-	M: pattern for fractions	212
fēnkai	RV: separate	197

| fēngfù | SV: be abundant, rich | 164 |

fēng	N: wind	38
fēngjǐng	N: scenery, view	38
fēngsú	N: custom	313

| -fèr | M: issue, number (of something published periodically) | 298 |

| fŭshang | IE: home, residence, family (courteous reference to other people's) | 48 |

| fŭdzá | SV: be complicated (opposite of jyǎndān) | 299 |

| fùjìn | N: vicinity, near by | 62 |

G

gāi	V: it is fitting that, should	239
gāi dzǒule	it's time to go	239
gāi shéi?	whose turn?	239

gǎi   V: correct, change, alter, revise   165
  gǎibulyǎu   RV: cannot change   166
  gǎidelyǎu   RV: can change   166
  gǎihǎule   RV: corrected   166
  gǎihwàile   RV: change for the worse   166
  gǎi yīshang   VO: alter clothes   166

gǎn   V: dare, wenture   138

gǎnjǐn   A: hurriedly, at once, promptly   76

gāují-jūngsywé   N: senior high school   212
  gāujūng   N: senior high (abbr. of 379.1)   212
  gāujūngsān
    (nyánjí)   N: third year of senior high   212

gè-   SP: each, every   282
  gèchù   N: everywhere   282
  gèjǔng   N: different kinds   282
  gèyàngr   N: different kinds   282
  "gè yǒu swǒ
    cháng"   IE: each one has its own good
                                 points   312

gěi...jywān chyán   raise money for...   197

gēn   V: follow   179
  gēnje   V/A: follow   179
  gēn...jyéhwūn   get married to   49
  gēn...jywān chyán   ask for contribution,
                                 solicit fund   197
  gēnshang   RV: catch up   179

gù   V: hire, employ (used with
                                 reference to the laboring
                                 class, compare with chǐng)   120
  gù chē   VO: hire a conveyance   120
  gù chúdz   VO: employ a cook   120
  gù rén   VO: employ people   120
  gù sānlwúr   VO: to hire a pedicab   179
  gù yùngren   VO: employ a servant   120

gūnggùng-chìchē   N: bus, public vehicle (M:
                                 -lyàng for cart, -tàng for
                                 trip)   4
  gūnglì(de)   BF: publicly established (school,
                                 factory, etc.)   165

gūnggùng-chìchē (continued)

gūngshr̀	N: official or public business, in contrast to sz̄shr̀, personal or private matters	283
gūngshrfángr	N: office	283
gūngsz̄	N: company, corporation	135
gūngywán	N: park	253
gūngkè	N: field of learning, course, lessons, school work (M: -mén: course)	50
gūngkèbyǎu	N: schedule of day's classes	213
gūngchyan	N: wage	121
gùngchǎnjǔyì	N: communism	299
gwā húdz	VO: shave (interchangable with gwā lyǎn)	267
gwā fēng	VO: wind blows	38
gwà	V: hang (something)	136
gwàchilai	RV: hang up	136
gwàhàu	VO: register	63
gwàhàuchù	N: registration (desk, window, etc.)	238
gwàhàu syìn	N: registered letter (M: -fēng)	63
gwà páidz	VO: to check baggage	179
gwàshang	RV: hang up	136
gwài	V/SV: blame, be offended at, be strange, queer	325
gwàibude	A: no wonder that	325
gwān	N: officer	150
gwānyu	CV: about, concerning, in	282
gwānsyi	N: relation, connection, relevance	122
gwǎn	V: manage, take care of, attend to	4
gwǎndelyǎu	RV: can manage (actual form uncommon)	4
gwǎndz	N: tube, pipe (M: -gēn)	91

-gwǎn	N: hall, building	212
gwāng	N: light, ray	240
Gwǎngdūng	PW: Kwangtung (province)	26
Gwǎngdūng hwà	N: Cantonese (dialect)	26
Gwǎngdūng rén	N: Cantonese (people)	26
gwǎnggàu	N: advertisement	90
gwēijyu	N: customs, rules and regulations	180
gwò	V: pass, cross over	4
gwòchyu	RV: go over, pass away (die)	4
gwòjùng	SV: overweight, too heavy	64
gwòjyǎng	IE: you flatter me	24
gwò jyē	VO: cross a street	4
gwò jyé	VO: celebrate a festival	325
gwòlai	RV: come over	4
gwò NU ᐧtyáu jyē	go NU blocks	4
gwò nyán	celebrate the new year	325
gwò shēngr̀	VO: celebrate a birthday	325

<h2 style="text-align:center">H</h2>

hánjyà	N: winter vacation	213
hàn	N: sweat	240
Hángjōu	PW: Hangchow	283
hángkūngkwàisyìn	N: air mail special delivery (M: -fēng)	62
hángkūngsyìn	N: air mail (M: -fēng)	62
hángkūngsyìnféngr	N: air mail envelope	64
hángkūngsyìnjř	N: air mail letter paper	64
hángkūngyóupyàu	air mail stamp	63
hǎu	A: in order to, so that	285
hǎuchu	N: good point, benefit	238
hǎushwōhwà	SV: be affable, easy to get along with	123
hǎusyàng	V/A: resemble/a good deal like, just as though, it seems that	26
hǎusyàng...de yàngdz	resemble, appearance of	26

hǎu (continued)
  hǎusyang...shrde   resemble   26
  hǎuwén   SV: be good to smell   25

-hàu(r)   M: number, size   75

hébì   A: why is it necessary to?   136
  hébì fēi...bùkě   why insist on...? why must?   136

héchi   SV: be friendly, affable   135

hédz   N: box (small)   77
  -hé(r)   M: a box of   77

héshr̀   SV: be suitable, fit   76

hēibǎn   N: blackboard (M: -kwài)   225

hěnjyǒu méijyàn   Ph: haven't seen you for a long
                          time   90

hòu   SV: thick (in dimension)   64

hòuywàn(r)   N: backyard   37

hūrán   MA: suddenly   268

hú   N: lake   254

húdu (or hútu)   SV: be muddled, mixed up, stupid   326
  húlihúdū (or
    hūlihútū)   SV: be muddled, mixed up, stupid   327

húdz   N: beard, mustache   267

hújyāumyàr   N: (ground) pepper   25

hùshr̀   N: nurse (M: -wèi)   239

húng màudz   N: red cap   179
  húngtúng   N: copper   164
  húngyè   N: red leaf   49

hwāywándz (hwāywár) N: garden   253

hwá chwán   VO: row boat   255

hwàbàu	N: pictorial magazine	299
hwàichu	N: bad point	238
hwānyíng	V: welcome	326
hwánjing	N: environment	254
hwàn	V: exchange, change	91
hwàn chyán	exchange money	91
hwàn dūngsyi	exchange something	91
hwàn yīshang	change clothes	91
hwángjǔngrén	yellow race	49
hwángtúng	N: brass	164
hwār	N: flower (M: -dwǒ)	38
hwéidá	V: answer	225
hwéidá wèntí	VO: answer a question	225
hwèi	AV: may, would	50
hwèi	N: meeting	195
hwó	SV: be alive, living	198
hwóbulyǎu	RV: be unable to live	198
hwógwolai	RV: come to	198
hwóje	living	198
hwǒ	N: fire, stove	51
hwǒchēpyàu	N: railroad ticket	4
hwǒji	N: waiter, clerk (in stores)	75

J

já	V: fry in deep fat	26
jájī	N: fried chicken	26
já jī	VO: fry chicken	26
já jyǎudz	N/VO: fried meat, dumplings	270
jáyú	N: fried fish	26
já yú	VO: fry fish	26
jāi	V: take off (hat, flower, etc.) take down (picture, telephone receiver, etc.; opposite gwà)	135

jāi (continued)
  jāi hwār   VO: pick flowers   135

jǎi   SV: be narrow   75

jànjù   RV: stop, stand still   63
  jàntái   N: station, platform   179

jǎng   V: grow, rise in price   49
  -jǎng   N: head (of an organization)   210

jàng   N: account, bill   313

jāulyáng   VO: catch cold   137

jǎu (chyán)   V(O): make change   77
  jǎu dàifu
    kànbìng   Ph: see the doctor for an ailment 137
  jǎu máfan   VO: look for trouble, make trouble 3

jàu aìkèsē-gwāng   VO: take an X-ray   241
  jàu aìkèsē-gwāng
    syàng   VO: take an X-ray picture   241
  jyàu syàng   VO: take a picture, be
                       photographed   240
  jàusyàngjī   N: camera   240

jèibān   this class   211
  jèijǔng rén   this kind of person   49
  jèisywéchī   this term   213

jēn   N: needle, pin
                       M: stitch, shot, etc.   137

jěng   A: just, exactly   178
  jěng bādyǎn
    (bādyǎn jěng)   eight o'clock sharp,
                       exactly eight o'clock   178
  jěng shŕkwài chyán ten dollars even   178

jèng héshŕ   just right   76

jèngjŕ   N: politics   298

Jīdūjyàu   N: Christianity (usually refers
                       to the Protestant church as
                       vs. the Catholic church)   165

jǐngchá	N: policeman	150
jǐngchájyú	N: police department	150
jǐnggwān	N: police officer	150
jr̄shr	N: knowledge	254
jŕ	V: be worth (so much	151
jŕ chyán/		
jŕchyán	VO/SV: be worth (so much) money/ be valuable	151
jŕde	AV: worth while	151
jǐ	V: point	238
jǔje	V: pointing	238
jřhǎu	A: the best thing is to...., the only thing to do is....	253
júyi	N: idea, way, plan	254
jǔyì	N: principle (-ism)	299
-jù	BF: (denoting firmness or security)	63
jùsyàu	VO: live in the school	212
jù yīywàn	VO: stay in the hospital	241
jùywàn	VO: stay in the hospital	241
jùywànde bìngrén	N: in-patient	241
jùyì	VO: pay attention (cf lyóushén) AV/V: pay attention to/pay attention	298
jūngsywé	N: high school, secondary school	165
Jūngwén	N: Chinese	64
Jūngwén shū	N: Chinese book	64
Jūngyāng Gūngywán	N: Central Park	253
-jǔng	M: kind of, sort of, race	49
jùng	SV: heavy (in weight)	64
jwāng	V: pack, load	77
jwāngchilai	RV: pack up	77
jwāngmǎnle	RV: packed full	195
jwāngshang	RV: pack up	77

kāi (continued)

kāisyalai	RV: list	151
kāi wánsyàu	VO: make fun of, to crack a joke	326
kāi yàufāngr	VO: tp prescribe	241
kāi yige tyáur	VO: write a note	151

kān	V: watch	284
kān dūngsyi	VO: take care of things	284
kān fáng	VO: take care of a house	284
kān háidz	VO: take care of a child	284

kànchūlai	RV: make out (seeing)	224
kàndàifu	VO: see the doctor	137
kàn dyànyǐngr	VO: go to the movies	254
kànfǎ	N: point of view, way of looking at things	300
kànje bàn	IE: do as you see fit	123
kànje syàng	look like	14
kànlái kànchyù	consider from one angle and another	197
kàn syì	VO: go to a play	254

kǎu	V: toast, bake	121
kǎumyànbāu	N: toast	121
kǎu myànbāu	VO: toast or bake bread	121

kǎu	V: examine, take an examination (in studies)	225
kǎushr̀	V: examine, take an examination (in studies)	
	N: examination	225
kǎu shū	VO: examine, take an examination (in studies)	225

kē	N: department	238

késou	V/N: cough	137

kě-	prefixed to verb with much the meaning of the English-- able, -ible	240
kě búshr̀ ma!	IE: isn't that the truth! sure enough	37
kěchyùde dìfang	places one can go to	240
kěkǒukělè	N: coca cola	270
kělyán	SV: be pitiful (cf. kěsyī)	299

láibují (continued)
  láideji   RV: there is time, can make it   270
  láihwéipyàu   N: round trip ticket   178
  lái syìn   VO: send a litter (here)   50

lǎn   SV: be lazy   267

lèi   M: kind, class, category   325

lǐ   N: courtesy, ceremony; gift, present   325
  lǐbàitáng   N: church (lit. worshipping hall)   165
  lǐmàu   N: manners, courtesy   325

Lǐ Bái   N: Li Po (one of the most celebrated poets of the T'ang Dynasty)   226

lìshř   N: history   211

lǐngjyàu   IE: May I receive your instruction? (used to introduce a query)   326

lúdz   N: stove, range, heater, furnace   91

lùkǒu(r)   N: end of a street   4

lwàn   SV: be confused, in disorder, mixed up, helterskelter, in trouble
                  A: confusedly, recklessly   136
  lwànchībādzāu   IE: in confusion, at sixth and seventh   136
  lwàn shwō   speak recklessly, not know what one is saying   136

lyànsyí   V/N: practice   225

lyáng   V: measure   75

lyángkwai   SV: be cool (comfortably cold)   37

lyǎngbān   two classes   212

lyǎubude   IE: extremely, very; terrific   135

lyóu	V:	keep, set aside, detain, save	92
lyóuchilai	RV:	put away	92
lyóu húdz	VO:	grow a beard or mustache	267
lyóushén	V/VO:	take care/be careful	138
lyóushēngjī	N:	phonograph	223
lyóushēngjī pyāndz	N:	phonograph record	224
lyóusya	RV:	leave it here	92
lyóu tyáur	VO:	leave a message	92

| lyǔsyíng | V/N: | travel/travel, trip (M: tsż) | 282 |

M

| máfan | N: | trouble, nuisance | 3 |

| mǎhū | SV: | be careless, not serious minded | 326 |
| mǎmǎhūhū | SV: | be careless, not serious minded | 326 |

| mǎn | SV: | to be full | 195 |

mànchē	N:	local train	178
màndzǒu	IE:	Depart slowly, be careful (said to a friend who has been visiting and is leaving)	326
mànmār(de)	A:	slowly	26

| méi | N: | coal (M: -jīn, catty; -dwūn, ton) | 165 |

méiyǒu bànfǎ	VO:	there is no way out	223
méi dzwòr		there are no seats	180
méigwānsyi	IE:	It doesn't matter, it's not important.	122
méi(you) gwānsyi	VO:	not related to, not relevant	122
méi jīshr	VO:	uninitiated; uneducated	254
méi shémma kěshwōde		nothing that can be said	240
méisyǎngdàu	RV:	didn't expect	152
méi wèntí	IE:	There is no problem.	225

ménfángr	N:	gatekeeper's room, gatekeeper	211
ménkǒur	N:	gate way, door way, in front of the door	120
ménpyàu	N:	entrance ticket (of any kind)	4

mèng	N: dream	239
mèngjyàn	RV: dreamed about, see...in a dream	240
mǐ	N: hulled rice (grain) (M: -dǒu, peck; -shēng, pint; -jīn, catty)	164
míngdz	N: name (M: -gè)	120
míngdz jyàu...	(his) name is...	120
mínghòutyān	TW: tomorrow or day after tomorrow	284
mùshr	N: preach, pastor, minister	195
myánhwa	N: cotton (M: -jīn, catty; -bāu, bale)	165
myànbāu	N: bread (M: -kwài for slice; -gè for loaf)	121

N

ná...dzwò bǐfang	take...for an example	138
nájù	RV: take hold of	63
ná shǒu bǐfang	Ph: to describe with the hands	138
nà shr dzrán	IE: Naturally!	224
nǎi	N: milk	121
nánchu	N: difficulty	238
nángwài	A: no wonder that	325
nánfāng	N: the South	38
nánfāng rén	N: Southerner	38
nányùngren	N: male servant	4
nèikē	N: medical department	238
nèirén	N: my wife (polite remark)	136
Nín chǐng	IE: please go ahead, after you	39

nùng	V: arrange, take care of, see to, lend to, handle	150
nùngdzǒu	RV: take away	150
nùnghǎule	RV: it's been fixed	150
nùnghwàile	RV: break (something)	150
nùngtswòle	RV: made a mistake, didn't do it right	150
nwǎnhwo	SV: be warm (comfortably warm)	38
nyánchīng	SV: be young	268
nyánchīngde	N: young person	268
nyánchīng rén	N: young person	268
nyándǐ	TW: end of the year	282
-nyánjí	M: grade in school	13
nyàn dàsywé	study in college	49
nyàn Jūngwén	VO: study Chinese	64
nyànshúle	RV: read (a book) until familiar with it	284
nyǎur	N: bird (M: -jr̄)	39
nyǎur jyàu	singing of birds	39
nyóu	N: cow, ox, cattle	121
nyóunǎi	N: cow's milk	121
nyǔyùngren	N: maid	4

P

páidz	N: sign, tag (baggage), brand, make	179
pài	V: select, appoint or sent (someone to do something)	150
pàngdz	N: fat person	327
pǎulái pǎuchyù	run back and forth	197
péi	V: accompany, escort	283
péi(je)ta	to keep him company	283
péi(je)ta chyù	go along with him and keep him company	283

péi (continued)
  péi(je)tadzwò

yìhwěr	sit with him for a while	283
péike	N: guest who is not the guest of honor	283
péi kè	VO: entertain a guest	283
pén	N: basin, tub	91
pèng	V: bump into, run into	49
pènghwài	RC: bump into and break	49
pèngjyan	RC: meet by accident	49
pèngshang	RC: run into	49
pí	N: skin, fur, leather, hide (M: -kwài, jāng)	75
píbāu	N: hand bag, brief case, suit case	75
pídàyī	N: fur coat (M: -jyàn)	152
pídz	N: fur, leather, hide	75
pídz dzwòde	made of leather	75
písyāng	N: suitcase, trunk, chest (leather)	179
písyé	N: leather shoes	75
pínggwǒ	N: apple	49
píngsyìn	N: ordinary mail (M: -fēng)	62
pǔtūng	SV: ordinary, common (cf. píngcháng) A: ordinarily	239
pǔtūng hwà	common speech	239
pùdz ménkǒur	entrance of a store	120
pyāndz	N: record, film	224
pyàndz	N: card, calling card (M: -jāng)	211
pyàu	N: ticket (M: -jāng)	4
pyàufángr	N: ticket office	179
pyàulyang	SV: be attractive, smart looking	76

R

rènau	SV: be noisy and bustling	267
renkǒu	N: population	164

S

sānděng		third class	178
sānfēnde yóupyàu		a three-cent stamp	63
sānfēnjřyī	NU:	one third	212
sānge sywéchī		three terms	213
sānlwúnchē	N:	pedicab	179
sānlwúr	N:	pedicab (M: -lyàng)	179
sāntsénglóu		third floor, three stories	239

sàn	V: disperse, break up, adjourn	195
sànbù	VO: take a stroll, take a walk	37
sàn hwèi	VO: adjourn a meeting	195

Shāndūngshěng		Shantung province	49
shāndùng	N:	cave	150

shāngfēng	VO: catch cold	137

shàngbān	VO:	go to class; go to work	211
shàng dàsywé		go to college	49
Shàngdì	N:	God (M: -wèi)	196
shànglái syàchyù		go up and down	197
shàngsywéchī		last term	213

Shàusyàn	PW: a fictitious town	164

shèhwèi	N: society	50
shèhwèisywé	N: sociology	50

shēn	SV: be deep (color, water, thought)	76
shēnhwáng	N: deep yellow	76
shēnlyù	N: deep green	76

shēntǐ	N: body, health	255

shènjřyú	A: even, to the point of	311

shēng	V: give birth to; be born	48
shēng	SV: unfamiliar, raw, fresh	284

shēng (continued)

shéng dz̀		new word	284
shēnghwó	V/N:	live/livelihood, living	312
shēng lúdz	VO:	start a fire in the stove, light the furnace	91
shēngr̀	N:	birthday	325
shēng rén		stranger, new comer	284
shēng ròu		uncooked meat	284
shēng tsài		raw vegetables	284

shēngyin or shēngr	N:	sound, noise	136

shěng	N:	province	49
shěng	V:	save (economize)	122
shěngchyán/			
shěng chyán	SV/VO:	economical/save money	122
shěngde	A:	lest, avoid, in order to prevent (someone from doing something)	285
shěngjǎng	N:	governor of a province	210
shěngshŕhou			
shěng shŕhou	SV/VO:	time-saving/save time	122
shěngshr̀/			
shěng shr̀	SV/VO:	trouble-saving/save trouble	122

Shèngjīng	N:	Holy Bible, the Scriptures, the Bible	197

shōushr	V:	fix, repair, clean up, put in order, straighten out	13
shōushr chìchē		repair an automobile	13
shōushr dūngsyi		straighten things up	13
shōushrhǎule		straightened out	13
shōushr syíngli		pack up	13
shōushrwánle		finished fixing	13
shōushr wūdz		fix up a room	13
shōutyáur	N:	receipt	92

shǒudū	N:	capital	313
shǒushr	N:	jewelry (M: -jyàn)	150

shǒu dyàndēng	N:	flash light	90
shǒujin	N:	towel (M: -tyáu; -kwài)	14
shǒusyu	N:	procedure, process	239

shr̄	N:	poem, poetry (M: -shǒu)	195

shŕdz̀   N: a cross in the shape of the
                      Chinese character ten (t)   4
  shŕdz̀-lùkŏur   PW: street or road intersection   4

shŕdzài   SV: be real, honest
                    A: really, actually   238
  shŕdzài shwō   tell you the honest truth   238

shŕtou   N: rock, stone   254

shr̀   V: try   64
  shr̀ wēndù   VO: take temperature   138

shú (or shóu)   SV: be well acquainted with;
                      ripe, be cooked, done   283
  shú ren   N: acquaintance   283

shŭjyà   N: summer vacation   213

shù   N: tree (M: fē)   38
  shùyèdz   N: tree leaf   38

shwā   V: brush   14
  shwādz   N: brush (M: -bǎ--generally for
                      things which have handles or
                      parts grasped by the hand in
                      using)   14
  shwā yá   VO: brush teeth   14
  shwā yīshang   VO: brush clothes   14

shwāi   V: fall (of a person);
                      throw (something) down   269
  shwāidǎule   RV: fell down   269
  shwāidyàule   RV: fell down and came off   269
  shwāihwàile   RV: it fell down and broke;
                      it was thrown and broken   269
  shwāijau   RV: fell down and get hurt   269
  shwāiszle   RV: fell down and died   269
  shwāitǎngsyale   RV: fell flat   269

-shwāng   M: pair (for shoes, socks,
                      gloves, chopsticks, etc.)   75

shwěi gwǎndz   N: water pipe   91

shwěigwǒ   N: fruit   123

Vocabulary

shwōfǎ | N: the way of speaking | 300
shwōlái shwōchyù | discuss (the matter) |
| back and forth | 197
shwō shŕdzàide | tell you the honest truth | 238

shwùnbyàn | A: when convenient, at your |
| convenience | 283

súhwà | N: proverb, common saying |
| (M: -jyùi) | 325
súyǔ(r) | N: proverb, common saying |
| (M: -jyù; (interchangable |
| with súhwà) | 325

sùshè | N: dormitory | 212

sùng lǐ | VO: give gifts | 325

swàn | V: reckon, calculate, add, count | 92
swànchulai | RV: figure out | 92
swànshang | RV: include in, add, count in | 92

swéirán...dàudǐ... | although...after all... | 311
swéirán...kěshr... | A: although... (yet)... | 24

swǒ | V/N: lock (M: -bǎ) | 91
swǒchilai | RV: lock up (things, people) | 91
swǒshang | RV: lock up (doors, locks) | 91

-swǒ(r) | M: for houses | 90

-syà | BF: (RV- ending indicating downward |
| motion or capacity) | 77
syàbān | VO: class is dismissed; |
| office hours are over | 211
syàchi yǔ laile | RV: begin to rain | 137
syàsywéchī | next term | 213
syà sywě | VO: snow (falls) | 38
syà wù | VO: become foggy | 39
syà yǔ | VO: rain (falls) | 37
syàywè(ywè)dǐ | TW: end of next month | 282

syà | V: startle, frighten | 240
syàhwàile | RV: scared to pieces | 240
syàsžle | RV: scared to death | 240
syà yítyàu | startled | 240

syàujǎng   N: principal of a school
                               president of a college   211

syé   N: shoe (M: -shwāng for pair,
                               -jr̄ for one of a pair)   75
   syépù   N: shoe store   75

syěbùdé   RV: writing cannot be finished
                                on time   135
   syěfǎ   N: the way of writing   300

syı̄   N: lead   165

syīfú   N: Western - style clothes
                               (M: -tàu)   152
   Syīhú   PW: West Lake (of Hangchow)   282
   Syīhú Fàndyàn   West Lake Hotel   285
   syītsān   N: Western-style meal (M: -dwùn)   121

syígwàn   N: habits   313

syǐdedyau   RV: can be washed off   268
   syǐdzǎu   VO: to take a bath   15
   (syǐ)dzǎufáng   N: bathroom (M: -jyān)   15
   (syǐ)dzǎupén   N: bath tub   91
   (syǐ)lyǎnpén   N: wash basin   91

syì   N: play, opera   254
   syìywándz   N: opera house, theater   253

syīn   N: heart, mind   3

syīnsyan   SV: fresh; new   312
   syīnsyan jīdàn   fresh egg   312
   syīnsyan nyóunǎi   fresh milk   312
   syīnwén   N: news   298
   Syīnyǎ Gūngsz̄   N: New Asia Company   135

syìn   V: believe   196
   syìn dzūngjyàu   VO: believe in religion   298
   syìnfēngr   N: envelope   64
   syìn Jīdūjyàu   VO: be a Christian   196
   syìnjř   N: letter paper (M: -jāng)   64
   syìn jyàu   VO: accept a relogion, adhere to
                                a religion, be a Christian   196
   syìnsyāng
      (yóusyāng)   N: mail box (M: -ge)   63

syìn (continued)
  syìnsyāng
    (yóusyāng)   N: mail box (M: -ge)   63
  syìntŭng
    (yóutŭng)   N: mail box (M: -ge)   63
  syìn Tyānjŭjyàu   VO: be a Catholic   196
  syìn Yēsūjyàu   VO: be a Christian   196

syīngchī   N/TW: week/Sunday   178
  syīngchìr   TW: Sunday   178
  syīngchityān   TW: Sunday (interchangable
                           with syīngchìr)   178
  syīngchiyī   TW: Monday   178

syíngli   N: baggage (M: -jyàn)   4
  syínglipyàu   N: baggage ticket   4

syĭng   V: wake up   196

syìngchyu   N: interest (cf. yŏuyìsz)   267

syìngkwēi   A: fortunately   152

syōusyi   V: rest, take a vacation   15

syŭ   V: permit, allow, let   179

sywéchī   N/M: semester, term   213
  sywé Jūngwén   VO: study Chinese   64
  sywéwen   N: learning, knowledge   50

sywě   N: snow   38

szlì(de)   BF: privately established   165
                       (school, factory, etc.)

sž   V: die   198
  sžrén   N: dead person   198

sznyánjí   PW: fourth grade or year
                       (in school)   13
  sžshēng   N: four tones (of the Chinese
                       Mandarin language)   300

tsāi	V: guess	299
tsāijáule	RV: guessed it	299
tsàidāndz	N: menu	151
tsàiyóu	N: vegetable oil	25
tsàiywándz	N: vegetable garden	253
tsāngwān	V: pay a visit to (a public place) inspect informally, go sightseeing	210
tsānjyā	V: participate in, join	284
Tsáu Tsāu	A hero of the Three Kingdom's period.	327
tsǎu	N: grass, straw	38
tsǎudì	N: lawn	38, 254
tsǎumàur	N: straw hat	38
tséng	M: story (for lóu)	239
tsúng...chǐ CV...V:	from...on	121
tsúnglái...bù...	never before, never do	198
tsúnglái...(jyou) MA:	heretofore, in the past	198
tsúnglái...méi...	never before, never did	198
túshūgwǎn	N: library	212
tǔ	N: dust, earth	38
tūng V/RVE:	pass through/get through	313
tūng chē	to be open to traffic, be accessible by train or bus	313
tūng dyànhwà	to put through a phone call	313
tūng syìn	to correspond by mail	313
túng	N: copper, brass	164
túngde	N: of copper, of brass	164
túngbān N/VO:	classmate	267
túngshŕ A:	at the same time	311
túngshr̀ N/VO:	co-worker, colleague	267
túngsywé N/VO:	schoolmate, fellow students	267
tùngkwai SV:	be content, be happy	3

twēi	V: push	268
twēikai	RV: push open	268
twēishangchyu	RV: push up	268
twēisyalai	RV: push down	268
Tyānjǔjyàu	N: Catholic Church (Roman)	165
tyán	V: fill in	239
tyán byǎu	VO: fill in a form	239
tyán	SV: be sweet	26
tyāu	V: choose; select	313
tyáur	N: brief note, short message	92
tyě	N: iron	164
tyěde	N: of iron	165

W

wàdz	N: sock, stocking (M: -shwāng, for pair; -jr̄ for one of a pair)	77
wài	EX: hello (used in telephone conversation only)	135
wàikē	N: surgical department	238
wánchywán	SV/A: be complete/completely	312
wàng shàng twēi	push upward	268
wèi	CV: for	122
wèi(de)shr̀	A: in order to, in order that	269
wèi(de)shr hǎu	in order to, so that	285
wēndù	N: temperature	138
wēndùbyǎu	N: thermometer	138
wēnsyí	V: review	225
wén	V: smell	25
wénchūlai	RV: make out (smelling)	224
wénjyan	RV: smelled	25

wénhwà	N: civilization, culture	313
wényán	N: literary language,	
	classical style	299
wèntí	N: question, problem	225
wèr	N: taste, flavor, odor	25
wǒ dz̀jǐ lái	IE: let me do it myself	51
wǒ gǎn shwō	IE: I venture to say that,	
	I'm sure	138
wǒ lái	IE: let me do it	51
wǒmen dàjyā	N: all of us	3
wǒ nèirén	my wife (polite remark)	136
wòfáng	N: bedroom (M: -jyān)	90
wúsyàndyàn	N: radio	298
wù	N: fog	39

Y

yá	N: tooth	14
yágāu	N: toothpaste (M: -tǔng--	
	meaning tube, keg, barrel,	
	tank)	14
yákē	N: dental department	238
yáshwā	N: toothbrush (M: -bǎ)	14
yān	N: tobacco, cigarette (M: -jr̄,	
	stick; -gēn, stick; -hé(r),	
	box; -bāu, pack; -tyáur,	
	carton); smoke	48
yán	N: salt	25
yánjyou	V: study, make special	
	investigation or study of	50
yánsher, yánsè	N: color	38
yǎnjing	N: eye (M: -jr̄)	14
yǎnjìng(r)	N: eye glasses (M: -fù, set)	211
yǎnkē	N: optical department	238

yǎnjyǎng   V/N: give a speech, lecture/a
                                 speech (interchangable with
                                 jyǎngyǎn)   163

yánggwěidz   N: foreign devil, foreigner   326
   yánghwǒ   N: matches (M: -gēu for stick;
                                 -hé(r) for box; bāu for
                                 package)--lit. foreign fire   51

yàu   N: medicine   4
   yàufāngr   N: prescription (M: -jāng)   241
   yàufáng   N: drugstore (cf. yàupù)   241
   yàupù   N: medicine (herb) shop   4

yàushr   N: key (M: -bǎ)   91

Yēlǔ Dàsywé   Yale University   49
   Yēsūjyàu   N: Christianity (usually refers
                                 to the Protestant church as
                                 vs. the Catholic church)   165

yětsān   V/N: picnic   255

yè   M: page   224

yèdz   N: leaf   38

yīfu   N: clothes (M: -tàu for suit,
                                 -jyàn for piece)   150

yīywàn   N: hospital   238

yíchyè   N: all of anything   13
   yíge syīngchī   NU-M: one week   178
   yìbāu dūngsyi   N: a package of something   77
   yìbāu yān   N: a package of cigarettes   77
   yìbyār...yìbyār...   A: on one side... on the other,
                                 on one hand... on the other   48
   yìkǒu fàn   a mouthful of rice   327

yídz   N: soap (M: -kwài)   14

...yǐnèi   MA: within   285
   yǐwéi   V: suppose, think that, consider   283

yīn tyān   N/VO: cloudy day   38

yín-	BF:	silver	164
yínde	N:	of silver	164
yíndz	N:	silver	164
yínsháur	N:	silver spoon	164
yīnggāi	A:	ought to (interchangable with yīngdāng)	76
yóu	N:	oil, sauce	25
yóuchāi	N:	mail man	63
yóufèi	N:	postage	62
yóujèngjyú	N:	Post Office	62
yóupyàu	N:	postage stamp (M: -jāng)	63
yóuchí(shr)	A:	especially, above all	39
yóuyǔng	V:	swim	269
yóuyǔngchŕ	N:	swimming pool	269
yǒudàuli	SV:	be logical, reasonable	197
yǒudeshr̀	V:	there is plenty (of it)	180
yǒu dzwòr		there are seats	180
yǒu fēnbye		there is a difference	224
yǒu gwānsyi	VO:	to be related to, to be relevant	122
yǒugwēijyu	SV:	be well disciplined, well mannered	180
yǒujīngshen	VO:	energetic, spirited	255
yǒujīngyàn	VO/SV:	have experience/ be experienced	211
yǒu jŕshr	VO:	well informed, educated	254
yǒulǐ	VO/SV:	logical, reasonable	253
yǒulǐmàu	SV:	be polite	325
yǒu syìngchyu	SV/VO:	be interested in, show interest in	267
yǒusywéwen	SV:	learned	50
yǒuyánjyou	SV/VO:	have specialized knowledge	50
yǒuyidyǎr	A:	a little bit	26
yǔ	N:	rain	37
yúntsai	N:	cloud (M: -kwài)	39
yùnchi	N:	luck, fortune	152
yùndùng	V:	exercise	212
yùndùngchǎng	N:	athletic field	212

yùngchu	N: use, usage	238
yùnggūng	VO: put time and effort into	
	SV: work or study hard	50
yùng Júngwén syě	Ph: write in Chinese	64
yùngren	N: servant	4
yùngsyīn	SV/VO: put heart into,	
	apply one's mind to	3
(yùng) túng		
dzwòde	made of copper (brass)	164
ywándz	N: garden (M: -ge)	
	theater (M: -jyā)	253
ywángù	N: reason	239
ywàndz	N: yard	37
ywē	V: invite	285
ywēhǎu	RV: reach an agreement with,	
	(someone to do something)	285
ywēhwei	N: engagement, appointment	165
ywèdǐ	TW: end of the month	282
ywèlyang	N: moon	226
ywè...ywè	A: the more... the more...	223
ywè chr̄ ywè pàng	the more you eat the	
	fatter you are	223
ywè lái ywè...	A: getting more and more...	223
ywè lái ywè		
dzāugāu	getting worse and worse	223
ywè lái ywè nán	getting more and more	
	difficult	223
ywè syě ywè kwài	the more you write the	
	faster you get	223